★ 紹介와 案內의 말씀 ★

"産業美術"은 다른 繪畵나 彫刻藝術과 같이 하나의 專門的美術 分野로서 國民生活과 直接的인 連關性을 가졌을 뿐만아니라 그 國家나 社會를 象徵하는, 産業의 動脈的役割을 하는 다시말하자면 生活하는 美術이요 産業하는 美術이며, 나아가서는 外交하는 美術이기도 한것입니다.

이미 外國의 그것은 다른 美術分野와 더부러 그야말로 눈부신 發展樣相을 보이고 있고, 우리나라에서도 近日에 이르러서는 商・工業의 發展과 함께 産業美術의 緊要性을 새삼스럽게 認識하려는 傾向이 두터워져가는데 이것은 우리가 다같이 慶賀해마지않는 바 입니다.

이번 韓弘澤君이 産業美術第一回 個人展을 가지게 된것은 우리 나라에서는 처음보는 一大快事로 君個人뿐만아니라 産業美術界의 來日을 爲하여 至極히 多幸한 일입니다. 君은 繪畵面에서도 一家 를 이룬 美術人으로서 特히 産業美術의 生命이라고도 할수있는 纖細, 緻密하며 大膽한 덫취와 부드럽고도 아름다운色感, 그리고 새로운 境地를 開拓하려는 滿滿한 野心은 産業美術人으로서뿐만 아니라 우리畵壇의 至寶的存在라고 해도 過言은 아니라고 생각됩 니다.

君의 이 個展이 産業美術의 來日을 爲하여, 나아가서는 民族文 化의 來日을 爲하여 반드시 커다란 푸라스가 될것을 말씀드려 躊 躇하지않는 바입니다.

一九五五年十月九日

産業美術家協會 同人一同 白

戰時科學
研究所
提供

－4 2 8 5－
7月15日 ⟹ 7月20日
主　催　在京産業美術家協會
後　援　서 울 신 문 社
會　場　올 림 피 아 茶死

作 品 目 錄

産美展

案內의 말씀

韓弘澤君의 藝術에 關해서는 여기 紹介가 必要치않을 것입니다. 各種美術展이 數없이 있었으나 解放前後를 通해서 우리나라에서는 단 두번째 이루어지는 極히 드문 "데자인"展이라 하겠읍니다. 이것으로 미루어 보아도 個人의 "데자인 "生展이란 참으로 벅찬 製作意慾없이는 하루 이틀에 이루어 질수없다는 것을 재삼스러이 느끼는 바입니다.

君은 繪畵藝術의 領域에서 精進을 繼續하는 한편 近代産業이 우리에게要求하는 無限한 創造에對한 欲望 卽 生活하는 美術을 또한 探索하고 있는것입니다. 鑑賞하는 美術이 아니라 어디까지나 우리生活과 直接的인 連關性을 지니며 作畵하는 産業美術은 國家나 社會를 象徵하는 動脈的 役割을 하는 美術이기도 합니다. 作品의 起因은 또한 作家의 個性에따라서 對象物과 作家사이에 恒常 불라 맺어지는 感動으로부터 出發하여야만하는 것입니다. 産業美術家는 그 누구보다도 現實에서 여러가지를 呼吸하면서 恒常 새로운 內容있는 있는 것입니다. 것을 社會에 던져주어야 할것이며 이러한것은 누구나 다 알면서 그 製作行動에 있어 困難한 問題를 자아내 고이것을 말없이 現實과 부더처가며 默默히 製作實行하여 徹頭徹尾 生活美를 探求하는 作家가 바로 君이라하겠읍니다.

君은 이 分野의 가장 優秀한 開拓者일 뿐만아니라 解放前後를 通하여 오랜동안 社會와 맞부디치며 꾸준히 굽히지않고 創作生活을 繼續해 왔읍니다. 君은 力量있는 製作意欲이 또한 가장 旺盛한 畵家로서 國家商工業發展에 있어서나 우리 産業美術界에 있어서 가장 尊重하게 여기는 作家입니다. 眞正한 民族美術建設이란 틀에 건 그림뿐이 아니고 우리社會生活 周邊을 直接 美術化하는것이 "데자이너"로서 本分을 다하는것이 아닌가 합니다.

韓弘澤君이 이번 또다시 내놓은 三〇餘點의 새로운 造型美와 그의 特異한 繪畵性을 지닌 作品들은 纖細・緻密하며 大膽한 筆致와 아름다운 色彩의 圓熟性을 지닌 滿滿한 作品이라 하겠으며 來日의 産業美術界를 爲하여 커다란 發展이 한層 成遂될 것이 믿어지는 바입니다.

이번 君의 第 2 回 個人展을 갖게되 것을 이런 意味에서 우리는 衷心으로 慶賀하는 바이며 아울러 寸暇를 버히시와 光臨하시기를 바라마저 않읍니다.

1958・5・ 産業美術家協會 同人一同白

新 象 展

ART MUSEUM KYOUNG POCK PALACE
SIN-SANG ART EXHIBITION

H·H·T·DESIGN 研究所
韓 弘 澤

紹介의 말씀

아직도 未熟한 學生들의 作品들이오나
本研究所가 開設된지 七年以來 처음으로 本所 第1回 研究生展을 開催하게
되었읍니다. 이번 第1回展은 主로 그라픽 디자인에 對한 作品들로서 各自
의 진지한 努力으로 이룩된 作品들이라고 생각됩니다. 디자인은 모든 造型
美術의 母體이며 基礎인것입니다. 그 表現方法에 있어서도 無限한 多樣性을
갖이고있으며 生活하는 美術, 産業하는 美術이며 나아가서는 外交하는 美術
이기도 한 것입니다. 이미 外國의 그것은 다른 分野와 더부러 그야말로
눈부신 發展相을 보이며 商工業發展과 함께 活潑한 樣相을 보이고있음은
周知의 事實입니다. 디자인은 繪畫나 彫刻藝術과 같이 하나의 專門的인 장루
로서 國民生活과는 特히 直接的인 連關性을 가졌을뿐만아니라 그 國家 그
社會를 象徵하는 産業의 動脈的役割을 하고있읍니다. 그라픽 디자인은 主體
性을 어떻게 다루느냐하는 問題에만 그치는 것이아니라 또하나의 心理的인
要素인 프로닥트 이메에지의 表現이라든가 纖細·緻密하며 大膽한 텃취와
부드럽고 아름다운 色感 그리고 새로운 生活美術의 分野를 開拓해 나가야
한다는것과 素材나 材料를 通해 個性과 創意性을 發揮하는 作品이래야 한다는
것은 再論드릴바도 없읍니다   1964.4

서울 圖案專門研究所
主幹 韓 弘 澤

모던 데자인: 생활, 산업, 외교하는 미술로

Modern Design: The Art of Life, Industry and Diplomacy

모던 데자인: 생활, 산업, 외교하는 미술로

2022.11.23. – 2023.3.26.
국립현대미술관 과천 3, 4 전시실

관장
윤범모

학예연구실장 직무대리
송수정

현대미술2과장
임대근

학예연구관
조장은

전시기획
이현주

코디네이터
김영인

전시 디자인
김소희, 홍예나

그래픽 디자인
이건정

공간 조성
한명희, 이경진

운송·설치
박양규, 정재환, 탁현우

아카이브 출납
박지혜, 백규빈, 박나라보라, 김효영

소장품 출납
이은지, 권혜은, 김유연, 김다은

작품 보존
범대건, 이남이, 조인애,
윤보경, 임소정, 문희경

교육
정상연, 선진아

홍보·마케팅
이성희, 윤승연, 채지연, 정다은, 김홍조,
김민주, 이민지, 기성미, 신나래, 장라윤, 김보윤

고객 지원
오경옥, 추헌철

사진
김진현, 김국화, 안희상, 이미지줌

영상
더 도슨트(백윤석), 이미지줌

번역
장통방

자료 연구·조사
큐레이팅소사이어티(조옥님, 이솔, 채우리)

현장 지원
남은혜, 김주희, 이지언

협찬
무림페이퍼

후원
한국영상자료원

도움 주신 분
CDR 어소시에이츠, KTV, 국립어린이청소년도서관,
국립중앙도서관, 국립한글박물관, 근대서지연구소,
대한민국역사박물관, 대한산업미술가협회,
사진아카이브연구소, 서울시 문화본부 박물관과,
서울역사박물관, 아모레퍼시픽 아카이브, 예화랑,
디자인코리아뮤지엄, 한미사진미술관, 한영수문화재단

한운성, 이윤국, 김방은, 문소연, 강현주, 김성천

Modern Design: The Art of Life, Industry and Diplomacy

November 23, 2022.– March 26, 2023.
Gallery 3, 4
National Museum of Modern and Contemporary Art, Gwacheon

Director
Youn Bummo

Representative of Chief Curator
Song Sujong

Head of Exhibition Department 2
Lim Dae–geun

Senior Curator
Cho Jangeun

Curated by
Lee Hyunju

Curatorial Assistant
Kim Youngin Arial

Exhibition Design
Kim Sohee, Hong Yena

Graphic Design
Lee Gunjung

Exhibition Construction
Han Myounghee, Lee Kyungjin

Technical Coordination
Park Yanggyu, Jeong Jaehwan, Tak Hyeonwoo

Archive Management
Park Jihye, Back Kubin, Park Narabora, Kim
Hyoyoung

Collection Management
Lee Eunji, Kwon Hye Eun, Kim Yoo Yeon,
Kim Da Eun

Conservation & Condition Check
Beom Daegon, Lee Nami, Cho Inae, Yoon
Bokyung, Lim sojung, Moon heekyoung

Education
Chung Sangyeon, Sun Jina

Public Communication and Marketing
Lee Sunghee, Yun Tiffany, Chae Jiyeon, Jung
Daeun, Kim Hongjo, Kim Minjoo, Lee Minjee, Ki
Sungmi, Shin Narae, Jang Layoon, Kim Boyoon

Customer Service
Oh Kyungok, Chu Hunchul

Photography
Kim Jinhyeon, Kim Kukhwa, Ahn Heesang,
Image Joom

Filming
The Docent (Baek Yunsuk), Image Joom

Translation
Jangtongbang

Archival Research
CURATING SOCIETY
(Jo Oknim, Lee Sol, Chae Uri)

Assistant
Nam Eunhye, Kim Juhee, Jieon Lee

Supported by
Moorim Paper

Sponsored by
Korean Film Archive

Special thanks to:
CDR associates, KTV,
National Library for Children and Young Adults of
Korea, National Library of Korea,
National Hangeul Museum,
The Modern Bibliography Review Society, National
Museum of Korean Contemporary History,
Korean Industrial Artists Association,
The Research Institute of Photographic Archives,
Museum Division, Culture Headquarters,
Seoul Metropolitan Government,
Seoul Museum of History, Amorepacific Archive,
Gallery Yeh, Design Korea Museum,
The Museum of Photography, Seoul,
Han Youngsoo Foundation

Han Un Sung, Lee Youn Goog, Kim Bang Eun,
Moon Soyon, Kang Hyeon Joo, Kim Sung Chun

목차

윤범모
국립현대미술관 관장

국립현대미술관은 해방 이후 근대화, 산업화를 통한 국가 재건 시기 미술과 산업의 유기적 관계를
조명하는 《모던 데자인: 생활, 산업, 외교하는 미술로》를 개최합니다. 이번 전시는 지난 2021년
국립현대미술관에 기증·수집된 한홍택(韓弘澤, 1916–1994)의 작품과 아카이브, 그리고 2022년 기증된
이완석(李完錫, 1915–1969)의 아카이브를 중심으로 동시기 활동했던 작가들과 자료를 통해 한국
근현대디자인의 태동과 전개를 다양한 각도에서 조망하고자 합니다.

　　1945년 해방 직후 한홍택은 권영휴, 엄도만, 유윤상, 이병현, 이완석, 조능식, 조병덕, 홍남극,
홍순문 등과 함께 최초의 디자인 단체인 조선산업미술가협회(現 대한산업미술가협회)의 창립을
주도했습니다. 미술과 디자인이 지금과 같이 서로 다른 영역으로 구분되기 이전 분야를 넘나들며
활동했던 이들은 '산업미술'이라는 분야를 새롭게 정의하고 불모지였던 한국 디자인계 발전의 기초를
마련하는데 주요한 역할을 해왔던 선구자였습니다.

　　이들이 함께한 시기는 한국전쟁과 그 폐허를 딛고 새로운 문화, 산업, 교육, 제도 전반을 새롭게
구축하고 부흥하고자 힘썼던 때입니다. 당시 산업미술을 '순수 미술과 달리 국민 생활과 직접적으로
연관성을 갖고 국가의 문화 산업 진흥과 사회 발전에 기여하는 전문 영역'으로 강조했던 것은 미술의
사회 참여 혹은 디자인의 사회적 역할을 함께 모색하는 것이었습니다. 전시를 통해 한국 근현대미술과
디자인의 역사가 서로 교류하고 분화되는 과정을 살피는 것은 분야 간 논의의 장을 확장하는 기회가 될
것입니다.

　　오랫동안 보관해 오신 귀한 작품과 아카이브를 미술관에 기증해 주신 유족분들과 이번 전시를
위해 작품과 자료를 대여해주신 기관, 소장가 여러분께 진심으로 감사의 말씀을 드립니다. 또한 참여
작가분들과 전시 협업자, 그리고 도움을 주신 많은 분들이 있었기에 전시가 가능했습니다. 전시를
담당한 국립현대미술관 가족 여러분께도 특별한 감사의 말씀을 올립니다.

모던 데자인: 생활, 산업, 외교하는 미술로

이현주
국립현대미술관 학예연구사

'산업미술'은 다른 회서나 조각예술과 같이 하나의 전문적 미술 분야로서 국민생활과
직접적인 연관성을 가졌을 뿐만 아니라 그 국가나 사회를 상징하는, 산업의 동맥적
역할을 하는 다시 말하자면 생활하는 미술이요 산업하는 미술이며, 나아가서는 외교하는
미술이기도 한 것입니다.[1]

국립현대미술관은 디자인 아카이브로 기증된 한홍택의 작품과 자료들을 중심으로《모던 데자인: 생활,
산업, 외교하는 미술로》전을 개최한다. 이번 전시는 해방 이후 한국전쟁을 거치며 근대화, 산업화를
통한 국가 재건 시기에 활동했던 산업미술가의 아카이브를 매개로 디자인 분야의 성립과 전개 과정에서
포착되는 시대의 단면들을 살펴본다. '모던 데자인'이란 제목은 1958년 개최했던《제2회 한홍택 모던
데자인전》에서 발췌한 것으로 디자인이라는 용어가 일반화되기 이전 도안, 산업미술, 생활미술,
응용미술, 장식미술과 같이 번역된 어휘가 뒤섞여 사용되었던 1950–1960년대 시대적 조건을 환기한다.
전시는 그간 한국 근현대디자인사 연구에 있어 아카이브의 부재로 충분히 들여다보지 못했던 1945년
전후에서부터 1950–1960년대를 다층적인 문맥에서 조망하고자 기획되었다.

'디자인'이라는 용어가 일상에 정착하기 이전, 디자이너의 역할과 전문성이 인정받지 못했던 시대,
이러한 상황 속에서도 '생활하는 미술, 산업하는 미술, 외교하는 미술'이라는 정의를 통해 기존 미술과는
또 다른 분야의 창작자로서 정체성에 대해 발언했던 이들의 단호함은 어디에서 온 것일까. 진취적으로
들리는 이들의 구호가 과연 실현 가능한 것이었는가. 새로운 세계를 앞서 경험하고, 남다른 심미안을
가졌던 이들이 느꼈을 현실과 이상의 간극, 시대의 한계에 부딪히면서도 치열하게 창작했던 이들의 삶은
어떠했는가. 미술과 산업, 그 사이의 영역에서 시대가 꿈꾸는 것을 만들고 일상과 예술을 매개하려 했던
이들의 노력은 어떤 형태로 기록되거나 남아있을까.

이러한 질문으로부터 이번 전시는 '새로움'과 '진보'와 같은 시간성의 논리를 담은 '모던'과 '기능'과
'아름다움'이라는 가치를 추구하는 '데자인'이라는 여전히 매우 유동적이고도 불확실한 개념을 다양한
방식으로 모색했던 시대의 산물과 장면들을 채집한다. 전시는 작가의 사적 아카이브와 작품으로부터
출발하여 당시 작업이 창작되었던 조건과 변화의 과정들을 유추해 볼 수 있는 여러 층위의 자료들을
병치시킨다. 또한 일상의 풍경과 생활상을 서로 다른 시선에서 기록, 재구성했던 사진과 영화, 영상
푸티지를 비롯해 광고 삽화와 한글 레터링과 같은 일상의 시각문화를 수집한 이미지 아카이브까지
불균질하고 파편적인 조각들로 서로를 비추며 시대를 읽어보고자 한다.

미술과 산업: 산업미술가의 탄생

1945년 해방은 사회 전 분야에서 새로운 움직임을 촉발하는 기점으로 작동했다. 일제는 해방 이전 전시
총동원 체제에서 한국인들의 모든 단체 활동과 결집을 금지했고, 광복 이후 이러한 압제가 해제되자
이에 대한 반동으로 수많은 문화예술 단체들이 설립되기 시작했다. 문학, 무용, 연극, 음악 등 다양한
분야의 창작자들과 같이 미술가들도 여러 단체를 조직하며 사회적 혼란 속에서도 공동의 목적을
지향하는 활동을 이어갔다. 여기엔 해방된 조국에 기여하고자 했던 이들의 의지와 함께 각 분야에서의
주도권을 선점하기 위한 목적이 공존했으며 이념의 대립 속에서 새로운 단체들의 창립과 해체가

---

[1]   산업미술가협회 동인 일동, 「소개와 안내의 말씀」, 《한홍택 작품전》 브로슈어, 1955년 10월 9일.

반복되었다. 이러한 흐름 속에서 1945년 12월 창립된 조선산업미술가협회(1948년 대한민국 정부 수립 후 대한산업미술가협회로 개칭, 약칭 산미협회)는 국내에서 가장 오래된 미술·디자인 단체로 한홍택, 이완석, 조능식, 조병덕, 권영휴, 엄도만 등이 창립 회원으로 활동했다.[2][p. 74]

산미협회는 1946년 5월 동화백화점(舊 미쓰코시백화점)에서 창립전《조국광복과 산업부흥전》을 개최하며 공식적인 활동을 시작했다. 당시 한홍택을 비롯한 10명의 작품 36점이 전시되었는데 관광, 화장품, 산업건설, 등산, 박람회, 상품, 영화, 8.15 기념 등을 주제로 한 포스터들이 주요 출품작이었다.[3] 이후 매년 회원전을 이어갔는데 전시마다 해당 시기의 사회적 이슈나 시의성 있는 주제를 설정하고 있었다는 점이 흥미롭다. 한홍택의 〈해방〉(1945)[p. 76], 〈대한민국정부수립〉(1948) [p. 77] 포스터는 이러한 예로 역사의 현장을 압축적으로 포착해 대중에 전달하고자 하는 선명한 표현이 돋보이는 작품이다. 산미협회에서 1946년에 개최한 제2회《올림픽에 관한 디자인전》은 제14회 런던올림픽에 관한 홍보와 사회적 인식의 확산을 고려한 것으로 당시 런던올림픽은 대한민국 정부가 수립되기 이전 최초로 태극기를 앞세워 주권국가로서 참가했던 첫 대회였다. 이후 1950–1960년대까지 회원전에서 자주 다루어진 주제는 '관광'과 '산업건설' 등으로 외화를 벌기 위해 관광산업을 촉진하고 '공업입국' 이라는 구호 하에 산업을 육성하려 했던 당시 국가 시책과도 연관된 것이었다. 안정적인 경제 활동이 어려워 '출품할 작품의 틀(액자)과 전시 목록(브로슈어)'을 만들어 전시하기도 넉넉지 않은 때였음에도 불구하고 이들은 해마다 전시를 개최해 디자인이라는 분야를 인식시키려는 노력을 이어갔다.[4]

산미협회의 창립을 주도하고 약 30여 년간 협회를 이끌었던 한홍택은 1935년 일본으로 건너가 도쿄도안전문학원(東京圖案專門學院)을 마치고 제국미술학교(帝國美術學校, 現 무사시노미술대학)를 수료한 후 귀국했다. 일본 유학 시기 한홍택의 석고 소묘와 인체 소묘, 드로잉과 유화[p. 115, 121]를 통해 그가 아카데믹한 미술 교육 과정에서 소묘력과 표현 감각을 익히며 뛰어난 필력을 갖추게 된 과정을 살펴볼 수 있다. 귀국 직후 한홍택은 1940년부터 유한양행에 근무하면서 광고 제작과 도안을 담당했는데 그가 근무하게 된 시점에 이미 5–6명 정도의 도안사가 있었을 만큼[5] 유한양행은 경영에 있어 광고의 중요성을 인식하고 많은 힘을 기울이던 기업이었다. 이와 함께 한홍택은 1939년부터 1944년 사이 조선미술전람회(朝鮮美術展覽會) 서양화부에 해마다 출품해 입상하였으며 조선미술건설본부, 조선미술동맹, 조선미술가협회, 조선조형예술동맹 등 여러 미술단체에 참여하여 회화가로서 활동도 병행했다. 1956년 한홍택도안연구소를 개소한 이후에도 유한양행의 디자인 고문으로서 역할을 맡았고, 서울대학교 미술대학 응용미술과 강사를 거쳐 홍익대학교와 덕성여자대학교 교수로 후학을 양성하는 등 교육자로도 활약했다. 무엇보다 그는 작품 활동과 더불어 디자인에 대한 사회적 통념을 개선하고자 꾸준히 발언했던 분야의 개척자였다.

한홍택보다 앞서 일제 강점기에 도안을 공부했던 인물로 임숙재(任璹宰, 1899–1937)와 이순석(李順石, 1905–1986)을 들 수 있다. 최초로 1928년 일본 도쿄미술학교(東京美術學校, 現 도쿄예술대학) 도안과를 졸업하고 귀국해 안국동에 도안소를 설립했던 임숙재는 1928년『동아일보』에 공예와 도안에 관한 글을 기고하는 등 의욕적인 활동을 펼쳤으나 1937년 이른 나이에 세상을 떠나 안타깝게도 많은 활동을 남기지 못했다. 이순석은 1931년 도쿄미술학교 도안과를 졸업 후 귀국하여

2 조선산업미술가협회의 시작 시기에 대해 1945년과 1946년으로 기록이나 관련 연구마다 차이가 있다. 1946년 개최된 첫 번째 협회전을 시작으로 보는 견해도 있으나 창립 모임의 정확한 날짜(1945년 12월 27일)와 발기인에 대한 기록이 남아있음에 따라 이를 기준으로 하였다.

3 이경성,「산미 30년전」,『월간디자인』, 1978년 6월 참조.

4 조능식,「산미협회 50년을 뒤돌아 본다」,『산미오십년』(서울: 대한산업미술가협회, 1998), 52–53.

5 최범,「한국 그래픽 디자인계의 산증인, 한홍택」,『월간디자인』, 1988년 7월 참조.

그 해 최초의 도안 개인전을 열어 예술성과 조형미를 지닌 도안 작품을 대중에게 선보였으며 이를
계기로 화신백화점에서 광고나 선전미술 등을 담당하는 과장으로 약 1년간 근무했다고 전해진다.[6]
하지만 디자이너로서 전문성을 발휘할 만한 산업적 기반이 미비했던 시기였기에 당시 많은 미술가들이
신문 삽화나 책 장정에 해당하는 인쇄, 출판 미술의 영역을 생계 수단으로 삼았던 것처럼 한홍택,
조능식, 조병덕, 이순석, 이병현, 이완석 등 산업미술가들도 다양한 매체의 삽화나 표지화를 맡거나
장정가로 활동했다.

　　일제 강점기 말 민족말살정책으로 인해 해방 직후 대부분의 아이들이 한글을 읽을 수 없는
형편이었고, 오랜 수난 끝에 한글로 출판할 수 있는 자유를 얻게 된 출판사들은 한글 학습과 관련된
다양한 서적을 펴내는 일에 앞장섰다. 우리 말과 글을 되찾고자 하는 열망이 가득했던 시기 새로운
창작물로서 아동 잡지들이 간행되고 동시, 동화, 동요 등 아동문학 서적이 급격히 늘어난 것은
필연적이었다. 1945년 해방과 함께 설립된 을유문화사는 이러한 행보에 앞섰던 대표적인 출판사로
1946년 자회사격인 조선아동문화협회를 세워 이각경의『가정 글씨 체첩』(1946)[pp. 98–99]을
첫 출판물로 발행한 뒤 현덕의 동화집『토끼 삼형제』(1947), 월간『소학생』(1946–1950)[p. 102]을 비롯한
다양한 아동서적을 발행하며 아동문화에 큰 공헌을 했다.[7] 아동문학가 윤석중이 편집 겸 발행인이던
『소학생』의 표지화와 각종 삽화에는 정현웅, 김의환, 임동은, 조병덕, 한홍택 등 당대 최고의 삽화가,
장정가로 인정받았던 인물들이 지속적으로 참여하여 완성도 높은 출판물을 선보였다.

　　한홍택의 표지화와 삽화가 실린『이소프얘기』(1946),『소파동화독본(小波童話讀本) 제5권
황금거우』(1946),『복수왕』(1947), 한홍택이 장정하고 정현웅이 삽화를 그린『세계명작 소년소설집
(世界名作小年小說集)』(1947)[p. 96]도 이와 같은 시대의 요구 속에서 탄생한 출판물이었다. 이와 함께
한홍택이 어린이를 위한 동화책을 염두에 두고 제작한 것으로 보이는〈어린이구락부〉[pp. 89–91]의 삽화
원본과〈동물만화〉[pp. 92–93]의 삽화 원본이 기증된 아카이브를 통해 처음으로 공개된다. '고양이 목에
방울 달기', '모자장수와 원숭이'와 같은 이야기에 등장하는 돼지, 오리, 코끼리, 토끼, 고양이 등 다양한
동물 캐릭터들이 처한 상황과 다양한 표정이 재치 있게 포착되어 있다. 이번 전시에 소개되는 한홍택과
이완석의 작품 외 초기 산미협회 구성원들의 작품 원본이 거의 남아있지 않아 활동 전반을 조망하기에
어려움이 있었으나 당시의 활동 중 주요한 부분을 차지했던 인쇄 미술을 통해 그 흔적을 추적하고자
한다. 문학과 미술이 긴밀하게 조우했던 시기 이들의 작업은 풍부한 회화성과 개성 있는 표현을
고스란히 담은 일상의 미술이었다.

　　이완석은 한국 근현대디자인사 서술에서 산미협회의 창립 회원으로 거론되었을 뿐 이외의
활동이 거의 알려지지 않았던 인물이다.[8] 최근 유족에 의해 발견되어 미술관에 기증된 이완석
아카이브는 해방 전후 미술과 산업을 매개하며 다방면에서 활약했던 산업미술가들의 활동을 더욱
생생하게 보여준다. 이완석은 1930년대 중반 태평양미술학교에서 서양화를 전공 후 귀국하여 해방 전
천일제약(天一製藥)의 도안 담당으로 활동하면서 광고와 제품 패키지 개발 등 디자인을 담당했고, 이후
천일백화점 사장을 역임하고 천일화랑을 설립, 화랑에서의 전시 기획과 미술 단체 활동을 병행하며
작품 활동도 이어갔다. 또한 1964년 천일화랑이 있던 자리에 한국민예품연구소를 개소하여 장인들과
그들의 작품인 민예품을 수집, 조사하고 디자인을 개선해 판매할 기회를 마련하고자 전시를 추진하는

6　　허보윤,「미술로서의 디자인: 이순석의 1946–1959년 응용미술교육」,『조형_아카이브』2권(2010): 147–148.

7　　한국민족문화대백과사전 '을유문화사(乙酉文化社)' 항목 참조.

8　　이완석이 작고하기 전까지 산미협회 사무실은 그가 일하던 천일빌딩(서울시 종로구 예지동 189번지)에 주소를 두고 있었다.
　　　황부용,「이미지를 만드는 사람들: 제6회 회화적 접근」,『월간디자인』, 1986년 6월, 123.

등 한국미술과 공예, 디자인계의 후원자로서 전방위적인 역할을 맡았다.[9]

이완석의 아카이브에서 단연 눈에 띄는 것은 그가 활동했던 천일제약에 관한 기록들이다. 『천일제약 상표집』[pp. 129-131]은 천일제약의 상표권 등록에 관련된 사항이 수록된 스크랩북으로 천일제약의 대표 상품이던 '조고약'의 상표를 다양하게 변형한 도안들이 수록되어 있는데 유사상표 등록을 통해 모방제품으로부터 보호하려던 당시의 노력을 유추해 볼 수 있는 자료다. 상자, 봉투, 라벨, 스티커 등 제품 포장과 관련된 자료가 수록된 『천일제약 포장 스크랩북』[pp. 128, 132-133]에는 광고에 자주 등장했던 조고약과 아리진 등 각종 약 포장을 위한 다양한 샘플들이 포함되어 있다. 『천일제약 광고집』[p. 128, 134-135]은 신문광고, 전단지, 포스터, 전차광고 등을 모아 놓은 스크랩북으로 특히 완성된 광고뿐 아니라 레이아웃이나 광고 카피 등을 고민한 흔적이 담긴 스케치도 포함되어 있어 디자인 과정을 엿볼 수 있는 흥미로운 자료다. 이외에도 성냥갑 패키지, 우표, 팸플릿, 각종 광고 등 이완석의 아카이브에 포함된 다양한 시각자료들은 디자이너로서 부단히 연구하고 노력했던 그의 태도를 짐작하게 한다.

모던 데자인: 감각하는 일상

생활의 미화(美化)라는 것은 생활이 향상되고 문화가 발달될수록 더욱 절실히 요구되는 일이라고 하겠습니다. 그러므로 응용미술이란 우리 실생활에 불가결의 것이며 즉 생활미술이라고 할 수 있는 것입니다. 응용미술의 범위는 한없이 넓은 것이나 현재 우리 생활 형태 속에서 손쉽게 얻을 수 있는 일들이란 그릇·컵 등의 데자인, 옷감들의 새로운 무늬, 공예품들의 새로운 모형, 악세싸리 등의 모형 또는 실내장식, 상업장치, 사업용· 선전용 포스타 등 그 범위는 한없이 넓다고 할 수 있습니다.[10]

해방 후 일본인 자본주들과 이들이 경영해 온 기업들이 철수하게 되고 자본과 시설, 수요를 창출할 시장까지 사라진 상황에서 한국은 모든 것을 새로이 시작해야 하는 현실을 마주했다. 얼마 지나지 않아 발발한 전쟁으로 더해진 경제적 빈곤과 사회적 혼란은 절망적이었다. 1950년대 한국은 세상에서 가장 가난한 나라였지만 그 시절을 살았던 이들에게는 흔히 '양품(洋品)' 이라 불리던 미제 물건이 넘쳐났던 시기이기도 했다. 전쟁으로 파괴된 한국 사회의 복구와 민생 안정을 위한 명분으로 들어온 원조물자는 쌀, 밀, 설탕 등 식료품에서부터 벨벳이나 나일론 같은 합성섬유, 재봉틀 같은 가정용 기계, 치약이나 비누 등 생필품, 화장품이나 향수 등 사치품에 이르렀다. 이처럼 낯설고도 풍요로운 서구식 물질과 이를 통한 문화의 유입은 새로운 소비문화와 현대적 삶의 방식을 지향하는 대중의 욕망을 이끌어냈다.[11] 이러한 배경에서 근대기 일본식 교육으로부터 도입된 '도안'이라는 용어 대신 1950년대 '데자인', '디자인' 과 같은 용어가 사용되기 시작한 것은 본격적인 산업화에 영향을 받은 1960년대 사회 전반의 변화를 예고한 것이었다.

한홍택의 작품에서 반복적으로 등장하는 이미지 중 하나는 서구적 미모를 가진 여성들이다.

9   노유니아, 「미술을 둘러싼 이완석의 족적: 여명기 디자이너 / 해방 후 한국미술의 후원자」, 『공주시립미술관 건립을 위한 청전 이상범 작고 50주년 기념 학술대회: 근·현대기 공주 화단과 미술가』 발표집(2022) 참조.

10   「데사인: 능력에 따라선 최고의 수입」, 『성양신문』, 1958년 9월 19일 자, 4면.

11   이하나, 「미국화와 욕망하는 사회」, 『한국현대생활문화사 1950년대』(파주: 창비, 2016), 146-147.

〈가정생활 5월호 표지〉(1961)[p. 194]를 비롯해 유한양행 광고를 위한 디자인 등에서 볼 수 있는
여성들은 세련된 복장과 웨이브를 넣은 짧은 헤어스타일, 뽀얀 피부에 완벽한 메이크업으로 단장하고
당당한 시선으로 화면 밖을 응시하는, 시대가 지향하는 현대적인 여성상을 담고 있다. 1950년대
등장한 수많은 여성 잡지들은 새로운 문화를 받아들이는 데 보다 개방적인 주체로서 여대생, 취업
여성, 중산층 주부의 교양을 위한 대중지를 표방하며 여성문화를 선도했다. 광복 이후 최초로 발행된
여성 종합 교양지『여원』(1955 창간),『주부생활』(1956 창간), 화장품 업계에서 발행한『장업계』(1958년
창간),『화장계』(1958년 창간) 등이 대표적이었다. 여성지들은 경쟁적으로 미국 영화를 비롯한 다양한
서구문화를 소개했으며 영화의 주요 장면이나 여배우들의 패션, 미용 등을 선보이며 '현대적'인 것이
'서구적'이고 '미국적'인 것이라는 인식을 바탕으로 미국식 생활방식을 상세히 소개했다. 이와 같은
'현대적 여성상'에 부합하고자 했던 젊은 여성들이 미국 문화를 욕망하고 모방하려던 노력들은 당시
여성문화에 많은 영향을 끼쳤다.[12] 서구적인 패션을 모방하고 자유연애를 지향하며 소비의 주체로
거듭난 이들은 보수적인 한국 사회에서 경제력을 갖추고 주체적인 선택을 추구하는 새로운 여성의
탄생을 의미하는 것이기도 했다.

이처럼 새로운 문화와 소비를 향한 욕망이 급격하게 확산되는 속도에 비해 이를 제공하고
충족시킬 만한 산업의 발달과 그 수준은 이에 미치지 못했다. 해방 후 해태제과합명회사(1945년 설립,
現 해태제과), 태평양화학공업사(1945년 설립, 現 아모레퍼시픽), 락희화학공업사(1947년 설립, 現 LG
화학), 애경유지공업(1954년 설립, 現 애경산업), 제일제당공업주식회사(1953년 설립, 現 CJ제일제당) 등
주로 의약품, 화장품, 식품 등의 생필품을 취급하는 국내 기업들이 생겨났고 의식주와 연결된 소비재
산업이 활성화되기 시작하는 단계였다. 따라서 디자이너로서 활동할 수 있는 영역도 광고나 상품의 포장
등을 필요로 하는 분야인 제약, 화장품, 제과, 식품 등 한정되어 있었으며 도안실, 의장실 등 디자이너로
활동할 수 있는 소규모 조직이 일부 생겨나거나 소수의 개인이 고용된 형태로 운영되었을 뿐이었다. 이
밖에 우표나 담배와 같은 전매품에 관한 디자인을 제외하고는 산업미술가들이 전문성을 발휘할 기반이
턱없이 부족했다.

산업적 토대가 마련되어 있지 않았던 시기였기에 산업미술가들은 스스로 자신이 수행할
디자인의 의뢰자가 되어 가상의 프로젝트를 수행하듯 작업에 임했고, 이렇게 창작한 작품들을 전시회를
통해 혹은 공모전에 출품해 발표했다. 이들의 작업이 양산으로 이어질 기회가 매우 희박했기에 오히려
스스로의 존재를 정의하고 증명하기 위해 다양한 작업의 제안과 시도가 필요했다. 산미협회의 지속적인
전시를 통한 작품의 제작과 발표도 그러한 노력의 일환이었고, 한홍택이 남긴 많은 디자인 시안들이
이를 보여준다. 〈소사수밀도 캔 라벨을 위한 디자인〉, 〈올림픽 포트 와인 라벨을 위한 디자인〉, 〈포장
디자인〉, 〈화장품 용기와 포장을 위한 디자인〉[pp. 196-197] 등은 누군가의 의뢰를 받아 작업한 것이
아닌, 다양한 방식의 제안들을 선행적으로 시도한 것이었다. 책 표지, 브로슈어, 레코드 재킷 디자인
등 각기 다른 소재와 기법의 작업들로부터 일관된 조형 언어를 찾아보긴 힘들지만, 자유로운 구상으로
형식이나 소재에 구애받지 않고 무엇이든 담아내 보고자 하는 다양한 표현의 실험이기도 했다.

한편 '산업미술가'로 이름을 남긴 소수의 인물 이외에도 훨씬 더 많은 수의 알려지지 않은
도안가, 디자이너들이 현장에서 활동하고 있었다. 우리의 기억에 어떤 인상들로 남아있는 다양한 광고
삽화에서부터 현재까지도 사용하고 있는 기업의 로고 등은 이들의 손으로부터 탄생했다. 작품과 같이
보존, 수집되지 않는 인쇄물과 선전물, 일상의 상품 등 대량생산과 유통을 통해 배포된 시대의 산물은
그 역할을 마치면 쉽게 버려져 공적 기록으로 남겨지지 않는다. 이와 같은 이유로 관련된 많은 자료들이

---

12   이하나, 「전쟁미망인 그리고 자유부인」, 『한국현대생활문화사 1950년대』, 76-77.

소실되어 그 흔적을 찾기 쉽지 않으나 1945년 태평양화학공업사로 시작해 현존하는 아모레퍼시픽의 아카이브[pp. 202-205]를 통해 기업 내 디자인 활동의 기록들을 일부 살펴본다. 기술과 자본의 부재로 상품을 안전하게 포장해 무사히 소비자의 손에 닿게 하는 일조차 쉽지 않았던 시기에도 보이지 않는 시도들이 산업 곳곳에서 진행되었고, 기업의 광고와 포장 등을 위해 창작된 시각물은 도심의 풍경, 대중의 일상과 기호에 밀접한 관계를 맺게 되었다.

　　전시에는 1950-1960년대 도시 풍경을 담은 한영수(韓榮洙, 1933-1999)의 사진[pp. 171-182]이 함께 소개된다. 전쟁 이후 회복기에 접어든 서울을 포착했던 그는 황폐해진 도시를 비관적으로 담기보다 생동감 넘치는 을지로, 소공동, 종로와 명동 거리, 붐비는 시장 속에서 자신의 현재를 충실히 살아가는 사람들의 표정과 움직임을 따스한 시선으로 포착했다. 정비되지 않은 골목과 상점의 쇼윈도, 손글씨로 만들어진 각양각색의 간판, 거리의 매대에 놓인 각종 잡지, 한복과 양장을 한 여성들이 화면 안에 공존하는 그의 사진에는 가장 모던한 현재를 살고자 했던 사람들의 의지와 희망이 드러나 있다. 이와 함께 당시 일상의 시각문화를 살펴볼 수 있는 1950-1960년대 〈한글 레터링 컬렉션〉(2022) [pp. 217-227]과 〈로고 아카이브 50-60s, 기업 로고의 탄생과 성장〉(2022)[pp. 229-239]을 장우석과 김광철의 커미션으로 함께 선보인다. 정제된 서체와 폰트가 개발되기 이전 손으로 그려낸 글자인 한글 레터링은 목적에 따라 특정한 인상과 의도를 담은 자유분방한 조형 실험과도 같았다. 이는 상품 포장과 광고 뿐만 아니라 거리 곳곳의 간판, 선전탑, 포스터 등 광범위한 영역에서 대중과 접촉하는 시각 기호로 존재했다. 또한 기업의 로고는 한국 기업의 태동 및 산업과 밀접한 관계를 맺는 시각 기호로 경제 개발이 본격화되면서 급격히 성장한 기업의 상징물이자 집단 기억으로 남아있는 당대의 시각물로 유의미한 기록의 대상이다.

정체성과 주체성: 미술가와 디자이너

1946년 창립전 이후 해마다 정기적으로 회원전을 열었던 산미협회는 전시를 통해 본격적인 활동의 기반이 마련되기 이전의 상황을 극복하려는 노력을 지속했다. 한홍택은 한국전쟁 이후 회원전이 개최되지 못했던 1952년 《한홍택 산미 개인전》을 개최하고, 그 뒤로도 《제2회 한홍택 모던 데자인전》(1958), 《제3회 한홍택 그라픽 디자인전》(1961), 《제6회 한홍택 그라픽 아트전》(1966), 《제7회 한홍택 시각언어전》(1969) 등 개인전을 열며 꾸준히 작품을 선보였다.[pp. 242-259] 특히 그가 전시마다 '데자인', '디자인', '그라픽 아트', '시각언어'와 같은 새로운 명칭을 도입했던 것은 희미했던 분야의 정체성을 공적으로 명명하려는 시도이기도 했다. 당시의 디자인 작업은 사진이나 컴퓨터와 같은 매체나 도구가 사용되기 이전이었기 때문에 뛰어난 소묘력과 표현력이 기본이 되어야 했고, 광고나 포장에 등장하는 인물, 사물, 풍경, 시각적 효과, 정보를 전달하는 문자, 기호 등 모든 시각 요소들은 작가의 손으로부터 나왔다. 따라서 뛰어난 디자이너는 숙련된 손을 가진 미술가이자 외부의 요구를 수용하고 이를 통합적으로 조율할 수 있는 능력을 필요로 했다. 전시를 통해 한홍택은 회화적 조형미와 풍부한 색감이 돋보이는 포스터, 레코드 재킷, 달력, 브로슈어, 책 표지, 포장 디자인 등의 작업을 비롯해 꾸준히 이어왔던 회화 작업들도 일부 함께 선보이며 주목을 받았다. 1961년 10월 5일부터 11일까지 소공동 중앙공보관에서 열린 《제3회 한홍택 그라픽 디자인전》의 방명록에는 김환기, 김흥수, 도상봉, 박수근, 유강열, 유영국, 이경성, 이순석, 임완규, 조능식 등 당시 함께 활동했던 미술인들의 이름이 남겨져 있으며 그림과 함께 서명을 남긴 박고석, 이응노, 정규의 축전도 확인할 수 있어 분야의 경계없이 서로 가깝게 교유했던 여러 예술인들의 관계를 살펴볼 수 있다.

　　또한 한홍택은 작품 활동과 전시뿐 아니라 여러 매체의 기고를 통해 당시 디자인이라는 분야에 대한 인식을 개선하고자 노력했다. 그는 1965년 공예부와 별개로 대한민국미술전람회(이하 국전)에 독립된 디자인부를 신설해달라는 건의서를 문교부 장관과 국회문사분과위원회, 예술원 등 관련 기관에 제출했다.[13] 건의서에는 '20세기 후반기의 디자인은 현대생활과 밀접한 연관성을 맺는 목적미술로서 크고 뚜렷한 각광을 받고 있으며, 매년 각 미술대학의 도안과나 응용미술과 혹은 생활미술과 지망 학생들의 수가 타 미술 분야 부분에 비해 월등하다는 점은 디자인에 대한 일반 관심이 그만큼 깊어지고 있다'는 내용이 담겨 있었다. 의견이 바로 수렴된 것은 아니었지만 이를 계기로 1966년 대한민국상공미술전람회(이하 상공미전)가 신설되어 디자인은 국전 공예부와 분리되었고 각기 새로운 길을 모색하게 되었다. 이처럼 한홍택과 산미협회 안팎의 여러 활동은 산업과 제도를 가로질러 디자인에 대한 인식과 입지, 제도를 변화시키는 데 분명한 역할을 하고 있었다.

> 각 관공서에서 발행하는『포스타』나 책자의 표지 등을 보더라도 이와 매한가지의 경우가
> 많다. 인쇄된 종이 조각 하나만을 주워 보더라도 그 나라의 문화를 척도 할 수 있으니
> 우리는 매사에 신중을 기해서 미화되고 세련된 것을 마련하는데 노력해야만 되겠다. …
> 이 방면에 종사하는 전문 화가는 사회적인 개인 영예의 위치도 좋으나 오늘날의 미술은
> 그저 전문가나 또는 그 일부 애호가들의 폐쇄된 취미에 그치지 말고 사회와 밀접한 관계를
> 맺고 일반과 미술인이 함께 사는 보람 있고 의의 있는 창작 활동이기를 바라며 우리 생활
> 속 어느 한구석을 들춰보더라도 그것이 바로 아름답고 친할 수 있는 미술품이 되기를
> 바라마지 않는다.[14]

그는 또한 신문잡지의 광고에 난무하는 선정적이고 비속한 표현, 비윤리적인 모방과 도용, 허위 광고와 과장된 정보 제공 등을 비판하며 기업가와 산업미술가의 사회적 책임과 역할을 강조했다. 「산업미술에의 제의」(『서울신문』, 1954), 「선전·광고의 정화」(『경향신문』, 1956), 「데자인, 문화와 생활의 미화」(『서울신문』, 1958) , 「바르고 창의적인 데자인」(『장업계』, 1959), 「산업미술과 기업주, 시정해야 할 신문광고」(『연합신보』, 1959) 등의 기고문을 통해 그는 대중이 매일 접하는 신문의 지면광고나 잡지 표지, 포스터 등 일상의 시각문화를 이루는 매체의 중요성에 대해 언급했고, 일상의 미술로서 디자인이 대중이 향유하는 미적 감각과 안목을 향상시키고, 나라의 문화 수준을 높이는 데 기여하기를 권했다.

한편, 1965년 산미협회는 공모전을 시작하여 좀 더 다양한 세대의 회원들과 교류하게 되는데 이 무렵 합류한 문우식(文友植, 1932–2010)은 제14회 산미협회 회원전(1964)에 처음으로 출품한 후 점차 산업미술가로서 입지를 넓혔다. 그는 1948년 남관미술연구소를 다니며 그림 공부를 시작했고 1952년 홍익대학교 미술학부에 입학해 김환기, 박고석, 정규, 한묵 등 대가들의 지도를 받았다. 또한 졸업 직후 박서보, 김충선, 김영환과 함께《4인전》으로 데뷔해 주목받았던 젊은 작가로 1957년《현대미술가협회 창립전》,《자유미술초대전》,《현대작가초대미술전》에 참여하며 호평을 받기도 했다.[15] 〈소녀 있는 공방〉(1957)[p. 285]은 대상을 단순화하고 평면적으로 표현하면서도 독특한 색채를 구사하는 그의 특징을 잘 보여주는 이 시기 대표작이다. 그는 1962년 신상회의 창립 회원으로 이전과 다른 색면 중심의 추상 작품을 출품하는 동시에 단체의 로고와 리플릿, 현수막, 포스터[p. 287]를 디자인했으며 이후 각종 로고 디자인, 실내 장식, 가구 디자인 등 다양한 영역에서 활동한 다재다능한 인물이었다. 전시에서는

13 「국전(國展)에 「디자인」부(部)를」,『경향신문』, 1965년 10월 11일 자, 5면.
14 한홍택, 「데자인, 문화와 생활의 미화: 인쇄된 종이조각 한 장도 문화의 척도」,『서울신문』, 1958년 4월 13일 자.
15 김이순, 「한국현대미술사의 또 다른 우회로」,『문우식: 그리움의 기억』(서울: 홍익대학교 현대미술관, 2018), 2–3.

이처럼 미술가와 디자이너, 두 가지의 정체성을 동시에 지니고 활동했던 한홍택과 문우식의 다채로운
작품을 함께 소개한다. 회화와 디자인의 경계를 넘어 독창적인 조형 언어와 감각을 드러내는 작품들을
감상함으로써 한국 현대미술과 디자인 사이의 영역에서 그간 놓치거나 혹은 누락되었던 작가들과
이들의 작업 세계를 새롭게 재조명해 볼 수 있을 것이다.

관광과 여가: 비일상의 공간으로

개인에게 관광은 일상을 벗어나 즐기는 여가의 행위로, 국가와 지역 차원에서 관광객의 유치는 경제의
활성화를 꾀할 수 있는 중요한 산업활동으로 기능한다. 전후 극심한 빈곤에서 벗어나기 위한 수단으로
정부가 적극적으로 추진한 관광부흥정책은 외화획득과 경제 성장 효과를 기대할 수 있는 대응책의
하나였다. 정부는 1961년을 '한국방문의 해'로 정하고 외국인 관광객 유치방안과 행사계획을 수립하였고,
호텔을 수리하고 교통수단과 도시 인프라를 마련하는 등 관광산업의 활성화를 위해 전력을 다했다. 또한
1960년대 후반 여가문화가 확산되면서 도시의 고궁, 공원, 강변으로 나들이를 가거나 풍광이 아름다운
산과 바다, 명승고적이 자리한 지역 명소로 관광과 여행을 떠나는 일이 점차 일상이 되었다. 이에 앞서
1950년대 정부는 한국의 대외 이미지 쇄신을 위한 해외 홍보 정책의 중요성을 인식했고 공보실을 통해
1955년부터 한국의 미와 전통을 홍보하는 관광홍보사진집을 기획하기도 했다. 1957년 한국사진작가단[16]
에게 의뢰해 발간한 영문 화보집 『Korea Old and New』[p. 295]는 한국의 전통을 대표하는 고건축과
유적지 등을 기록한 프로젝트로 이경모가 찍은 창덕궁 연경당, 정도선의 법주사, 이건중의 수원성,
최계복과 이경모가 찍은 조선호텔 등 전통적, 한국적인 인상을 담은 고적한 풍경들을 담고 있다.
　　이와 유사한 목적으로 제작된 한홍택의 한국 풍속 엽서 세트(1950년대)[pp. 290–293]는
반도화랑에서 외국인 관광객을 대상으로 판매했던 것으로, 물동이를 나르는 여인, 색동 한복을
입은 아이, 황소를 끄는 농부 등 한국의 풍속 이미지와 장구춤을 추고 있는 무용수(최승희), 동대문,
경회루, 조선호텔, 석굴암 같은 남한의 명소뿐만 아니라 평양의 명소, 금강산 등을 소개하고 있다.
근대 시기부터 백화점, 잡화점, 기차역 등에서 쉽게 구할 수 있었던 관광엽서는 한국의 주요 명소들을
담은 이미지와 함께 빨래하는 여성, 지게를 진 남성, 담뱃대를 문 노인, 아기를 업은 소녀 등 풍속적
이미지를 담고 있는데, 이는 외국인을 대상으로 한국적 정취를 연출한 것이었다. 관광엽서는
아마추어 사진가들과 화가들이 작품의 소재를 선택하고 구도를 잡는 참고 자료로도 활용되었다.[17]
관광엽서에 등장하는 고건축물과 유적지는 한국을 방문하는 외국인들에게 국가를 대표하는 표상이자
'명승고적(名勝古跡)'으로 조선의 옛 풍경과 이국 취미적 관광의 시선에 적합한 시각적 지표이기도
했다.[18] 이러한 공간은 1962년 제정된 문화재보호법을 근거로 우리의 '문화재'로 지정되었고, 지금까지도
한국의 전통과 정체성을 대표하는 장소로서 기능하고 있다.
　　산미협회의 활동 중 특히 주목할 만한 것은 관광포스터전 개최였다. 제3회 산미협회
회원전《관광을 위한 경주/단양 스케치전》(1947), 제4회 산미협회 회원전《관광을 위한 남해안
스케치전》(1947), 제9회 산미협회 회원전《관광포스터전》(1955), 제13회 산미협회 회원전《관광을
위한 제주도 스케치전》(1963), 제14회 산미협회 회원전《관광을 위한 강원도 스케치전》(1964) 등은

16　성두경, 이경모, 정도선, 정희섭, 조명원, 최계복이 결성한 전문 사진 단체로 1950년대 국가적, 사회적 요구 속에서 한국의
　　대외 이미지 쇄신, 관광산업 육성, 전통문화의 시각화를 위한 정부 프로젝트를 수행했다. 『오픈유어스토리지: 역사, 순환,
　　담론』, 2019 서울사진축제 전시 도록(서울: 서울시립미술관, 2019), 48–51 참고.
17　오윤빈, 「근대기에 형성된 한국이미지: 사진엽서를 중심으로」, (석사 논문, 이화여자대학교, 2014), 71–77.
18　목수현, 「관광 대상과 문화재 사이에서」, 『동아시아문화연구』 제59집(2014): 35.

지역의 관광을 주제로 진행된 전시들이었다. 1961년 '관광사업진흥법'이 제정되고 외국인 관광객
유치와 함께 지역 활성화를 위한 관광산업육성이 중요한 정책으로 확대되었다. 산미협회는 1962년
제주도 당국의 초청으로 스케치 여행을 떠났고, 이때의 여정을 바탕으로 제작한 관광포스터를 다음해
1963년 3월 중앙공보관에서 개최한 산미협회 회원전에서 선보였다. 이완석의 〈서귀포〉(1963)[p. 304],
〈제주목장〉(1963)[p. 305]과 같은 포스터 작품은 이 시기 제작되었다. 또한 1964년 강원도지사의
초청으로 진행된 스케치 여행과 이를 기반으로 제작된 관광포스터를 소개하는 전시가 8월 20일부터
27일까지 종로 YMCA 화랑에서, 이후 춘천 강원도공보관에서 순회전으로 개최되기도 했다. 김관현의
〈제일강산〉, 권영휴의 〈설악웅도〉, 문우식의 〈강원의 설악산〉(1964)[p. 320] 등의 대형 포스터 작품이 당시
전시를 통해 선보였을 것으로 추정되는데 각각의 포스터에는 작가마다의 개성 있는 표현이 잘 드러나
있다. 한국의 이미지를 세계에 선보이기 위해 구현된 관광포스터는 당시로서는 가장 강력한 홍보물로
기능했던 매체였고 한국의 정체성에 대한 모색과 현대적인 시각화를 다각도로 실험한 산물이었다.

한편, 이 시기 호텔은 국가와 국가 사이를 이어주는 매개이자 한 국가의 문화를 보여주는 중요한
기제로 존재했고, 한정된 이용객들만이 경험할 수 있는 장소로 단순한 숙박시설을 넘어 상징성을 지닌
장소였다. 반도호텔은 1950–1960년대 문화의 중심지 역할을 했던 곳으로 해방 후 미군 사령관 사무실과
고급 장교들의 숙소로, 정부 수립 후엔 미국대사관으로 이용되었으며 한국전쟁 이후 1954년 미국인
실내디자이너 노먼 디한(Norman R. DeHaan)의 설계로 진행된 개보수 공사를 거쳐 영업을 이어갔다.
박수근의 작품이 인기리에 팔리던 반도화랑과 최초의 여행사였던 대한여행사가 입점해 있었고 1956년
패션디자이너 '노라노'의 첫 패션쇼가 열리는 등 당시 관광, 문화, 예술계에 새로운 기회와 자본을
제공하는 매개의 공간이기도 했다. 한홍택의 〈반도호텔 벽화 습작〉(1959)[pp. 330–331]이 실제 공간에
구현되지는 않았으나 일반적이지 않은 비례와 규모의 작품을 시도한 것에서 볼 수 있듯 호텔과 관련된
프로젝트는 당시 소수의 미술가, 디자이너, 건축가가 참여할 수 있는 특별한 기회와 자본을 제공하는
것이기도 했다. 1955년 반도호텔 내 '반도사진문화사'라는 초상사진관을 개업해 19년간 운영했던
성두경(成斗慶, 1915–1986)은 1950–1960년대 외교와 문화, 예술을 매개하는 공간으로 기능했던
반도호텔 내외부의 모습을 남겼다. 해방 후 서울시 공보실에서 촉탁사진가로, 1950년대 한국전쟁시기
종군사진가로 활동하며 서울의 경관과 사건을 기록했던 그의 사진을 통해 우리는 지금은 사라진 공간의
장소성과 역사적 장면들을 상상해 볼 수 있다.[19]

외교를 위한 공간으로서 영빈관은 국빈 방문에 대비하여 마련되어야 하는 필수적 시설이었다.
해방 후 조선호텔과 반도호텔이 이러한 기능을 수행했지만 호텔이라는 명칭이 주는 상업시설의 성격이
공존했기 때문에 공식적인 국가 영빈관 시설이 별도로 필요했다. 따라서 영빈관은 당시 조선호텔,
반도호텔, 타워호텔, 워커힐호텔이 반영하지 못한 국가의 전통적 이미지와 문화를 표현하는 건축적
방식을 지향해 설계되었다.[20] 『영빈관실내장식 디자인』[p. 336]은 총 3권으로 이루어진 실내장식 및
가구 디자인 제안서로 반도화랑을 운영했던 이대원(李大源, 1921–2005)과 문우식의 작업이다. 여기엔
전통적인 목가구 디자인과 전통 문양 등을 응용해 '한국적'이라 생각되는 조형 요소를 적용한 객실,
커튼, 조명 등의 디자인 도면과 설계도가 포함되어 있다. 이들의 제안은 민족적 정체성을 나타냄과
동시에 현대식 설비를 통해 발전된 국가로서의 모습을 선보일 공간을 구상했던 시대의 요청에 대응한
것이었고, 이는 같은 시기 산업미술가에게 주어진 중요한 과제의 하나이기도 했다.

19   유지의, 「반도호텔의 사진가, 성두경」, 『잃어버린 도시, 서울 1950s–60s』(2015), 52–54.
20   최민현, 「근·현대 국가 주도 호텔의 건설과 자본주의 유입에 따른 변화」, (석사 논문, 서울대학교, 2016), 109–111.

나가며

《모던 데자인: 생활, 산업, 외교하는 미술로》전은 미술과 산업, 예술과 일상과의 접점을 고민하는 미술인으로서 산업미술가들이 행했던 다양한 작업과 실천을 새로운 시각에서 들여다보고자 마련되었다. 이번 전시를 가능하게 한 것은 지난 2021년 봄에 이루어진 한홍택 아카이브[21] 기증을 통한 미술관의 디자인 컬렉션 확장과 첫 번째 디자인 아카이브 구축이었다. 이와 더불어 올해 초 이완석 아카이브가 추가로 기증됨에 따라 동시기 활동했던 산업미술가들의 존재를 보다 선명하게 증거하는 자료들을 전시에 함께 소개할 수 있게 되었다. 특히 한국 근현대디자인 초창기의 역사를 살펴볼 수 있는 작품과 자료들이 공적 영역의 아카이브로 환원됨으로써 미분화 시기의 디자인, 산업미술을 다양한 맥락에서 살펴볼 기회를 마련함과 동시에 디자인 컬렉션의 미술사적 가치를 강화할 수 있는 중요한 계기를 제공한다.

회화, 조각과 같은 순수미술이나 문학과 음악 등 외부 요인에 크게 영향을 받지 않고 개인의 역량이 발현될 수 있는 예술 분야와 달리 디자인은 그 시대와 사회가 갖춘 산업 수준에 의해 많은 부분이 결정된다. 개인의 아카이브로부터 출발했지만 작품의 연대기적 혹은 양식적 서술로 충분치 않은 디자인이라는 분야의 특성상 사회, 경제, 문화의 여러 요인들을 함께 살펴보고자 했다. 이에 전시는 일제 강점기와 해방 공간, 한국전쟁 이후 1960년대까지를 잿빛 도시, 참담한 시절, 암흑기로 묘사해 온 획일화된 표상들로부터 거리를 두고, 당시로서는 가장 모던한 삶의 방식을 추구했던 이들의 생동감 넘치는 일상이 공존했음을 확인하고자 했다. 근대 한국영화 아카이브와 당시 기록 영상 푸티지를 기반으로 제작한 백윤석의 〈골목 안 풍경〉(2022)[pp. 345–355]은 시대를 새로운 시선으로 조망하는 렌즈로 작동하며 우리의 고정된 기억과 관념을 흩어 놓는다.

전시는 또한 한국 근현대디자인에 대한 기존의 논의와 평가가 충분한 것인가에 대한 질문을 던지고자 한다. 선별된 전통의 반복적 재현, 산업과 괴리된 활동 등을 이 시기의 한계로 볼 수도 있을 것이다. 하지만 새로운 시대를 그리고자 했던 이들에게 전통은 이를 요청하고 소환하는 시대의 맥락 속에서 또 다른 가능성을 지닌 것이었고, 분야가 성립되기 이전 산업미술가라는 직업은 주체적이고 능동적인 삶의 태도로부터 가능한 것이었다. 시대와 사회의 열악한 조건 속에서도 미술의 사회적 역할을 고민하며 치열하게 분투했던 이들의 존재를 실재하는 아카이브를 통해 확인할 수 있다. 이번 전시를 통해 소개된 많은 자료와 작품들이 여러 연구자에 의해 새롭게 독해되고, 미술과 디자인, 사이의 영역에서 주목받지 못했던 이들의 작업이 시대의 맥락 속에서 풍부한 서술로 확장되는 계기가 되기를 바란다.

---

21   한홍택의 1930년대부터 1980년대까지의 활동을 망라하고 있으며 포스터, 삽화, 엽서화, 달력, 광고, 라벨 디자인 원본 및 회화, 드로잉 등 작품과 자료 400여 점과 화구, 유품, 사진, 전시 인쇄물, 신문기사 등 문헌자료 약 300여 점이 포함되어 있다.

도안 시대의 한국 디자인

노유니아

서울대학교 일본연구소 연구교수

노유니아는 서울대학교에서 스페인어문학과 미술이론을
전공하고 도쿄대학 인문사회계연구과 문화자원학연구실에서
박사 학위를 받았다. 한국과 일본의 디자인, 공예, 시각문화와
관련된 논문을 여러 편 썼다. 저서로『일본으로 떠나는
서양미술기행』,『가려진 한국, 알려진 일본』, 공저로
『East Asian Art History in a Transnational Context』,
『芸術の価値創造』, 번역서로『일본 근대 디자인사』,
『일본 현대 디자인사』(근간)가 있다.

한국 디자인사의 출발점은 언제쯤으로 설정할 수 있을까? 1938년에 태어나 1957년부터 1961년까지 서울대학교 미술대학 응용미술과에서 수학한 부수언(夫守彦, 1977년부터 2004년까지 서울대학교 교수를 지냄)의 말을 통해 이렇다 할 기계 산업이 발달하지 못했던 시대에도 인쇄물과 옥외광고 등을 통한 실질적인 디자인 활동은 활발히 이루어지고 있었던 것을 확인할 수 있다. 비록 그 활동을 나타내는 기표는 달랐더라도 말이다.

> "시대적인 상황이 도안이란 용어는 있었고. 지금 얘기하는 비주얼 디자인(visual design)의 영역에 속하는 건 익히 이루어졌잖아요. 신문광고서부터, 또 그 당시엔 주류 포스터나 이런 것들. 우리 삶에 아주 필요한 부분들이 그때 비주얼 디자인으로 표현된 상황이었죠. 그 당시가 우리나라 제품이 거의 전무한 시대였었어요. 뭐 생산되는 게 없잖아요? 수입품 아니면 그냥 농경사회니까, 뭐 없었어요."[1]

'도안(圖案)'이라는 용어의 탄생 기원은 명확하게 알려져 있다. 1873년 빈 만국박람회에 일본 정부의 기술 전습생으로 파견되었던 노토미 가이지로(納富介次郎, 1844–1918)가 일본 국내의 권업박람회에 출품 장르를 설정하면서 '디자인(design)'을 '그림 도(圖)'와 '생각할 안(案, 혹은 按)'의 조어인 '도안(圖案, 혹은 圖按)'으로 번역하였던 것이다.[2] 그는 용어만 만든 것이 아니라 도안 제작에도 관여했다. 1876년 열릴 필라델피아 만국박람회의 출품 심사를 맡게 된 그에게 규슈 아리타 지역의 도자기 장인들이 해외 수출에 적합한 양식을 지도해달라고 요청한 것이 계기였다. 노토미는 당시 서구권에서 유행하던 자포니즘 스타일에 부합하는 도안을 화가들에게 그리게 한 뒤, 그 도안을 전국의 공예가들에게 대여하는 국가적인 체계를 만들었다. 그 결과물이 현재 도쿄국립박물관에 소장되어 있는 『온지도록(温知図録)』으로, 총 84첩의 디자인 견본첩이 발간되었다. 일본이 국가 차원에서 도안 제작과 보급에 관여한 것은 도안 개선이 곧 수출과 직결된다고 간주했기 때문이다. 즉, 초기의 도안은 국가 산업이었던 공예 진흥을 위한 수단이자, 국가가 이상적으로 생각하는 공예상(像)을 위에서 아래로 제시하는 매뉴얼이었다.

개항기 한국에서도 일본의 영향을 받아 공예가 부국강병을 위해 육성해야 할 산업처럼 인식되었고, 공예품을 만들기 위한 바탕이 되는 도안은 식산흥업(殖産興業)의 수단으로서 중요하게 여겨졌다.[3] 선행연구에 따르면 1907년에 설립된 관립공업전습소(官立工業傳習所)에서 도안 관련 과목을 가르쳤고, 1908년에 설립된 미술품제작소(美術品製作所)에는 도안을 제작하는 부서가 있었다.[4] 또한 대한제국 관보(제3981호, 1908년 1월 27일)에 실린 인쇄국 분과 규정에 '도안 조각 모형에 관한 사항'이 포함된 것을 보아도 1909년 후반에 이미 가구나 공예품, 인쇄물을 만들기 위한 밑그림으로서 도안이라는 용어가 쓰이고 있었던 것 같다.

도안은 해방 후 대학에서 주체적인 디자인 교육이 시작되었을 때 전공명으로도 채택되었다. 1946년 서울대학교 예술대학 미술부에 도안과, 1947년 이화여자대학교 예림원 미술학부에 도안 전공 과정이 개설된 것이다. 1950년대가 되어 그것이 점차 '응용미술'이나 '장식미술'과 같은 단어로 대체될 때까지는 도안의 시대가 지속되었다. 심지어 홍익대학교는 1964년 공예학부에 도안과가 생겼고, 1970년대까지도 도안과라는 명칭을 사용했다.[5]

그런데 도안은 유럽의 디자인을 일본의 사정에 맞게 현지화한 개념이었다는 점이 문제가 된다. 일본 제국의 경제권 안에 포섭되어 있던 식민지 조선에 이 도안 용어와 개념이 정착했고, 해방 전은 물론 해방 후의 대한민

1   박영목, 『한국 디자인의 새벽 서울대학교 미술대학 아카이브: 디자인 부수언』(서울: 서울대학교 조형연구소, 2013), 21.

2   1877년 제1회 내국권업박람회의 출품 구분에서 처음으로 사용된 것으로 알려져 있다. 전체 출품은 크게 광업치금, 제품, 미술로 구분되었고, 다시 미술의 하부 장르 중 하나로, 조상술(彫像術), 서화, 조각술 및 석판화술, 사진술에 이어 백공 및 건축학의 도안, 추형(모형) 및 장식이 제시되었는데, 여기서 도안은 공예와 건축의 밑그림을 의미하는 것으로 생각된다. '제3구 미술—제5류 백공 및 건축학의 도안, 모형 및 장식(第三區美術 第五類百工及ビ建築學ノ圖案、雛形及ビ裝飾)'.

3   노유니아, 「근대 전환기 한국 '工藝(공예)' 용어의 쓰임과 의미 변화에 대한 고찰」, 『문화재』54권 3호(2021): 192–203.

4   최공호, 『한국 근대 공예사론: 산업과 예술의 기로에서』(서울: 미술문화, 2008), 146–149, 217.

5   한국디자인진흥원 엮음, 『디자인 코리아 50가지 키워드로 본 한국 디자인 진흥 50년사』(서울: 디자인하우스, 2020), 60–61.

국에서도 상당 기간 그 영향력이 이어졌다. 그 과정에서는 일본에서 교육을 받았던 초기 디자이너—도안가(圖案家)라고 불렸다—들의 활동이 큰 역할을 했다. 본고에서는 그들이 일본에서 받았던 도안 교육의 내용을 확인하고, 귀국 후의 작업과 활동을 살펴봄으로써 도안 시대의 디자인을 고찰해본다.

일본에 유학했던 도안 전공자들

일본은 식민지 조선에 고등 미술 교육 기관이 세워지는 것을 허락하지 않았다. 도안에 있어서도 마찬가지였다. 현실적으로 일본이 아닌 다른 나라로의 유학은 매우 어려웠기 때문에 미술 지망생들은 대부분 일본 유학을 선택했다. 일본에서 도안을 전공하고 돌아와 관련 활동의 흔적을 남긴 사람은 다음과 같다.

임숙재(任璹宰, 1899–1937)　　일본미술학교 도안과 1년 수료, 도쿄미술학교 도안과
　　　　　　　　　　　　　　　1923년 입학, 1928년 선과 졸업
이순석(李順石, 1905–1986)　　도쿄미술학교 도안과 1926년 입학, 1931년 선과 졸업
이병현(李秉玹, 1911–1950)　　일본미술학교 도안과 1934년 졸업
김재석(金在奭, 1916–1987)　　제국미술학교 공예도안 1936년 입학, 1941년 졸업
한홍택(韓弘澤, 1916–1994)　　도쿄도안전문학원 1937년 졸업, 제국미술학교 회화연구과
　　　　　　　　　　　　　　　1939년 입학, 중퇴
유강열(劉康烈, 1920–1976)　　일본미술학교 공예도안과 1940년 입학, 1944년 졸업
곽흥모(郭興慕, 1921–1988)　　제국미술학교 공예도안과 1940년 입학, 1944년 중퇴

1920년대에 유학한 임숙재와 이순석은 도쿄미술학교(現 도쿄예술대학)에서 오늘날의 대학원 과정에 해당하는 선과까지 마쳤다. 이들이 유학했을 당시의 직원 명부를 확인한 결과, 도안과의 교수는 시마다 요시나리(島田佳矣)로 도안, 회화, 도안법을 강의했고, 조교수는 지카미 요사이(千頭庸哉)로 도안, 회화, 용기화법을 강의했었음을 알 수 있었다. 그 외에 임숙재가 직접 수업을 들었을 만한 교수진으로 건축제도, 용기화법을 강의한 미즈타니 타케히코(水容武彦), 수공, 용기화법을 강의한 에이다 요시유키(宋田義之), 공예제작법을 강의한 곤 와지로(今和次郎), 사이토 가조(斎藤佳蔵/齊藤佳三) 등의 이름을 확인할 수 있었다.[6]
　　도쿄미술학교는 당시 일본 최고 수준의 국립 미술학교로 전통적이고 아카데믹한 교육을 중시하였고 입학과 졸업이 까다로웠기에, 1930년대 이후의 유학생들은 상대적으로 입학이 쉽고 실무적인 교육에 중점을 두고 있던 사립학교에 진학하였다. 그중 1929년 개교한 제국미술학교(現 무사시노미술대학)는 공예도안과에 지명도가 높았던 스기우라 히스이(杉浦非水), 도미모토 겐키치(富本憲吉), 바우하우스 출신인 야마와키 이와오(山脇巖), 미즈타니 다케히코(도쿄미술학교 교수였으나 1940년 제국미술학교로 이직) 등 쟁쟁한 교수진을 보유하여 인기를 끌었다. 제국미술학교 공예도안과에는 적어도 13명 이상의 한국 학생이 유학했던 것으로 조사된 바 있는데, 경제적 어려움과 전쟁 등의 사정으로 학업을 끝까지 지속하지 못한 경우가 대부분이었다.[7] 공예도안과의 과정을 모두 이수하고 정식으로 졸업한 것으로 기록된 조선인 유학생은 양학제(1934년 입학, 1940년 졸업), 정순모, 김재석 세 명에 불과하다. 그중 양학제에 대해서는 알려진 바가 없고, 정순모는 태평양전쟁에 학도병으로 참전하여

6　　『東京美術学校一覧從大正十二年至大正十四年』(東京美術学校, 1925), 96–101.
7　　제국미술학교에 재학한 한국 유학생들에 대한 사료는 한국근현대미술기록연구회 엮음,『제국미술학교와 조선인 유학생들 1929–1945』(서울: 눈빛, 2004)를 참고.

전몰하였다.[8] 1944년 중퇴한 것으로 기록돼있는 곽흥모는 황해도 출신으로 귀국 후 서울에서 잠깐 활동하다가 월북하여 북한 선전미술계의 대표 작가로 활약하였다.

임숙재가 1년간 수학하고 이병현, 유강열이 졸업한 일본미술학교(日本美術學校, 現 일본미술전문학교)는 1918년 도쿄 신주쿠에 세워진 사립학교로, 일찍부터 도안 교육을 실시했던 곳으로 알려져 있다.

지금까지 한홍택은 제국미술학교 회화과로 진학하기 전 도쿄도안전문학교를 다녔던 것으로 알려졌는데, 이번에 기증된 자료 중에 포함된 「도쿄도안전문학원 학칙」 책자[도판 1]를 통해 정확히는 '도쿄도안전문학원'에서 도안을 전공했던 것이 확인되었다. 학원장은 도쿄미술학교 도안과 강사이기도 했던 사이토 가조였다. 그는 1913년 도쿄미술학교 도안과를 졸업한 뒤 베를린왕립미술공예학교에 유학하고 1919년부터 도쿄미술학교에서 도안과 강의를 맡았으며, 1923년에는 도쿄미술학교의 의뢰로 독일과 프랑스의 디자인 교육을 시찰한 뒤 도쿄미술학교 도안 교육 개혁에 관한 보고서를 제출하기도 했다. 도쿄도안전문학원은 전문부, 특수부, 중등부 안에 각각 다시 여러 개의 도안 관련 학과를 두고 있었는데, 사이토 가조가 도안, 생활양식사, 공예의장학을 가르친 외에 독일인으로 추정되는 케테 숄츠가 서양복식학을 가르쳤다. 도쿄미술학교 도안과를 졸업하고 제국미술전람회에 입선한 유명 교수진으로 꾸려진 내실 있는 기관이었다. 한홍택은 전문부의 상공도안 본과(2년 과정)나 특수부의 상무도안과(1년 과정)를 다녔을 것으로 추정된다.

도안 전공을 한 미술 유학생은 서양화를 전공했던 유학생의 수와 비교해서 상대적으로 매우 적었고, 결국 회화를 전공한 화가들이 삽화나 책 장정, 포스터 작업 등, 오늘날로 말하면 그래픽 디자인 영역의 일을 소위 밥벌이로 대신하는 경우가 많았다. 그중 1930년대 중반 태평양미술학교에서 서양화를 전공한 이완석은 귀국 후 천일제약의 전속 도안가로 일하면서 디자인을 전업으로 삼게 된 드문 예다.

도안가들의 활동

도안을 전공한 유학생들 중 가장 앞선 세대에 해당하는 임숙재와 이순석은 귀국 후 도안을 보급하는 일에 앞장섰다. 임숙재는 귀국 후 『동아일보』에 「공예와 도안」이라는 글을 2회(1928년 8월 18일–19일 자)에 걸쳐 연재했다. 그는 도안을 "우리 의식주에 관한 제반 물건과 기물에 대하여 자기 두뇌에 착상되는 형상과 문양, 색채 등을 어떻게 표현할 것인가를 정하는 일"이라 정의하면서, 도안 그 자체는 순수미술 작품도 아니고 제작된 공예품도 아닌, 일종

---

8   서희정, 「제국미술학교 조선인유학생의 재학 양상과 김재석의 도예디자인의 독자성: 1935년이후 공예도안과에서 도안공예과로
     개편된 학제를 중심으로」, 『기초조형학연구』 22권 4호(2021): 199–200.

도판 1. 「도쿄도안전문학원 학칙」 책자, 1936

의 제품을 만들기 위한 설계도에 불과하다고 말했다. 도안을 제작하는 목적으로는 "용도가 적합해야 할 것, 미관의 색채를 표출해야 할 것, 실물을 제작하기가 용이하고 간단할 것", 즉 도안을 제작할 때는 합목적성(合目的性), 심미성(審美性), 상용성(商用性)의 세 가지를 추구해야 한다고 말하고 있다. 이러한 정의는 오늘날의 디자인 개념과 거의 일치하는 것이다. 또한 "도안가가 활약하기 위해서는 무엇보다 상공업이 발달해야 하고, 그래야만 이상적으로 문화가 발전할 수 있다."며 영국, 러시아, 일본처럼 우리나라에도 공예 학교와 농민을 계몽할 교육 기관을 각 지방에 세워 궁극적으로 산업의 발달을 장려할 것을 주장하였다. "조선의 현재에는 우선 공예품이 산업 중에 어떻게 긴요한 지위를 가진 것을 알리게 하는 데에는 기회 있는 대로 장려를 하여야 할 것입니다."라는 대목에서는 역으로 아직 일반인들 사이에 도안과 공예의 중요성이 널리 인식되지 않고 있었음을 엿볼 수 있다. 한편 이 글이 실렸던 『동아일보』 지면에는 '염색도안강습회' 광고도 같이 실렸다. 1928년 8월 20일부터 25일까지 6일간, 보통학교 졸업 정도의 학력을 지닌 여성 50인을 대상으로 하는 강좌에서 임숙재는 직접 이론과 실기를 강의했다. 이순석은 1931년 국내 최초의 도안 개인전인《공예도안전》을 열어 예술성과 조형미를 지닌 도안 작품을 대중에게 선보이기도 하였다. 이때 전시된 작품은 도쿄미술학교 재학 중 만든 항아리, 수영복 디자인, 포스터, 구성 작품 등의 30여 점이었다.[9] 그는 화신백화점에 취직하여 도안 업무를 맡았다고 하는데 아쉽게도 그와 관련된 작업은 전해지지 않고 있다. 이순석의 도안 작업으로는 각종 책의 장정과 1949년에 열렸던 제2회 개인전《장식도안전》[도판 2]의 포스터가 남아 있다.

한편 이완석은 천일제약[10]에서, 한홍택은 유한양행에서 각각 전속 도안가로 일했다. 1930–1940년대 조선에서 제약 산업은 성황을 이뤘고 광고 경쟁도 그만큼 치열했다. 이완석이 천일제약에서 근무하기 시작한 것은 1937년 전후로 보이는데, 그전까지의 신문광고와 비교하여 회화적인 일러스트와 모던한 타이포그래피를 활용하기 시작한 점이 돋보인다. 이완석이 제작한 광고 중에는 조선뿐만 아니라 일본 여러 지역 신문과 북경과 만주의 신문 광고도 포함되어 있어 천일제약의 수출 물량이 적지 않았으며 광고가 미치는 범위도 상당히 넓었다는 점을 알 수 있다. 당시 일본제국의 세력이 미치던 지역 안에 동시대적으로 어느 정도 공통된 시각문화권을 형성하고 있었던 가운데, 일본의 그래픽이 식민지 조선에 직접 들어와 영향을 미친 사례는 얼마든지 많지만, 조선에서 제작

---

9   이순석, 정시화 대담, 「석공예가 이순석의 선구적 생애와 작품」, 『꾸밈』, 1978년 9월. 구경화, 「이순석의 생애와 작품 연구」(석사 논문, 서울대학교, 1999), 11–12에서 재인용.

10 한의사 조근창(趙根昶)이 1913년 개업한 천일약방은 우리나라 최초의 건재 약국으로 일제 강점기 조선 최대 규모의 제약회사로 성장하였다. 1938년 시점에는 천일제약 주식회사가 되어 180명의 종업원을 거느리며 예지정(現 종로4가) 본점 외에도 황금정(을지로), 대구, 평양, 광주에 지점을 두었고, 50곳의 대리점과 1,400여 곳의 특약점, 1만여 곳의 소매점에서 천일제약의 약을 취급했다. 「반도의약계대관(半島醫藥界大觀)」, 『삼천리』, 1938년 1월. 김남일, 『근현대 한의학 인물실록』(파주: 들녘, 2011), 415–417에서 재인용.

도판 2. 이순석,《장식도안전》 포스터, 1949

도판 3. 이완석,〈천일제약 삼용강장수 광고 포스터〉, 1930년대

도판 4. 한홍택,〈세루하_겐 염색약 광고를 위한 디자인〉, 1959

되어 내지 일본, 그리고 북경과 만주에 이르기까지 진출했던 사례로 특히 주목할 만하다. 건강식품 '삼용강장수' 포스터[도판 3]는 사이즈로 보아 전차 광고의 원화로 추정된다. 사슴의 등을 타고 앉아 피리를 불고 있는 소년의 이미지를 서정적인 색감으로 그려내고 있다. 사슴은 '삼용강장수'가 인삼과 녹용을 배합한 데에서 차용한 것으로, 카피와 상표명, 일러스트, 상표와 회사명의 레이아웃이 매우 안정적이다. 한홍택의 포스터 작업은 회화적인 특성이 강조된다 하여 '회화적 일러스트레이션'으로 불리기도 하는데, 조선미술전람회 서양화부나 녹과회와 같은 단체에 출품하는 등 도안과 순수회화의 사이를 오가며 작업했던 시절이기도 하다. 유한양행에서의 작업[도판 4]은 해방 전과 후의 작업이 큰 차이가 없는데, 주로 건강하고 젊은 여성의 포트레이트를 화면 전면에 그린 뒤 제품명, 광고 문구, 제품 이미지는 상대적으로 작게 배치한 것이 특징이다. 세밀하면서도 가볍고 경쾌한 필치로 세련되고 밝은 분위기를 자아내는 것이 한홍택 작업의 특징이다. 1960년대까지는 컬러 사진 인쇄가 기술적으로 어려웠기 때문에 일러스트레이션 작업으로 포스터를 제작하는 것이 당연했고, 그림 실력은 포스터 제작에 있어 중요한 조건이기도 했다.

도안을 전공했던 유학생들은 대부분 해방 후 대학에서 교편을 잡았다. 서울대학교 도안과에서는 이순석과 이병현이 홍익대학교 공예학부에서는 한홍택과 유강열이 학생들을 가르쳤다. 김재석은 서라벌예술대학과 이화여자대학교에서 교편을 잡았다. 도안 전공은 아니지만 태평양미술학교에서 서양화를 전공한 이준(李俊)과 조병덕(趙炳悳, 1916-2002)은 이화여자대학교에서 도안을 가르치기도 했다. 한국 디자인 교육 초기에 해당하는 도안과 혹은 응용미술과 시대의 교육자들이 공통적으로 일본 유학을 경험했다는 사실을 통해 해방 후에도 한동안 일본식 교육이 이뤄졌을 것이라는 점은 쉽게 추론 가능하다.

사생에 바탕을 둔 '편화'라는 도안 제작 방식

일본의 도안 교육이 어떻게 이루어졌는지를 알기 위해서는 당시 많이 쓰였던 교과서를 살펴보는 것이 좋겠다. 일본이 디자인 교육을 위해 처음 참조한 나라는 산업혁명을 가장 먼저 이룬 영국이었다. 자연을 사생한 뒤 간략화하거나 변형하는 도안 제작 방법을 영국에서는 'conventional treatment'라고 불렀는데, 이 방법은 일본에서 '편화(便化, 편선적 전화 장식법[便宜的転化装飾法]의 약어)'로 번역되어 디자인 교육의 기본으로 자리잡았다. 일본 최초의 디자인 교과서라고 알려진 고무로 신조(小室信蔵)의 『일반도안법(一般圖案法)』(1909)[도판 5]은 영국의 디자인 교육을 바탕으로 '사생부터 편화에 달하는 디자인 기법'을 도식화하고 있다.[11] 그는 도쿄공업학교부속 공업교원양성소 공업도안과 제1기 졸업생(1897년 입학, 1900년 졸업)으로, 졸업 후에는 모교의 교수로 부임하였다. 자연을 디자인의 모티프로 삼아 패턴화하는 방법, 패턴을 전개하는 방법, 배색법 등, 당시로서는 획기적인 방법론을 소개한 이 책은 출판 직후부터 일본 도안 교육의 교과서로 오랜 기간 사용되었다.[12] 그는 "도안이란 어떤 의장으로 형태와 장식, 배색의 세 요소를 적절히 조화시켜, 보는 사람에게 온아한 쾌감을 일으키기 위해 의도적으로 만들어내는 표현이다. 도안의 잘되고 못됨은 필요한 장소에 채워 넣었는가, 그 도안의 모양이 적합한가 아닌가에 달려 있다."고 말했다.

한편 도쿄미술학교 서양화과 교수를 지냈다가 프랑스 유학 후 교토고등미술학교 도안과로 자리를 옮겨 학교와 실제 제작 현장을 오가며 도안 개혁 활동에 힘쓴 아사이 추(浅井忠)는 『자재화감본(自在画監本)』이라는 교본 시리즈를 펴냈다. 그가 도안과에서 지도한 것은 도안법과 도화 실습으로, 이 두 과목에서 아사이는 유럽의 장

11   小室信蔵, 『一般図按法』(丸善, 1909), 2-3.
12   緒方康二, 「明治とデザインー小室信蔵の方法論」, 『夙川学院短期大学研究紀要』4, (学校法人 夙川学院 夙川学院短期大学, 1979), 42.

식미술학교 커리큘럼을 따라 디자인의 기초로서 데생을 중시하여 철저하게 가르쳤다고 한다.[13] 이 책에 실린 〈장미의 도안 및 모양화(薔薇の図案及模様化)〉는, 장미의 실물 사진을 스케치하여 편화에 이르기까지의 과정을 상세하게 알려주고 있다. 당시에 지도됐던 도안 제작법을 알 수 있는 좋은 예라 할 수 있겠다.

이렇게 성립된 도안 교육의 체계와 교과서는 이후 일본 디자인 기초 교육의 기본을 이뤘고 장기간 큰 영향력을 행사했다. 1920년대가 되면 일본에도 바우하우스나 큐비즘, 구성주의 등 모더니즘 사조가 디자인 교육계에도 수용되었지만, 1927년도 도쿄미술학교 도안과의 입학시험 실기 과제로 모필화 혹은 연필 담채화의 사생과 장미꽃 실물을 나눠준 뒤 그것을 바탕으로 정사각형과 원형 안에 도안을 만드는 '충전 모양에 의한 편화'가 제시된 것을 통해 '편화'라는 교육 방식이 계속 중요한 위치를 차지하고 있었음을 알 수 있다.[14] '편화'는 1980년대까지도 디자인 기초 교육의 한 방법으로 계속 활용되었다.[15]

이와 같이 사생에 바탕을 둔 편화 방식은 한국에서도 디자인 기법으로 자리잡는다. 1954년 서울대학교 응용미술과에 입학하여 1958년 졸업한 민철홍(閔哲泓, 1933–2020)은 이순석의 교육 방식에 대해 이렇게 회상한 바 있다. "지금까지 이 선생님이 진행하신 패턴은 일단 사방 연속무늬 또는 여러 가지 한국적인 것, 옛날 말로 하면 도안이죠. 그런데 미국 강사의 수업에서는 도안의 형식을 떠난 상당히 자유분방하고 어떻게 보면 테크닉, 손놀림이나 그 소재의 특성의 어떤 효과에 의존한다고도 볼 수 있지만 그런 것을 다 가미한 텍스처를 제작하는 거죠. 문양 그러면 꽃이나 구름이나 새 모양을 편화하는 것이 판화나 도안의 본질로 생각할 수밖에 없었던 우리한테는 충격이죠."[16] 그는 6.25 직후의 혼란기에 미군 크래프트 숍에 근무하는 디자이너가 학교에 강사로 나와 패턴디자인을 수업할 때 받았던 충격을 이야기하며, 이순석이 가르친 일본식 편화 방식이 '구식 교육'이었음을 토로했다. 그러나 그 이후에도 '편화'는 한국에서도 오랫동안 교육 방식으로 활용됐으며 현재진행형이기도 하다. 컴퓨터 기술의 도입으로 1990년대 중반에 국내 디자인 환경이 급격히 변화하면서 김교만(金敎滿, 1928–1998)으로 대표되는 당시 한국 그래픽 디자이너들의 작업이 도안과 편화의 양식화 과정을 반복, 변주, 심화함으로써 그래픽 디자인이 갖고 있는 보다 자유롭고 다양한 표현의 가능성을 스스로 제한해왔다는 신랄한 비판이 제기되기도 했다.[17] 그러나 편화가 갖고 있는 구체성과 명료성, 교육적 효과를 무시하기는 어렵다. '편화 자료집', '편화 사전' 등의 제

13   並木誠士·青木美保子·山田由希代·清水愛子,『京都 伝統工芸の近代』(思文閣出版, 2012), 168.

14   임숙재가 입학하던 해의 시험문제였다. 芸術研究振興財団, 東京芸術大学百年史刊行委員会 編,
      『東京芸術大学百年史(東京美術学校篇 第3巻)』, (ぎょうせい, 1997), 333.

15   緒方康二,「明治とデザイン―小室信蔵(1)」,『デザイン理論』19, (1980): 4.

16   박영목,『한국 디자인의 새벽 서울대학교 미술대학 아카이브: 디자인 민철홍』(서울: 서울대학교 조형연구소, 2013), 36.

17   강현주,「김교만 현대적인 조형감각과 한국적인 정서의 디자인」, 네이버 캐스트 디자이너 열전. https://terms.naver.com/entry.naver?cid=58790&docId=3577758&categoryId=58790

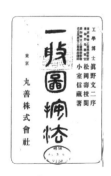

도판 5.『일반도안법(一般圖案法)』, 1909

목을 가진 디자인 지도서가 여전히 발간되고 있고, 디자인 대학의 입시 과목인 소위 '발상과 표현' 역시 '편화'를 기본으로 하고 있다.

전통에 대한 고민과 고전주의

한편 『온지도록』으로 대표되는 식산흥업을 위한 공예품 제작의 모티프가 된 것은 고전적인 건축과 공예가 지닌 전통 문양이었다. 자포니즘의 물결 속에서 서구인들의 이국 취미를 자극하는 잘 팔릴 만한 물건을 만들어내기 위해서 전통 문양을 응용한 것은 지극히 당연하게 여겨진다. 뿐만 아니라, 일본의 미술 교육은 문화재 보호와도 깊은 관련이 있다. 도쿄미술학교의 초대 교장인 오카쿠라 덴신(岡倉天心)은 국수주의적인 입장에서 고대 일본의 공예 기술을 보존하고 후세에 전달하는 것을 과제로 삼았으므로, 교과 과정 중에서 고전 연구는 매우 높은 비율을 차지하고 있었고, 도안 교육 역시 쇼소인(正倉院)[18]이나 고미술의 모사를 중요시했다.

　　　한편 도안가들은 '가장 일본적인 것이란 무엇인가'라는 고민 끝에 림파(琳派)[19]를 발견한다. 교토에서 도안가로 활약한 가미사카 셋카(神坂雪佳)는 1901년 각국의 도안 조사를 목적으로 글래스고를 방문한 뒤, 중국에서도 유럽에서도 고금을 통틀어 찾아볼 수 없는 것은 유일하게 림파의 그림 정도일 것이라며, 타국, 특히 중국의 영향을 받지 않았다고 생각되는 림파의 양식을 일본적인 것으로 높게 평가했다.[20] 유럽의 아르누보(Art Nouveau)에 영향을 준 것으로 알려지기도 한 림파는 일본에서의 아르누보 유행과 맞물려 도안계에서 가장 많이 활용된 고전이 되었다.

　　　1920년대에는 중국 상대(商代)의 청동기, 평양 일대의 낙랑 유적지에서 발굴한 한대(漢代)의 칠기 등을 소재로 한 출품이 다수 등장했다. 청일전쟁 승리 후 타이완을 할양받고 1910년에는 조선까지 합병하면서 식민지에 대한 고고학적 조사가 이뤄졌고, 그러한 영향을 받아 지식인들과 기업가들 사이에는 고미술 수집 열기가 일었다. 중국과 조선의 고미술은 창작의 새로운 발상을 제공하는 원천이 되었다. 이러한 동양주의, 혹은 신고전주의라고도 부를 수 있는 경향은 1920년대 후반부터 일본 건축계를 중심으로 바우하우스, 모더니즘을 적극적으로 수용하고 있던 흐름과는 상반되지만, 적어도 도안 교육이 이뤄지고 있던 미술학교에서는 오랫동안 주류의 위치를 놓지 않았던 것으로 보인다.

　　　정리하자면, 일본 근대 도안 교육의 내용은 서구인들의 이국 취미에 부합하는 전통 문양 모사에서 시작되어, 중국의 영향을 받지 않았기 때문에 가장 일본적이라고 생각되는 림파 양식의 응용에서 다시 고대 아시아를 이상향으로 바라보는 시선으로 나아갔음을 알 수 있다. 오카쿠라 덴신의 '아시아 문명의 박물관으로서의 일본'이라는 콘셉트를 비롯하여 일본이 주장한 '동양의 맹주로서의 일본'이라는 자세가 일본의 동양주의 혹은 신고전주의적인 흐름을 사상적으로 뒷받침했다. 또한 가장 일본적인 것을 추구할 때에도 서구의 시선을 투영한 정체성 찾기로 이어졌다는 점에서, 이러한 일련의 흐름은 결코 제국주의와 떨어뜨려 생각할 수 없다. 일본의 도안 교육 현장뿐만 아니라 미술계 전반에서 동양주의, 혹은 신고전주의라고 부를 수 있는 현상이 지속적으로 나타났으며, 이러한 일본식 오리엔탈리즘적인 시선이 일본의 '미술'학교에서 도안 교육을 받았던 유학생들의 의식에도 영향을

18　　8세기부터 이어져 내려오는 일본 황실의 보물창고. 일본 나라현 나라시 도다이지(東大寺)의 대불전 북서쪽에 위치한다. 나라 시대를 중심으로 한 다수의 일본 전통 미술 공예품, 당나라와 백제, 고구려, 신라, 페르시아, 인도, 그리스, 로마, 이집트 등지에서 수입한 그림, 서적, 공예품, 도검, 악기, 가면 등이 남아있다.

19　　림파란 모모야마 시대부터 에도 시대 초기에 걸쳐 교토에서 활약하던 혼아미 고에쓰(本阿弥光悦, 1558-1637), 다와라야 소타쓰 (俵屋宗達, 1570-1643)에서 출발하여, 에도 시대 중기의 오가타 고린(尾形光琳, 1658-1716), 후기의 사카이 호이쓰(酒井抱一, 1761-1828)로 이어지는 회화 계보를 말한다. 일본에서 유파는 보통 가계(家系)를 통해 이어지는데, 림파는 가계와 상관없이 양식, 즉 스타일의 계승으로 유파를 이루게 된 드문 예다.

20　　並木誠士·青木美保子·山田由希代·清水愛子, 『京都 伝統工芸の近代』, 129.

미쳤을 것으로 생각된다.

　예를 들어 이순석은 학생들에게 '십장생 선생님'이라는 별명으로 불릴 정도로 십장생 모티브를 좋아했다. 1950년대 그가 가르쳤던 학생들의 작품에는 동양의 고전적인 문양을 주제로 한 것이 많고 이러한 특징은 '한국 전통의 계승'으로 평가받았다. 이순석 스스로도 이를 '전통'에 대한 애정의 발현으로 여러 차례 언급했다. 그의 제자로 나중에 서울대 교수가 되는 권순형(1929–2017)은 1953년 제2회 국전 공예부에 〈장생도〉[도판 6]로 특선을 차지했다. 편화 기법으로 십장생을 단순하게 모양화한 작업의 장식 병풍이다. 유강열 역시 수업 시간에 학생들에게 박물관 유물 스케치를 지도했고, 전통의 계승에 대해 여러 번 강조했던 것으로 알려져 있다. 유강열 아카이브에는 그가 수업 재료로 쓴 전통 문양 탁본과 판화[도판 7]가 남아 있다.

　이들은 모두 하나같이 전통 공예품을 수집했다. 이순석은 귀국 후 '낙랑파라'[도판 8]라는 다방을 열고 작업실 겸 문화인들과의 교류 공간으로 삼고, 자신이 수집한 골동품들을 진열하고, 봉산탈 전시회를 열기도 했다.[21][도판 9] 유강열은 공예학교를 세울 목표를 가지고 공예품을 수집했다고 하는데, 그 꿈은 실현되지 못했지만 그가 수집한 공예 컬렉션은 그의 사후 국립중앙박물관에 기증되었다. 이완석은 1964년 한국민예품연구소를 세우고, 전통 공예품을 수집하는 것을 넘어 '인간문화재와 같은 무형문화재와 더불어, 스러져가는 유형문화재로서의 민예품 등을 전승하고 이를 현대로 이끈다.'는 목표를 가졌다.[22] 그들은 과거의 유물을 수집하고 전통 문양을 새로운 창작에 집어넣는 행위를 전통의 계승이라고 생각했다. 그런데 이러한 골동 취미는 이미 지적된 바와 같이, 서양인이 일본미술을 바라보던 시선을 일본들이 일본미술, 혹은 한국미술에 그대로 투영한 것에서 배운 것이다.[23] '낙랑파라'라는 작명 역시, 고대 한반도에 노스탤지어를 느끼던 일본 관학자들의 시선이 그대로 이식된 것으로 볼 수 있다. 해방 후 1970년대까지 계속해서 제작된 일련의 관광포스터에도 이와 같은 맥락에서 읽어낼 수 있는 부분이 존재한다.

도안의 시대와 디자인의 시대

한국에서는 해방 후 1957년 미 국무부 산하 ICA (International Cooperation and Administration)의 지원을 받아 한국공예시범소가 설립됨에 따라 미국 정부가 디자인에 직접 참여하게 되었다. 또한 대학 교원을 미국에 단기 유학시키는 프로그램이 늘어나면서 대학의 디자인 교육 방식도 미국을 모델로 삼았다. 디자인 교육에서 도안이 밀려나기 시작한 것은 1958, 1959년경이다. 민철홍이 1958년 ICA의 원조로 일리노이 주립대학에서 1년간 연수를 받은 뒤 귀국해서 교단에 서면서부터 미국식 디자인 교육이 시작되었다. 전후 세대인 민철홍은 1954년 서

21　　서울대학교 미술대학 응용미술과 동문회, 『賀羅 李順石』(서울: 서울대학교 미술대학 응용미술학과 동문회, 1993), 167.

22　　「한국민예품연구소 발족, 유형문화재를 전승」, 『조선일보』, 1964년 2월 21일 자.

23　　허보윤, 「미술로서의 디자인: 이순석의 1946–1959년 응용미술교육」, 『조형_아카이브』 2권(2010): 176.

도판 6. 1953년 제2회 국전 출품, 권순형 〈장생도〉

도판 7. 유강열, 전통 문양 탁본과 판화

울대학교 미술대학에 입학해서 일본식 도안 교육을 받았지만, 졸업 후 미국 유학을 통해 새로운 세계를 만난 것이다. 오클라호마 주립대학에서 회화와 디자인을 전공한 김정자(金靜子, 1929–)가 1958년부터 서울대 교단에 섰고, 일본 유학을 경험한 세대인 유강열도 록펠러재단의 후원으로 민철홍과 같은 해에 뉴욕 프랫 그래픽아트센터와 뉴욕대학교에서 판화와 디자인을 학습하고 돌아와 홍익대 교수가 되었다. 1950년대 한국 대학의 디자인 교수진의 80%가 일본 유학파였으며, 1960년대에 들어서 국내파가 30% 이상을 차지하기는 했지만 이들도 일본 유학파 교수진에 의해 양성된 지도자들이기 때문에 한동안은 일본식 디자인 교육의 영향하에 놓여있었던 것으로 생각해도 좋을 것이다.[24] 그리고 그들이 배웠던 일본식 디자인이란, 사생을 통해 패턴을 만들어가는 편화 방법과 서구의 시선을 투영한 고전주의적 사고로 요약할 수 있을 것이다.

기법적인 측면에서 보면, 사진 인쇄술의 발전과 컴퓨터의 도입에 따라 사생과 편화에 의한 일본식 도안 제작 방법에서 점차 벗어나게 됨에도 불구하고 편화를 이용한 교육 방법은 여전히 존재하고 있음이 확인된다. 내용적인 측면에서 보면, 한국다움의 표현, 전통미의 추구는 해방 뒤에도 오랫동안 이어졌으며, 이로 인한 소재주의와 한국성에 대한 강박에 대한 비난도 적지 않았다. 특히 식민지기에 나타났던 고전주의가 1960년대 이후에도 주기적으로 리바이벌한 것에 대해 원인을 좀 더 정밀하게 분석할 필요가 있다. 이것을 단순히 식민지를 경험했던 데에서 나타나는 소위 '식민성'에서 비롯됐다고 보기에는, 식민의 주체였던 일본에서도 지속적으로 나타난 현상이기 때문이다. 다른 점은 일본은 스스로의 눈으로 서구 세계만을 의식하면 됐지만, 한국은 식민 경험을 통해 일본에게 제시된 관점, 혹은 훈련된 눈으로 타자를 의식해야 했고, 그것이 지금까지도 영향을 미치고 있다.

디자인사에 있어 여전히 근대—혹은 일제 강점기—는 미개척의 분야로 남아 있으며, '식민지 조선에 과연 주체적인 디자인이 있었는가?'라는 회의적인 시각도 존재한다. 일관되게 타율적으로 보이는 도안 시대의 디자인에서 예외적인 주체성을 찾아내는 것이 앞으로의 과제일 것이다. 그러나 거기에는 분명 '주체성'의 기준에 대한 문제가 존재한다. 그렇다면 '디자인' 시대의 디자인은 주체적이었는가? 혹자는 일제 강점기에 '디자인'이라는 용어가 사용되지 않았다는 점을 근거로 근대의 단절을 말하기도 한다. 그러나 기표가 달랐다는 점 때문에 실체까지 부정될 수는 없을 것이다. 앞에서 살펴본 것처럼 도안 시대의 디자인은 오늘의 디자인과 맞닿아있다. 또 한 가지 분명한 것은 미술대학을 입학할 때부터, 아니, 대학입시를 준비할 때부터 회화나 조각과 같은 순수미술을 전공할 것인지, 공예, 디자인을 전공할 것인지를 결정하고, 디자인 학부 과정에 입학한 뒤에도 다시 시각디자인, 산업디자인, 패션디자인, 섬유디자인 등으로 전공이 세분화되는 것이 당연시되는 오늘날의 관점으로 도안의 시대를 바라보아서는 안된다는 것이다.

---

24   김종덕, 「한국의 시각디자인 교과과정 변화에 대한 분석: 서울대학교, 이화여자대학교, 홍익대학교 시각디자인 전공의 교과과정 변화를 중심으로」, 『디자인학연구』 20권 3호(2007): 79.

도판 8. 다방 낙랑파라 전경, 1932

도판 9. 낙랑파라에서 열린 봉산탈 전시회, 1933

"응용미술과 시대에 국전 초대작가 심사위원 했고, 그런 사이를 왔다갔다한 것을 지금 젊은 사람은 하고 싶어도 어렵잖아요."[25]

그동안 근대 디자인 연구가 이뤄지기 힘들었던 것은 연구 대상이 빈약하기 때문이기도 했다. 인쇄물과 선전물, 생활용품은 미술 '작품'처럼 보존해야 할 가치가 있는 것으로 여겨지지 않고 본래의 기능을 다하고 나면 폐기된다. 건축은 일제의 산물이라는 이유로 파괴되거나, 한국전쟁과 급격한 산업화를 거치며 하나둘 소멸되어갔다. 그러나 오히려 시간이 지나면서 희소성을 인정받게 된 일제 강점기의 자료들이 조금씩 존재를 드러내면서, 근대에 한국 디자인이 없었다고 말하기는 어려워지고 있다. 아카이브에서 시작된 이번 전시가 한국 디자인사의 출발점을 끌어올리는 마중물이 되기를 기대한다.[26]

25   박영목, 『한국 디자인의 새벽 서울대학교 미술대학 아카이브: 디자인 민철홍』, 116.
26   이 글은 이전에 발표된 글을 토대로 재구성하고 가필한 것이다. 노유니아, 「한국 근대 디자인 개념과 양식의 수용: 동경미술학교
        도안과 유학생 임숙재를 중심으로」, 『미술이론과 현장』 8. (2009), 같은 제목의 서울대학교 석사 논문(2009), 「초기
        디자인교육으로서의 근대 일본 도안: 기법과 내용」, 『Extra Archive: 디자인사연구』 제2권 제2호(2021).

해방 후 조선산업미술가협회의 창립과 활동을 통해 본 초기 디자인 분야의 성립과 확장

강현주

인하대학교 디자인융합학과 교수

강현주는 서울대학교와 스웨덴 콘스트팍(Konstfack)에서
시각디자인을 전공하고 현재 인하대학교 디자인융합학과
교수로 있다.『디자인사 연구』,『한국디자인사 수첩』,
『바우하우스』(공저) 등의 저서와 「해방 이후 1960년대
말까지 서울대학교 디자인교육에서 이순석의 역할」, 「한홍택
디자인의 특징과 의미」, 「김교만 그래픽 스타일의 형성과
전개」, 「88서울올림픽에서 조영제의 역할과 영향」, 「정시화의
디자인 저술에 나타난 서구 디자인사의 영향」, 「안상수가
한국 그래픽 디자인 문화생태계에 미친 영향」, 「서기흔 주도
디자인 통합교육 사례의 특징과 형성 배경」 등의 논문이 있다.

조선산업미술가협회의 창립

해방되던 해인 1945년 12월 27일에 조선산업미술가협회라는 이름으로 창립된 대한산업미술가협회(약칭 산미협회)는 국내에서 가장 오래된 디자인단체다. 지금은 출발한 지 70여 년이 넘는 세월이 훌쩍 지났지만 산미협회가 창립 40주년을 맞이했던 1986년에 이미 이경성은 "하나의 미술 단체가 40년을 끌고 왔다는 것은 확실히 한국 현대미술에 있어서 특기해야 할 일이다. 그것도 관의 도움 없이 순전히 자기들만의 힘으로 이처럼 지속해오고 발전해왔다는 것은 기적에 가까운 경이적인 사실"이라고 평가하며 산미협회 회원전(약칭 산미전)은 한국 사회가 근대에서 현대로 돌입하는 과도기의 표정을 그래픽 아트로 집약해 보여주었다고 말했다.[1] 창립 초창기인 1947년에 한홍택은 산업미술은 "예술과 산업과의 유기적·종합적 결합이며 대중적인 생활예술 형성"이라면서 "오늘의 생산품이나 또는 간단한 산업도안이라 할지라도 이것이 누구에게 어떠하게 제공될 것인가, 사회적으로 어느 누가 소비의 대상인가, 나아가서는 대외적이라는 것도 고려치 않으면 안 될 것"[2]이라고 주장했다. 이러한 그의 생각은 산미협회가 비록 명칭에 디자인이라는 용어를 사용하지는 않았지만 출발 시점부터 산업미술을 현대적인 의미에서의 디자인으로 인식하고 있었음을 보여준다.

산미협회 50년사 발간을 위한 좌담회(1997)에서 조능식은 한홍택을 비롯해 이완석, 조병덕, 유은상 등이 창립을 주도했으며 자신은 사무국장 같은 역할을 담당했다고 밝혔다.[3] 그에 따르면 산미협회는 일제 강점기에 일본에서 도안이나 미술을 공부했거나, 유학 경험은 없지만 해방 후 국가 발전에 있어 디자인이 중요한 역할을 해야 한다고 인식했던 사람들이 당시의 열악한 사회문화 환경 속에서도 서로 알고 있는 지식과 경험을 공유하고 새로 창작한 작품을 발표하는 동인 모임 성격으로 출발했다고 한다. 발족 당시 창립회원은 권영휴, 엄도만, 유윤상, 이병현, 이완석, 조능식, 조병덕, 홍남극, 홍순문, 한홍택 등이었던 것으로 알려져 있다.[4] 초창기 회원들은 대부분 미술과 디자인 분야 양쪽을 오가며 작품활동을 했는데 이들의 디자인 관련 주요 경력 및 활동을 살펴보면 다음과 같다. 먼저 한홍택은 도쿄도안전문학원과 제국미술학교(現 무사시노미술대학)에서 도안과 미술을 공부하고 돌아와 유한양행에 근무하며 광고 제작 및 디자인 관련 업무를 담당했다. 후에 서울대학교 미술대학 도안과 강사를 거쳐 홍익대학교와 덕성여자대학교 교수를 역임했다. 서울동양옵세트인쇄회사에서 화공으로 일했던 엄도만(1915-1971)은 한홍택보다 이른 시기에 유한양행에서 일하며 도안부 미술부장을 역임했고 이후 중국으로 건너가 간판과 선전화 제작을 하다 귀국했으나 한국전쟁 때 월북했다. 이완석은 도쿄 대성중학교와 태평양미술학교에서 수학하고 돌아와 일본 유학 시절 친분을 맺은 천일제약 사장 아들과의 인연을 계기로 당시 '조고약'으로 유명했던 천일제약에서 일하면서 제품 패키지와 광고 등의 디자인 업무를 담당했다. 후에 천일백화점 사장을 역임하고 천일화랑 자리에 한국민예품연구소를 개소했다. 이완석이 작고하기 전까지 산미협회 사무실은 그가 일하던 천일빌딩에 위치하고 있었다. 태평양미술학교를 졸업하고 제19회(1940) 조선미술전람회(약칭, 선전)에서 최고상을 수상했던 조병덕은 화가이자 삽화가로 활동하다 후에 이화여자대학교 교수가 되었다. 유윤상은 경성일보 출판국에서 도안을 담당했고 조능식(1919년생)은 일본 산명회화학교를 졸업하고 경성일보 기자로 활동했다. 일본 수지미술학원 도안과를 졸업한 권영휴(1912년생)는 장치미술가로도 활동했던 것으로 알려져 있고, 최정한(1916년생)은 일본 도쿄와 오사카에서 디자인 관련 일을 하다 귀국했다. 이병현은 일본미술학교 도안과를 졸업하고 서울대학교 예술대학 미술부 도안과 교수가 되었으나 젊은 나이에 작고했다. 국내 무대미술 분야를 개척한 김정환(1912-1973) 역시 일본미술학교 도안과를 졸업했다. 홍순문은 한홍택, 엄도만 등과 함께 동인 작품전 성격의 녹

1   『창립 40주년 기념전 산미시각디자인부』 전시 도록(서울: 대한산업미술가협회, 1986), 7.

2   한홍택, 「산업미술특집: 산업미술과 산업건설」, 『경향신문』, 1947년 5월 22일 자, 4면.

3   대한산업미술가협회, 「산미협회 50년사 발간을 위한 좌담회」, 『산미오십년』(서울: 대한산업미술가협회, 1998), 48-51.

4   한홍택, 「산미 삼십주년에 붙인다」, 『월간디자인』, 1976년 12월, 74-76; 이경성, 「산미 30년전」, 『월간디자인』, 1978년 6월, 78 참조.
     한홍택은 김관현이 창립 모임에 참석한 것으로 회고했으나 이경성의 글이나 다른 관련 자료들을 살펴볼 때 명확하지 않다.

과전(1938) 전시에 작품을 출품했다. 이처럼 초창기 회원들은 화가, 도안가, 무대장치가, 기자 등의 다양한 이력과 배경을 가지고 있었다.

산미협회는 1960년대 중반까지 초창기 회원들이 참여하는 회원전을 중심으로 운영되다가 1965년에 전국 단위 공모전을 시작한 것이 계기가 되어 젊은 세대의 참여가 늘어나게 되었고 1967년부터 공식적으로 회원제도를 도입하게 되었다. 이러한 변화의 시기에 창립 초기부터 중심적인 역할을 해왔던 한홍택이 대표간사를 거쳐 대표이사를 맡아 1976년까지 수행했다. 이후 1977년에 박선의가 후임 대표이사가 되고 한홍택은 1979년까지 회장으로서 활동했다. 한홍택이 협회를 떠난 후 대표이사 직책이 없어지고 박선의(1980–1981)와 김성수(1982–1985)가 차례로 회장이 되었다. 1986년에 시각디자인부와 공예부의 이원화 체제가 시작됐고 1989년부터는 시각디자이너회[5]와 공예가회가 아예 각각 회장을 두고 예산을 별도 관리하며 최근까지 운영해왔다.

다른 분야와 마찬가지로 해방 직후 미술계에도 여러 협회와 단체들이 생겨났는데 한홍택은 산미협회뿐만이 아니라 조선미술건설본부(1945), 조선미술동맹(1945), 조선미술가협회(1945), 조선조형예술동맹(1946) 등에도 참여했다. 이 시기에 등장한 미술계 협회와 단체들은 참여 구성원의 정치 이념에 따라 좌우익 대립 구도를 형성했고 이러한 갈등은 1948년 정부 수립 시기까지도 이어졌다. 하지만 산미협회는 "사회적인 혼란과 정국의 혼미 속에서도 산업미술의 필요성을 절감하여 우리 문화를 바탕으로 한국적인 디자인 연구와 문화상품개발, 국제교류 사업을 통해 우리나라의 문화산업진흥과 발전에 기여할 목적"으로 시작됐다. 창립 회원들은 첫 행사로 광복을 기념하는 전시회를 기획하고 회원 1인당 전지 크기 포스터 3점씩을 제작하기로 했다. 산미협회는 1946년 5월 21일부터 31일까지 동화백화점(舊 미쓰코시백화점)에서 《조국광복과 산업부흥전》이라는 주제로 제1회 조선산업미술가협회 발표전을 개최했다. 이 전시회에는 강두승, 권영휴, 유윤상, 이봉선, 이완석, 조능식, 최정한, 한홍택, 홍남극, 홍순문 등이 포스터 작품 36점을 출품했고 8.15 기념, 관광, 산업건설, 박람회, 상품 안내, 화장품, 영화, 등산 등이 다루어졌다.[6] 『한성일보』 5월 1일 자 문화소식란에는 이 전시회와 관련해 다음과 같은 기사가 실렸다.

조선산업미술에 계몽을 촉진시키며 아울러 산업조선 건설에 이바지하고자 사계(斯界)의 진실한 작가들을 총망라하여 조선산업미술가협회를 결성하고 동회에서는 앞으로 춘추 2회 작품발표전을 위시하여 지도강습회, 좌담회 등을 개최하며 정기간행물도 출판하리라 한다. 그리고 오는 5월 20일부터 일주일간 중앙의 백화점에서 회원 제1차 발표전을 개최하리라 한다.[7]

한홍택은 현재 출품 확인이 어려운 시기를 제외하고 제1회(1946)부터 제30회(1978) 회원전까지 꾸준히 작품을 출품했다.[8] 한홍택 외에 창립전에 참여했던 출품자 중 1960년대 중반까지 출품을 이어간 인물로는 권영휴, 이완석, 조능식, 조병덕, 최정한이 있다. 엄도만과 조병덕은 제2회 때부터 참여했고 제3회(1947)에는 이병현과 최영수가, 제4회(1947)에는 김정환과 김창근이 작품을 출품했다. 김관현은 제8회(1954)부터 작품을 선보였다. 이후 엄도만과 이병현은 제7회(1950)까지, 김정환은 제9회(1955)까지, 김창근은 제15회(1965)까지 출품한 것으로 파악된다. 그러다가 제20회(1969)에 와서는 초창기 회원 중 한홍택과 조병덕이 참여했고 제22회(1970)에는 조능식과 조병덕이, 제23회(1971) 때는 김창근, 조병덕, 한홍택이 출품했다. 1970년대 중반 이후로는 한홍택을 제외한 다른 초

---

5   1989년 이후 역대 시각디자이너회 회장은 다음과 같다: 이순만(1989–1991), 최병훈(1992–1994), 이인자(1995–1998), 백금남 (1999–2001), 정신공(2002–2004), 최호천(2005–2007), 이호명(2008–2010), 김금재(2011–2013), 박영원(2014–2017), 김용우 (2018–현재).

6   『창립 40주년 기념전 산미시각디자인부』 전시 도록(1986); 조능식, 「대한산업미술가협회 제50회전과 50년사에 붙여서」, 『한국섬유신문』, 1998년 5월 27일 자 참조.

7   백금남, 「산미 50년의 조망」, 『산미오십년』, 62–65.

8   제10회(연도 미상), 제19회(1968), 제21회(1970) 미확인.

창기 회원들은 회원전에 출품하지 않았고 이들을 대신해 젊은 회원들이 새롭게 활동을 시작했다. 창립 모임에 참가했거나 1940, 1950년대부터 활동했던 초창기 주요 회원들의 활동 현황을 살펴보면 [표 1]과 같다.[9]

연도	46		47		48		50	54	55	–	59	60	63	64	65	66		67	68	69	70		71	72	73	74	75	76	77	78
회차	1	2	3	4	5	6	7	8	9	10	11	12	13	14	15	16	17	18	19	20	21	22	23	24	25	26	27	28	29	30
강두승	○																													
권영휴	○	○	○	○	○	○	○	○	○		○	○	○	○	○	○	○	○												
김관현								○	○			○	○	○	○	○	○							○						
김정환			○	○	○	○																								
김창근				○	○	○	○				○	○											○							
엄도만		○	○																											
유윤상											○																			
이병현			○	○	○	○				미									미		미									
이봉선	○	○	○	○	○	○	○	○	○	확	○	○							확		확									
이완석	○		○	○	○	○	○			인	○	○	○	○	○	○	○	○	인		인									
조능식	○										○	○	○	○	○	○	○	○					○							
조병덕			○	○	○	○	○				○	○	○	○	○	○	○	○		○			○	○						
최영수			○	○																										
최정한	○	○							○		○	○																		
한홍택											○	○	○	○	○	○	○	○					○	○	○	○	○	○	○	○
홍남극	○		○	○	○	○			○																					
홍순문	○	○	○	○	○	○			○		○																			

[표 1] 창립 회원 및 초창기 주요 회원들의 회원전 출품 현황 (1946–1978)

대한산업미술가협회로의 개칭과 초창기 활동

대한민국 정부 수립 후 조선산업미술가협회는 협회 명칭을 대한산업미술가협회로 개칭했는데[10] 초창기 산미협회의 주요 활동은 크게 세 가지로 나누어 볼 수 있다. 첫째는 창립전부터 이어져 온 회원전이고, 둘째는 1965년에 처음 도입된 공모전, 그리고 셋째는 1980년대 들어 활성화된 해외교류전이다. 먼저 회원전은 한국전쟁 기간을 제외하고 최근까지 70여 년 넘게 매년 한두 차례씩 꾸준히 이어졌다.[11] 한홍택이 중심적인 역할을 했던 제1회부터

9   [표 1]은 『월간디자인』 1976년 12월호에 게재된 한홍택의 「산미 삼십주년에 붙인다」, 『월간디자인』 1978년 6월호에 실린 이경성의 「산미 30년전」 글과 『창립 40주년 기념전 산미시각디자인부』 전시 도록(1986), 『산미오십년』(1998), 『대한산업미술가협회 70년 시각디자이너회 기록집』(2015), 그리고 국립현대미술관 아카이브 소장 자료 및 기타 자료들을 비교 검토해 작성했는데 문헌마다 내용에 다소 차이가 있어 향후 보다 엄밀한 조사가 필요하리라 생각된다. 그럼에도 불구하고 이 표를 제시한 것은 초창기 산미협회 회원들의 활동 변화 추이를 살펴보는 데 도움이 되리라 판단했기 때문이다.

10   산미협회의 명칭과 약칭, 그리고 연도별 사용에 대해서도 자료마다 차이가 있다. 이에 대한 구체적인 언급으로는 『산미오십년』(1998)에 실린 「산미 50년의 조망」이라는 백금남의 글을 들 수 있는데 그 내용은 다음과 같다. "조선산업미술가협회의 명칭 사용은 1946년 창립전에서부터 1948년 제6회 회원전까지 사용하였으며, 1950년 제7회전에는 산업미술가협회, 그리고 1954년 제8회전부터 현재까지 대한산업미술가협회를 사용하고 있다. 그리고 일반적으로 협회 회원전의 약칭으로 쓰고 있는 산미전의 명칭은 1947년 제3회전부터 사용하여 현재까지 대명사처럼 사용하고 있다."

11   대한산업미술가협회의 현 이사장은 김금재 교수이고, 시각디자인회 회장은 김용우 교수인데 신구 임원진 인수인계 과정의 지연 및 코로나19 상황으로 최근 산미협회 활동이 정체되어 있는 상황이다.

제30회까지 회원전 개최 현황을 살펴보면 다음과 같다.[12]

구분	연도	날짜	장소	전시 주제	출품회원 수
제1회	1946	05.21.-05.31.	동화백화점 화랑	조국광복과 산업부흥전	10
제2회	1946	12.25.-01.05.	동화백화점 화랑	올림픽에 관한 디자인전	11
제3회	1947	05.21.-05.29.	동화백화점 화랑	관광을 위한 경주/단양 스케치전	13
제4회	1947	09.16.-09.23.	동화백화점 화랑	관광을 위한 남해안 스케치전	15
제5회	1948	04.20.-04.30.	동화백화점 화랑	산업건설 포스터전	13
제6회	1948	10.01.-10.08.	동화백화점 화랑	산업건설 포스터전	13
제7회	1950	04.25.-04.30.	동화백화점 화랑	수복건설 포스터전	14
제8회	1954	04.10.-04.19.	동화백화점 화랑	직물디자인전	10
제9회	1955	05.03.-05.12.	동화백화점 화랑	관광 포스터전	18
제11회	1959	04.20.-04.30.	중앙공보관 화랑	건국 10주년 기념전	16
제12회	1960	10.17.-10.23.	중앙공보관 화랑		17
제13회	1963	03.11.-03.17.	중앙공보관 화랑	관광을 위한 제주도 스케치전	12
제14회	1964	08.20.-08.27.	종로 YMCA 화랑	관광을 위한 강원도 스케치전	15
	1964	09.02.-09.08.	춘천 강원도공보관	관광을 위한 강원도 스케치전	15
제15회	1965	09.11.-09.17.	신문회관 화랑		17
제16회	1966	05.07.-05.14.	미도파 화랑		22
제17회	1966	11.14.-11.19.	중앙공보관 화랑		21
제18회	1967	10.27.-11.01.	중앙공보관 화랑	창립 20주년 기념전	24
제19회	1968	10.21.-10.30.	중앙공보관 화랑	(일부 자료 유실)	(미상)
제20회	1969	07.11.-07.17.	국립공보관(덕수궁)		22
제21회	1970	02.14.-02.20.	신문회관 화랑	(일부 자료 유실)	20
제22회	1970	12.21.-12.26.	(미상)		22
제23회	1971	04.20.-04.27.	한국디자인포장센터		29
제24회	1972	05.26.-06.01.	명동화랑	(자료 유실)	22
제25회	1973	04.24.-04.29.	신세계미술관		44
제26회	1974	04.30.-05.05.	신세계미술관		36
제27회	1975	10.01.-10.07.	신문회관 화랑		41
제28회	1976	10.05.-10.10.	문화화랑		49
제29회	1977	06.22.-06.27.	미도파백화점 장미홀		66
제30회	1978	04.24.-04.30.	한국디자인포장센터	산미30년전	62

[표 2] 산미협회 제1회부터 30회까지 회원전 개최 현황 (1946–1978)

회원전 개최 첫해인 1946년에는 《조국광복과 산업부흥전》 및 《올림픽에 관한 디자인전》이 열렸고, 1947년 5월에는 제3회 회원전으로 《관광을 위한 경주/단양 스케치전》이 개최되었다. 한성일보 후원으로 동화백화점 화랑에서 열린 이 전시에는 권영휴, 엄도만, 유윤상, 이병현, 이봉선, 이완석, 조능식, 조병덕, 최영숙, 최정한, 한홍택, 홍남극, 홍순문 등 13명의 포스터 작품 33점이 출품되었다.[13] 같은 해 열린 제4회 때의 주제는 《관광을 위한 남해안 스케치전》이었고, 1948년에 열린 제5회와 제6회 회원전은 《산업건설》이 주제였다. 1950년의 제7회 회원전은 《수복건설》이 주제였는데 그해 한국전쟁 발발로 한동안 회원전이 중단되다가 1954년 4월에 제8회 회원전이 다시 열렸다. 전쟁기간 동안 비록 회원전은 개최되지 않았지만 권영휴, 유윤상, 이봉선, 이완석, 조능식, 한홍택, 홍순문 등 산미협회 회원들은 국방부 종군화가단 선전미술 분야에서 활동했다.[14] 1955년 제9회 회원전에는 이순석, 이근

12   [표 2] 역시 각주 9에서 [표 1]에 대해 설명한 것과 같은 방법과 목적으로 작성되었다.
13   이경성, 『창립 40주년 기념전 산미시각디자인부』 전시 도록, 7–11.
14   최열, 『한국 현대미술의 역사: 한국미술사사전 1945–1961』(파주: 열화당, 2006).

배, 백태원, 김영주 등이 참여했고, 1960년에 개최된 제12회 회원전에는 변종하, 유강열, 정규 등도 작품을 출품해 산미협회와 인연을 맺었다. 초창기 회원전에서는 관광이나 산업건설이 주제로 자주 다루어졌는데 제13회(1963)는 제주도지사 초청《관광을 위한 제주도 스케치전》으로, 제14회(1964)는 강원도지사 초청《관광을 위한 강원도 스케치전》으로 개최됐다. 회원전은 1950년대 중반까지 동화백화점 화랑에서 열리다가 1950년대 후반부터 1970년대 후반까지는 중앙공보관 화랑에서 자주 개최되었다. 출품 회원 수는 창립전 때 10명으로 시작해 1960년대 중반까지는 20명 미만이다가 1965년에 공모전이 시작된 후 점차 늘어 1973년에는 40명대로 증가했다.

이러한 변화에 대해 백금남은 1970년대 들어 사회적으로 디자인에 대한 관심과 디자이너에 대한 수요가 늘면서 산미협회에서도 협회의 규모와 활동 영역을 확장하려는 시도가 있었다고 말했다. 초창기에는 출품 분야의 구분이 없었으나 제26회(1974) 때 그래픽디자인부, 상업사진부, 공예부, 공업디자인부 부문으로 나뉘었고, 1981년에 시각디자인부와 공예부로 조정됐다. 제26회(1974)와 제27회(1975) 때는 상업사진부가 포함되기도 했지만 활성화되지 못했다. 공업디자인부 역시 제26회(1974), 제28회(1976), 제29회(1977)에 포함됐으나 이어지지 못했다. 공예는 황종례의 참여를 계기로 제14회(1964) 회원전에 시작되어 제32회(1980) 때 도자기공예부, 목공예부, 염색공예부, 금속공예부 등으로 세분화를 시도했다가 제33회(1981) 때 다시 공예부로 통합되었다.[15] [표 3]

구분	연도	출품 분야	비고
창립전–제25회	1946–1966	출품 분야 구분 없음	–
	1967–1973	출품 분야 구분 없음	대표이사 한홍택
제26회	1974	그래픽디자인부/상업사진부/공예부/공업디자인부	
제27회	1975	그래픽디자인부/상업사진부/공예부	
제28회	1976	그래픽디자인부/공예부/공업디자인부	
제29회	1977	그래픽디자인부/공예부/공업디자인부	회장 한홍택, 대표이사 박선의
제30회	1978	그래픽디자인부/공예부	
제31회	1979	그래픽디자인부/공예부	
제32회	1980	그래픽디자인부/도자기공예부/목공예부/염색공예부/금속공예부	회장 박선의
제33회	1981	시각디자인부/공예부	

[표 3] 산미협회 회원전 출품 분야의 변화 (1946–1981)

대학에서 배출되는 디자인 졸업생 수가 늘고 이들의 사회 진출이 본격화가 되자 산미협회에서는 디자인계의 신인 발굴과 등용문 마련을 위해 1965년에 공모전을 시작했다. 이 무렵 산미협회는 초창기 회원들의 활동이 점차 줄어들고 있었는데 공모전을 거쳐 산미협회에 참여하게 된 젊은 디자이너들의 수가 늘면서 일종의 세대교체가 자연스럽게 이루어졌다. 1967년에 도입된 회원제는 이러한 변화를 반영한 것으로 보인다. 산미협회에서 공모전을 시작하게 된 데에는 1960년대 초반의 사회적 환경변화가 주요한 배경으로 작용했는데 이와 함께 신상회[16]가 주최한 신상전의 영향도 있었을 것으로 생각된다. 제2회(1963) 신상전에 디자인부가 신설되면서 권영휴, 조병덕, 한홍택이 참여했다. 제3회(1964)에는 조영제가 함께 했고 그 후 권명광, 박선의, 양규희, 윤병규, 정대길도 참여했다.[17] 신상전은 회화, 조각, 디자인 분야가 함께 한 공모전이었던 반면에 산미협회 공모전은 디자인 분야가 독자

---

15   대한산업미술가협회, 『산미오십년』 참조.

16   신상회는 1962년에 박서호, 임완규, 유영국, 이대원, 이봉상, 임완규, 장욱진 등이 한국 미술문화 창조의 역군을 주창하며
      설립한 단체로 1968년에 해체됐다. 김달진, 「1950–90년대 미술단체 흐름, 그 실상을 보다」, 『한국 미술단체 100년』(서울:
      김달진미술자료박물관, 2013) 참조.

17   이대원, 「신상회 시절」, 『혜화동 50년』(서울: 열화당, 1988) 참조.

적으로 진행한 전국 단위 최초의 행사였다는 점에서 개최 의의가 있었다. 산미협회 공모전에는 대학생과 일반인이 함께 참여했는데 대상인 산미상을 수상하거나 연 3회 특선한 경우 회원 추천 대상 자격을 획득하는 회원 추천 심의 규정을 운영했다.[18] 백금남은 홍익대학교 3학년에 재학 중이던 1967년 제3회 공모전에서 2등상에 해당하는 알파상을 수상하고 그 이듬해인 1968년에 동상을, 그리고 졸업 후 조교로 재직하며 1969년에 박장애와 함께 출품한 작품으로 산미상을 수상해 회원으로 추천됐다. 1960년대 초반까지도 국내에는 디자인 전공자들이 참여할 만한 마땅한 공모전이 없어 주로 국전 공예부에 출품했는데 1963년에 신상전, 1965년에 산미협회 공모전, 그리고 1966년에 상공미전 등이 잇달아 개최되면서 점차 디자인 공모전의 제도적 틀이 갖추어지고 활성화되기 시작했다.

한편 산미협회는 1972년 제24회 회원전 때 일본 이과회[19] 상업미술부 중앙회원들과 《한·일산미전(韓·日産美展)》을 개최했다. 그리고 1976년에는 미국공보원의 후원으로 미국 독립 200주년을 기념하는 미국 현대 작가 40인 포스터전을 개최했다. 하지만 해외교류전이 본격적으로 활성화된 것은 1981년부터다. 박선의, 백금남, 정신공, 김경중, 전년일 등은 1981년 1월에 타이베이를 방문해 한국, 일본, 대만, 홍콩 등 4개국이 참여하는 아시아디자이너연맹을 창설했다. 일본의 이과회 사가(佐賀)현 지부와도 교류를 다시 시작해 1981년 7월에 일본 타마야백화점 전시장에서 한일디자인교류전을 개최했다.[20] 1984년에는 일본국제교류기금과 공동주최로 《한일현대 포스터전》을 열어 서울, 대전, 광주, 부산 등으로 지방순회전을 이어갔다. 한일 국교 정상화 20주년이자 이과회 창립 70주년이던 1985년에 이과회는 '청년들의 국제교류'라는 공동 테마로 산미협회 시각디자인부의 작품 28점을 초대해 일본 도쿄도미술관에서 함께 전시했다. 1986년에는 산미협회가 제40주년 기념전에 이과회를 초대해 특별전시를 하는 등 산미협회와 이과회는 상호 교류를 이어갔다.[21] 이처럼 협회 차원에서의 해외 교류가 공식적으로 활성화된 것은 1980년대 들어서이지만 회원 차원에서는 이미 1960년대부터 해외 교류에 대한 관심과 경험이 쌓이기 시작했다. 이완석과 권영휴는 1960년 12월에 대만에서 개최된 아시아미술가국제연합결성 예비회담에 한국 대표 5인 중 2인으로 참석했는데[22] 이때 중화민국국립역사박물관으로부터 받은 기념증서에도 산미협회가 명시되어 있었다. 이후 1961년 2월까지 《대한민국 현대미술전》이 동남아 6개국(대만, 홍콩, 싱가폴, 태국, 베트남, 필리핀, 캄보디아)을 순회하며 개최되었다.

대한산업미술가협회와 포스터 디자인

창립전 이래 산미협회의 회원전, 공모전, 그리고 해외 교류전은 모두 포스터를 중심 매체로 해서 이루어졌다. 다색석판 인쇄술의 발전으로 유럽에서는 일찍이 도시 거리 곳곳에서 대형 포스터를 볼 수 있는 포스터 전성기를 맞았던 반면에 일제 강점기와 한국전쟁 시기를 겪은 우리나라에서는 1960년대까지도 디자이너의 포스터를 전시

---

18 이 규정은 1966년에 시작된 상공미전에도 마찬가지로 적용이 되었다. 당시 상공미전 규정에 따르면 10회 연속 입선작을 내거나 3회 연속 특선 이상, 혹은 대통령상 수상 디자이너에게 추천 작가 자격이 부여됐다. 백금남은 1세대 디자이너들이 일본에서 공부한 경우가 많아서 그 영향으로 일본의 협회전이나 공모전 규정을 참고해 이러한 규정이 만들어진 것으로 추측한다. 산미협회의 경우, 규정을 엄밀히 적용하기보다는 회원 자격을 부여하는 절차 중 하나로서 운영한 것으로 보이고 회원 추천에는 공모전 수상 이력만이 아니라 디자인 실무 경험과 교육 경력 등도 고려되었다고 백금남은 회고했다.

19 이과회는 '일본 화단의 근대화를 목표로 하는 미술운동'의 취지로 1915년에 신진 화가들이 중심이 되어 창설되었는데 20세기 초 일본의 모더니즘적인 경향을 대표하는 미술 단체로 평가되었다. 이과회에서 주최하는 공모전은 회화, 조각, 디자인, 사진 등의 4개 부분이었다. 다카하시 하루오, 「이과전 디자인부 리포트」, 『월간디자인』, 1985년 11월, 72 참조.

20 박선의, 「산미 50년과 새로운 미래」, 『산미오십년』, 60–61.

21 이경성, 『창립 40주년 기념전 산미시각디자인부』 전시 도록, 7–11.

22 이완석과 권영휴 외에 김청강, 김경승, 김순연이 참석했다.

장에서 보는 것조차 드문 일이었다. 70여 년 넘게 산미협회가 개최해온 각종 전시회에 수많은 포스터 작품이 출품됐지만 안타깝게도 현재는 대부분 소실되어 제대로 남아 있지 않은 상황이다. 이것은 일반적으로 포스터가 "잠깐 사용할 의도로 만들어지고, 사용된 후에는 대부분 바로 버려지며 보존되지 않고 덧없이 사라져 버리는" 복제된 일시적 매체(ephemeral media)로서의 성격을 갖고 있기 때문이다.[23] 쥘 셰레(Jules Chéret, 1836–1932), 알폰스 무하(Alphonse Mucha, 1860–1939), 앙리 드 툴루즈 로트렉(Henri de Toulouse–Lautrec, 1864–1901) 등이 남긴 포스터들 역시 그러한 매체로서의 속성이 있었지만 그들의 포스터가 오늘날까지 전해지는 것은 이들이 당대에 화가로서 명성을 가지고 있었기 때문이기도 하고, 또 한편으로는 포스터들이 단품이 아니라 복제가 가능한 석판인쇄로 제작이 되었던 이유도 있었다. 반면에 산미협회에 출품된 초창기 포스터들은 대부분 포스터컬러나 수채화 물감 등의 재료를 사용해 손으로 직접 그린 단품 제작 방식의 작품들이었다. 1960년대 중반부터 산미협회에서 활동하며 뛰어난 그래픽 역량을 보여준 문우식의 회고전《문우식: 그리움의 기억》(2018) 전시 도록에 실린「문우식 선생님의 그래픽 포스터」라는 글에서 백금남은 산미협회 초창기에 포스터가 중심 매체가 된 이유를 다음과 같이 밝혔다.[24]

> (포스터 디자인은) 정보를 전달하는 형식으로 그림의 형태와 색, 선, 문자 외에 심미적 측면과 문화 의식 측면에 대한 내재된 의식의 표현이기도 합니다. 그리고 종이를 재료로 하는 이차원적 평면 공간에서 이루어지는 시각디자인 전달 활동이라 할 수 있습니다. 매체가 다양하지 못한 당시에는 적은 비용으로 일반 대중에게 선전과 광고를 할 수 있는 방법으로 포스터가 각광을 받았습니다.
> ... 이는 지금도 많은 포스터 전시회에서 행해지는 형식으로, 출품된 작품을 통해 작가의 심미적 자질과 능력을 엿볼 수 있고, 관람자에게 콘셉트와 아이디어도 제공합니다.

정시화(1942–)는 한국을 주제로 한 관광포스터 개인전(1976)을 개최한 김교만과 인터뷰하면서 당시 국내 포스터 디자인 상황에 대한 아쉬움을 토로했다.

> 현대 포스터의 효시라고 할 수 있는 셰레가 1900년대에 석판을 도입하여 자신의 포스터를 대량 인쇄하였고, 로트렉 자신도 물랑루즈를 중심으로 하는 작품 활동에서 포스터를 직접 인쇄하여 썼다는 것은 현재 우리가 포스터컬러를 사용하는 제작 경향에 비추어 매우 중요한 과제가 되는 것 같습니다. 요컨대 국내 작품 경향은 포스터컬러를 사용해서 꼭 한 작품만을 제작하는 경우가 대부분인데 이것은 세계적인 경향으로 보나 실용화 방안을 위해서라도 어떤 문제점을 갖는 것이라 생각되는데 앞으로 있을 작품전에서는 어려운 여건이지만 실크인쇄나 그라비어인쇄 된 작품을 보게 되었으면 하는 소망이고 이것은 현대 포스터의 효시가 그랬듯이 우리나라의 그래픽 풍토에 한 중요한 계기가 마련될 수 있으리라 생각됩니다.[25]

1970년대 중반까지도 이러한 문제점이 해결되지 못했던 것은 협회나 디자이너 개인의 인식 부족 때문이라기보다는 열악한 경제적 조건 속에 인쇄업과 인쇄술이 처했던 어려운 상황이 배경으로 깔려 있었다. 일제 강점기 때부터 국내에서도 원색분해가 가능했으나 해방 후에는 오히려 인쇄 관련 재료 수입이 어려워지고 기술력이 부족한 데다 기계마저 노후화돼 1950년대에는 오히려 인쇄의 품질이 이전 시기보다 저하되기도 했다. 그러다가 1960년대

23   기시 도시히코,『비주얼 미디어로 보는 만주국: 포스터·그림엽서·우표』, 전경선 옮김(서울: 소명출판, 2019), 21.
24   백금남,「문우식 선생님의 그래픽 포스터」,『문우식: 그리움의 기억』전시 도록(서울: 홍익대학교 현대미술관, 2018).
25   김교만·정시화,「김교만 교수의 서정적 디자인 세계」,『월간디자인』, 1977년 3월, 7–8.

에 국가 경제개발정책이 강력하게 추진되면서 인쇄 시설이 재래식 수동 방식에서 자동 방식으로 바뀌고 단색에서 다색 인쇄기로 대체되는 등 인쇄술이 다시 발전하기 시작했다.[26] 1960년대 중반까지 산미협회에서 발표된 포스터 중에는 관광을 주제로 다룬 것이 많았는데 이것 역시 당시 관광산업 진흥이 중요한 국가 정책으로 시행돼 대외 홍보용 관광포스터에 대한 관심이 높아졌기 때문이었다.

산미협회 회원전에 출품되었던 포스터들이 현재 거의 남아 있지 않고 전시 카탈로그에도 초기에는 출품자 이름과 작품명만 기록되다가 제18회(1967) 때 와서야 흑백 작품 사진이 게재되기 시작했기 때문에[27] 초창기 출품작들의 특징이나 디자인 경향을 전반적으로 파악하기는 어려운 상황이다. 하지만 『한홍택작품집』(1988)에 실린 작품들과 현재 전해지는 한홍택, 이완석, 권영휴, 김관현, 문우식 등의 포스터, 그리고 관련 자료사진들을 보면 회화적인 접근이 두드러졌다는 점을 알 수 있다. 실제로 한홍택은 평소에 "중요한 건 화력(畵歷)이야. 화력이 풍부하지 않고는 작가가 될 수 없어. 화력이야말로 창작 생활의 근본이지. 화력 없이도 디자이너로 행세할 수 있 겠지. 그러나 그것은 오래 못 가."라는 말을 종종 했다고 한다.[28] 한홍택과 산미협회 초창기 회원들의 작품에 나타나는 회화적 특성은 이들이 대부분 미술과 디자인 작업을 병행했기 때문이기도 하지만 한편으로는 해방 직후 국내 그래픽 디자인 여건을 반영한 결과이기도 했다. 우리나라뿐만이 아니라 서구에서도 현대적인 디자인 작업을 하는데 필요한 사진술, 제판술, 인쇄술 등을 자유롭게 활용할 수 없었던 시기에 활동했던 경우에는 광고나 패키지, 포스터 작업 등에서 그리기가 중심이 될 수밖에 없기 때문이었다. 하지만 이러한 사회문화적 조건을 고려하더라도 한 가지 아쉬운 점이 있다면 국내 화단에서 점차 추상미술에 대한 관심이 높아지고 있던 상황에서도 한홍택을 비롯한 산미협회 초창기 회원들이 현대적인 조형 언어라고 할 수 있는 디자인 작업을 하면서 상당히 오랜 기간 구상적인 표현과 전통적인 매체를 고수해왔다는 점이다.[29] 그 이유와 배경에 대해서는 앞으로 연구가 필요할 것이라 생각된다.

산미협회가 주도해온 회화적인 접근 방식에 변화와 자극의 계기가 되었던 것은 미국 클리블랜드 대학에서 일 년간 수학하고 돌아온 권순형이 1960년에 중앙공보실에서 개최한 개인전이었다. '선전광고 디자인, 공업디자인, 도기'의 영역을 아우른 이 전시회에서 특히 눈길을 끈 것은 스크린톤, 컬러톤, 하드보드와 같은 새로운 재료들과 타이포그래피, 신문광고 레이아웃, 레코드 재킷, 레터헤드, 초대장, 포장 등 그래픽 디자인의 다양한 영역들이었다.[30] 추상적이고 기하학적인 조형 언어와 단순하고 정돈된 레이아웃을 보여준 그의 작품은 서구 디자인에 대한 관심을 불러일으켰고[31] 새로운 매체의 과감한 도입과 시각 커뮤니케이션 방식을 중시하는 1970년대 그래픽 디자인의 새 흐름이 형성되는 데 있어 마중물과도 같은 역할을 했다. 하지만 1961년에 서울대학교 미술대학 응용미술과 교수로 부임한 이후 권순형은 디자인이 아니라 공예 작업에 매진했는데 이러한 선택에는 그의 스승인 이순석의 영향이 있었던 것으로 보인다. 일제 강점기에 도쿄미술학교(現 도쿄예술대학 미술학부) 도안과를 졸업한 이순석은 1931년에 귀국해 동아일보사 강당에서 전시회를 열고 유학 시절에 작업한 도자기와 수영복, 넥타이, 스카프 등의 패턴 디자인, 가구 디자인, 포스터, 구성 등 상업미술, 공예미술, 실내장식을 아우르는 30여 점의 작품을 선보였다. 이순석《공예도안전》은 국내 최초의 디자이너 개인전으로 평가되는데 이후 그는 1946년에 설립된 서울대학교 예술대학 미술부 도안과 교수로 부임해 대학 디자인 교육에 초석을 놓았고, 1966년에 설립된 한국공예디자인연구소의 초대 소장으로 활동하며 국가 디자인 진흥정책 수립 과정에도 영향을 미쳤다. 이순석은

26   오성상, 『인쇄 역사』(서울: 커뮤니케이션북스, 2013), 47–49.

27   백금남, 「산미 50년의 조망」, 『산미오십년』, 62–65.

28   최범, 「한국 그래픽 디자인계의 산증인, 한홍택」, 『월간디자인』, 1988년 7월 참조.

29   강현주, 「한홍택 디자인의 특징과 의미: 한국 그래픽 디자인의 전사(前史)」, 『디자인학연구』25권 3호(2012): 146–147 참조.

30   김민수, 「서울대학교 미술대학의 디자인·공예 교육 50년사: 1946–1996년」, 『한국현대미술교육과 서울대학교 미술대학 1946–1960』(서울: 서울대학교 조형연구소, 1996), 45 참조.

31   황부용, 「이미지를 만드는 사람들: 제6회 회화적 접근」, 『월간디자인』, 1986년 6월, 124 참조.

제9회(1955) 산미협회 회원전에 참여하기도 했으나 제자인 권순형과 마찬가지로 디자이너로서보다는 공예가로서의 정체성을 확고히 해나갔다.[32] 한국 디자인사 태동기에 주목할만한 전시회를 열었던 이순석과 권순형이 디자인이 아니라 공예를 선택한 것은 개인적인 관심과 취향 때문이기도 하지만 산업적인 기반이 미약했던 국내 디자인 현실을 반영한 것이기도 했다.[33] 해방 이후 동일한 사회적 조건에서 산미협회가 일찍이 포스터를 주요 활동 매체로 정해 70여 년이 넘는 세월 동안 일관되게 전시 활동을 이어온 것이나 한국전쟁으로 회원전이 개최되지 못하던 시기인 1952년에 한홍택이 《한홍택 산미 개인전》을 개최하고 이후 《제2회 한홍택 모던 데자인전》(1958), 《제3회 한홍택 그래픽 디자인전》(1961), 《제6회 한홍택 그래픽 아트전》(1966), 《제7회 한홍택 시각언어전》(1969) 등의 개인전을 꾸준히 열었던 것은 역사적으로 그 의미를 되새겨볼 가치가 크다고 생각된다.

대한산업미술가협회와 초창기 디자인 교육

산미협회의 활동은 홍익대학교의 초창기 시각디자인 교육에 큰 영향을 미쳤다. 1946년에 홍문대학관으로 출발한 홍대는 1949년 6월에 미술과를 설립해 1953년에 6명의 첫 졸업생을 배출했다. 미술과는 1954년에 미술학부로 변경돼 회화과, 조각과, 건축미술과를 두게 되었다. 공예학과가 만들어지면서 유강열이 학과장으로 취임했고 1964년 2월에 미술학부와 공예학부의 학과 분리가 이루어져 공예학부는 공예과와 도안과로 구성되었다.[34] 초창기 도안과의 교육 목표를 보면 "도안과라는 것은 비주얼 디자인이나 그래픽 디자인의 재래적인 호칭으로 그것 자체로는 오늘의 현실을 정확하게 표현하고 있다고는 볼 수 없다. 그러기에 도안과의 지표는 종래와 같은 포스터나 상표의 도안만이 아니라 보다 넓게 시각디자인 전반에 걸친 기초훈련과 작업을 교수한다. 그 작품의 분야는 인간생활 전역에 걸친 일체의 디자인에 미친다. 특히 시각디자인의 기초작업뿐만 아니라 실생활에서 직접 사용할 수 있는 살아있는 주제를 소화할 수 있는 디자이너의 양성을 목표로 한다."라고 되어 있었다.[35] 1970년대까지 홍대에서 시각디자인 교육을 담당했던 교수는 한홍택, 문우식, 박선의, 권명광, 최동신이다.

　　한홍택은 1959년에 홍대 교수로 부임해 10년간 재직하다 1969년에 사직했는데 디자이너로서 외부 업무가 많고 바빠 교직을 병행하기 어려웠기 때문이었다고 알려져 있으나 정확한 이유는 확인이 어렵다. 문우식은 홍익공업전문대학 전임교수 겸 홍대 강사를 하다가 1966년에 홍대 교수로 부임해 1979년까지 근무했다. 그는 제14회(1964) 산미협회 회원전에 처음 포스터 작품을 출품했다.[36] 문우식은 김환기가 홍대에 재직하던 시절에 그의 지도하에 서양화를 공부하며 일찍부터 화가로서 두각을 나타냈는데 그가 화가로서의 길을 접고 디자인 교수가 된 데에는 유강열과 한봉덕의 권유가 있었던 것으로 전해진다.[37] 문우식은 신상회에서 적극적인 활동을 했는데 1963년에 개최된 제2회 신상전에 디자인부가 만들어져 한홍택, 권영휴, 조병덕 등이 참여하게 되면서 자연스럽게 산미협회에서도 활동하게 된 것으로 보인다. 1966년부터 2001년까지 홍대 교수를 역임한 박선의(1936년생)는 1967년에 한홍택이 산미협회의 대표간사가 되었을 때 총무를 지냈고, 한홍택의 회장 재임 시기(1977–1979)에 대표이사를 맡았다. 그 후 1980년부터 1981년까지 산미협회 회장직을 역임했다. 제16회(1966) 회원전에 처음 참여했고 그 이듬해인 1967년에 홍대 교수가 되었다. 1965년에 홍대 도안과를 졸업한 권명광

32　　강현주, 「해방 이후 1960년대 말까지 서울대학교 디자인교육에서 이순석의 역할」, 『디자인학연구』 34권 3호(2021) 참조.

33　　서울대학교 미술대학 응용미술과에서 그래픽 디자인 교육이 본격화된 것은 1965년에 김교만과 조영제가 부임하면서부터였다.

34　　홍익대학교 미술대학 연혁 참조. http://cfa.hongik.ac.kr/front/detail.pdf

35　　동서울대학교 산업기술연구소, 『한국 디자인 사료의 DB화에 관한 연구: 1880–1980년대를 중심으로』(서울: 산업자원부, 1999), 758.

36　　제19회(1968), 제21회(1970), 제24회(1972) 회원전의 경우 출품 여부를 확인할 수 없고, 제22회(1970)와 제23회(1971)에는 출품하지 않았다.

37　　2022년 3월 25일(금) 예화랑에서의 문우식 차녀 문소연과의 인터뷰 내용 참조.

(1942–2021)은 군 복무 중이던 1968년에 상공미전에서 대통령상을 수상해 1969년에 추천 작가가 됐다. 1973년에 홍대 교수로 부임해 2006년까지 역임하다가 이후 제15대 총장을 지냈다. 그는 1965년부터 산미협회 회원전에 출품했으나 1970년대 초반부터는 한국시각디자인협회(KSVD)에서 주로 활동했다. 1975년에 부임한 최동신(1940년생)은 한홍택, 박선의, 권명광과 달리 산미협회에서 활동한 경력이 없었다. 그는 서울대 응용미술과를 졸업한 후 삼화인쇄 미술기획실에서 근무했고 서울여자대학교 강사와 홍익공업전문대학 전임강사를 역임하다 1975년에 홍대에 부임해 2006년에 정년퇴임 했다. 1970년대는 국가 경제가 급속하게 성장하면서 사회적으로 디자인 수요가 늘어나 각 대학에서 디자인학과를 증설하고 교수 충원을 활발히 하던 때였다. 홍대에서도 이러한 시대 상황에 맞추어 교수진을 보강했는데 대학 차원에서 정책적으로 각 학과 교수진을 다양한 대학 출신으로 충원하도록 해서 서울대학교 미술대학 출신으로 산미협회 활동 경력은 없지만 실무 현장에서 실제적인 경험을 쌓은 최동신이 홍대 교수가 되었다.[38] 이어 1980년에 부임한 이순만은 홍대 출신으로 1967년부터 산미협회 회원전에 출품하며 활동해왔다.

한국에서 현대적 의미의 디자인 교육이 시작된 것은 1946년에 서울대학교 예술대학 미술부에 도안과가 신설되면서부터인데 1980년대 후반까지도 국내 대학에서는 교육목표와 교육과정을 체계화해 운영하기보다는 교수 개개인의 역량과 관심에 크게 의존했다. 따라서 1959년 한홍택 부임 이후 1991년 안상수와 김종덕이 부임하기 전까지 재직했던 시각디자인 교수 6명 중 5명이 산미협회 출신이었다는 것은 산미협회가 초창기 홍대 시각디자인 교육에 직·간접적으로 큰 영향을 미쳤음을 보여주는 것이라 할 수 있다.

대한산업미술가협회 활동의 디자인사적 의미

산미협회의 발전과정은 크게 네 시기로 나누어 볼 수 있다: 첫 번째는 1945년부터 1960년대 중반까지로 회원전을 중심으로 창립 회원들이 주도했던 시기다. 두 번째는 1960년대 중반부터 1970년대 말까지로 공모전이 시작돼 젊은 세대의 참여가 늘고 협회의 외연이 확장된 시기이다. 세 번째는 1980년대로 창립 초기부터 30여 년간 산미협회를 대표해온 한홍택이 떠나고 박선의가 회장에 취임해 해외 교류에도 관심을 기울인 시기다. 네 번째는 1990년대 이후 시각디자이너회와 공예가회의 이원화된 체계가 자리 잡게 된 시기다. 산미협회가 창립되던 시기에 미술계 안팎에서는 이념 논쟁이 한창이었고 초창기 회원들 역시 여러 미술단체에 참여했으나 산미협회는 중립적인 위치에서 디자인 중심의 활동을 펼쳐나갔다.

산미협회의 활동과 관련해 한가지 주목할 점은 산업미술이라는 용어의 사용이다. 1946년에 서울대학교 예술대학 미술부에서 처음 디자인 교육을 시작했을 때 학과 명칭은 도안과였고 1951년에 응용미술과로 바뀌었다. 1964년에 응용미술과 내에 세부 전공으로 상업미술과 공예미술이 도입됐고, 1968년에 다시 공업미술이 추가돼 세부 전공이 세 개가 되었고 학과명은 1983년에 산업미술과로, 그리고 1989년에야 비로소 산업디자인과가 되었던 점에 비추어 볼 때[39] 산미협회에서 해방 직후에 산업미술이라는 용어를 사용한 것은 파격적인 일이었다. 조능식은 창립 당시 상황에 대해 다음과 같이 회고했다.

> 해방이 되고 서울에 있던 화가—그중에서도 도안을 전공한 사람은 지극히 소수였다. 더구나 여기
> 서 밝히고 싶은 것은 그 당시 도안을 하려면 서양화나 동양화 등 제2의 그림 공부를 해서 그야말
> 로 소묘력을 키워야만 했다는 사실이다. 요즘은 모든 디자인을 사진 등으로 혹은 컴퓨터로 처리하

---

38   이 무렵에 김리나, 안종문, 안휘준, 임범재 등도 홍대 교수로 부임했다.

39   강현주, 「해방 이후 1960년대 말까지 서울대학교 디자인교육에서 이순석의 역할」, 245 참조.

지만, 그 당시에는 인물 등 모든 표현을 그림으로 대신했었기 때문이다. 그래서 해방 전 도안을 한 사람들은 거의 유화나 동양화에도 일가견을 가지고 있었다. 어쨌거나 서양화든 동양화든 해방 전 후에는 제작된 작품을 걸 벽면조차 변변치 못할 정도의 가난이었으니 작가들은 그림이 아닌 다른 부업에 종사해야만 했다. 그중에서도 행운인 사람은 신문사 문화부나 고등학교 미술선생으로 또는 출판사에서 장정이나 삽화 등을 담당하며 연명할 판이었으나 늘 경제적 어려움이 뒤따랐다. 해방이 되기 전에도 재경 화가들은 나름대로 모임을 가졌다. 그리고 해방된 1945년 서울에는 몇몇 화가와 도안가가 있었고, 이들을 규합하여 부랴부랴 우리는 조선산업미술가협회 창립에 착수하게 되었다.[40]

산미협회는 산업미술 중 특히 포스터를 매개로 한 그래픽 디자인의 발전을 견인했고 일찍이 해방 직후부터 디자인에 대한 사회적 관심을 환기시키는 데 기여했다. 초창기 회원 중에 미술인이 다수 있었으나 이들은 순수미술을 넘어 응용미술, 산업미술로의 확장을 도모했고 관광과 산업건설 등의 주제에 관심을 기울임으로써 디자인이 국가 경제발전에 기여할 수 있는 방향을 다각도로 모색했다.[41] 특히 회원전과 공모전, 그리고 해외교류전을 통해 작품을 발표하고 서로 교류하는 장(場)을 만들어 디자이너로서의 정체성을 고양하고 디자인 공동체 형성에도 기여했다.

산업미술을 특집으로 다룬 『경향신문』 1947년 5월 22일 자 4면에는 한홍택 외에 조능식과 엄도만의 글, 그리고 이완석의 삽화가 함께 게재돼 있다. 「산업미술과 산업건설」이라는 제목의 글에서 "가장 유능하고 양심적인 제품 기술과 산업미술가가 완전히 결합되어야만 목적을 향해서 충분한 효과를 거둘 것"이라며 "앞으로는 진실한 산업건설을 위해서라도 산업미술의 특질과 사명을 새로운 각도로 생산책임자는 재인식하여야 할 것이며 또한 전개시켜야 할 것"이라고 주장한 한홍택이나 「산업미술의 긴급성」이라는 글을 통해 "운명적인 질곡에서 빠져나와 상업 의존 형태에서 진정한 의미에서 기술가적 독립 형태가 되지 않으면 안 될 것이다. 따라서 우리들의 교양을 좀 더 넓히고 쌓은 다음 선전(宣傳)의 분야에 있어서 국가의 의사를 잘 이해하지 않으면 안 된다."고 했던 조능식, 그리고 「산업미술과 회화」라는 글에서 "산업미술에 있어서 회화적 기법은 어디까지든지 아카데믹한 기법 아래라야 효과를 내는 것"이라며 회화인(繪畵人)과 도안가, 회화적 표현과 도안적 표현의 차이를 언급한 엄도만 등을 통해 우리는 1940년대 후반에 디자인과 산업, 디자인과 국가, 디자인과 미술의 관계에 대해 그들이 어떠한 생각을 가졌는지 엿볼 수 있다. 20세기 초반 유럽 각국에서 모던 디자인의 향방을 놓고 드라마틱한 상황이[42] 펼쳐졌던 것처럼 해방 후 전환기를 맞은 우리나라에서도 디자인의 중요성과 디자이너의 역할에 대해 치열한 고민과 성찰이 있었다는 점도 알 수 있다. 하지만 아쉽게도 한국전쟁의 발발과 그 이후의 불안정한 국내 정치 상황은 이러한 논의가 구체적인 성과로 바로 이어지기 어려운 사회적 조건을 형성했다.[43] 1966년에 상공미전이 시작되

40   조능식, 「산미협회 50년을 뒤돌아본다」, 『산미오십년』, 52–54.

41   노장우, 「대한산업미술가협회 50년사 발간 축사」, 『산미오십년』, 4.

42   1914년 독일베르크분트 쾰른 총회에서 격돌했던 헨리 무테지우스와 앙리 반 데 벨데의 논쟁, 1919년 설립된 독일 바우하우스에서의 발터 그로피우스와 요하네스 잇텐의 충돌, 『보다 아름다운 일상용품(More Beautiful Things for Everyday Use)』(1919)을 출간해 스웨덴과 스칸디나비아 디자인의 고유한 정체성 형성에 기여한 그레고르 파울손, 그리고 1931년 영국 정부의 의뢰로 미술평론가인 로저 프라이가 주도해 작성한 고렐보고서의 내용에 반박하기 위해 『미술과 산업: 산업디자인의 원리 (Art and Industry: The Principle of Industrial Design)』(1934)라는 책을 펴낸 허버트 리드의 활동이 있었다.

43   이와 관련해 한가지 사례를 들자면 다음과 같다: 정부 수립 후 국가 체제를 정비하면서 문교부에서는 1949년 10월에 대통령 휘장 및 삼부 표식을 무궁화로 정하고 1950년 4월에 대통령기 원안으로 이승만 대통령의 결재를 받았다. 우리나라 최초의 대통령기 디자인이라고 할 수 있는 이 작업을 한홍택이 했다고 알려져 있는데 그해 한국전쟁이 발발해 공식적인 표장 개발로 이어지지 못하고 중단됐다. 1979년에 촬영된 舊 본관 대통령 집무실 사진에는 이 디자인으로 제작된 깃봉이 부착된 대통령기가 놓여 있었고 청와대 본관 신축 후에도 2층 대통령 집무실 책상 뒤에 해당 대통령기가 놓여 있었다. 강현주, 「대한민국 대통령 표장 디자인의 변천 과정」, 『대통령 표장 변천사 연구보고서』(2019) 참조. 『청와대 건축물』(대통령비서실, 2018), 50–51에서 재인용.

고 1970년에 한국디자인포장센터가 설립되면서 비로소 국가적인 차원에서의 디자인 진흥 정책이 제도적인 틀을 갖추게 되었다. 하지만 이 시기에 산미협회에서는 창립 회원들의 활동이 점차 줄어들고 세대교체가 이루어지면서 해방 직후 가졌던 문제의식과 활동이 협회 내에서조차 제대로 전해지지 않고 점차 잊혀지게 되었다. 그동안 잘 알려지지 않았던 해방 이후 1960년대 중반까지의 산미협회의 활동에 대해서는 앞으로도 지속적인 조사와 밀도 있는 논의가 더 필요하리라 생각된다. 이번 전시를 계기로 산미협회 초창기 회원들의 활동과 작품이 재조명되어 한국 디자인사 논의가 더욱 풍부해지고 심화됐으면 한다.

공예, 도안, 의장부터 산업디자인까지:
1950–1960년대 디자인 개념의 사회적 부상과 변천

최호랑
디자인 역사·문화 연구자

최호랑은 디자인역사문화 연구자로 한국의 근현대 및 동시대
디자인과 시각문화에 관해 연구, 비평, 기획, 강의하고 있다.
서울대학교 디자인학부에서 학사와 석사 학위를 받았고
기업에서 디자이너로, 박물관에서 연구원으로 일한 바
있다. 현재 서울대학교 디자인역사문화전공 박사 과정에서
공부하며 홍익대학교에 겸임교수로, 성신여자대학교와
서울시립대학교에 강사로 출강하고 있다. 아울러 문화이론
전문지 계간 『문화/과학』과 디자인 연구모임 〈디자임〉에서도
활동하고 있다.

한국 최초의 디자인 이론가로 알려진 정시화의 반복된 진단[1] 이래, 한국에서 현대적 디자인 개념이 등장한 시기로 1960년대가 종종 지목된다.[2] 그에 의해 1960년대 이전은 디자인보다 미술이나 공예 개념이 짙었던 시대로, "디자인의 요구나 이 분야의 전문가들이 없었던 것은 아니라 할지라도 그것은 어디까지나 피상적인 것에 지나지 않았"던 시대로 구분된다.[3] 이와 같이 1950년대와 1960년대 혹은 그 엇비슷한 시기 사이의 단절을 강조하는 모습은 해방에서 한국전쟁으로 이어지는 혼돈기를 지나 본격적으로 재건과 성장에 박차를 가하던 이 시기를 하나의 기점 혹은 출발점으로 보려는 보편적 시도로 이해된다.

실제로 1960년대에는 한국 디자인의 역사에서 비중 있게 평가될 만한 사건이 적지 않게 등장했다. 정시화가 한국 현대디자인의 이정표라 의미 부여한 두 사건, 1966년 한국공예디자인연구소 설립[4]과 상공미전 개최가 아니고서라도, 1961년 의장법 제정과 《제3회 한홍택 그래픽 디자인전》 개최, 1962년 산업박람회 개최, 1965년 산업미술가협회 공모전 개최, 1969년 한국(수출)디자인센터 출범, 1970년 한국디자인포장센터 설립 등은 중요하게 언급될 만하다.

그런데 "디자인 개념과 전혀 어울리지 않는 시대"[5]로 회고되는 1950년대에도 관련한 현상이 존재했다는 사실을 애써 외면할 이유는 없을 성싶다. 예컨대 1951년 서울대학교 예술대학 미술부 도안과가 미술대학 응용미술과로 개칭되어 1953년부터 본격적인 응용미술 교육이 시작된 일[6] 말고도 1952년 《한홍택 산미 개인전》 개최, 1957년 한국공예시범소 개소, 1958년 홍익대학교 미술학부 공예과 개설과 금성사(現 LG) 의장실 설치, 1959년 금성사 공업의장 담당 디자이너로 박용귀와 최병태 채용 등은 간과하기 어려운 중요한 사건들이다. 디자인이란 용어와 개념이 생소했던 현실의 다른 한편에서는 분명 디자인 관련 현상들이 사회 제도 안에서 서서히 융기하고 있었던 것이다. 요컨대 1950년대에서 1960년대로 이어지는 시기에 나타난 다양한 주체의 디자인 관련 활동은 현대적 디자인 현상과 개념의 점진적 확산이라는, 연속된 과정으로 이해될 필요가 있다.

이런 맥락에서, 이 글은 1950–1960년대 한국에서 현대적 디자인 개념이 부상하고 확산하며 변천한 과정에 주목하여 당대 사회에서 디자인이란 무엇이었는지, 그 의미를 소략하게 되짚어보고자 한다. 구체적으로는 '디자인'이 일반화되기 이전 그를 대신했던 여러 용어의 사용상을 개괄하고, 사회 제도 속에서 그와 같은 어휘들이 어떻게 주요한 의미를 획득하거나 상실했는지를 살피는 데 주력할 것이다. 오래전 언어의 다채롭고도 미묘한 쓰임을 설명하는 과정은 얼마간 투박함을 담보할 수밖에 없을 것이다. 그러나 60여 년 전 옛 현실을 더듬어 보는 이 과정이 당시 사회와 디자인의 관계뿐 아니라 오늘날의 상황과 지형을 더 원활히 이해하는 데 도움을 줄 수 있으리라 본다.

1   정시화, 「한국 현대디자인의 발전적 성찰 (1)」, 『공간』, 1975년 7월, 19; 정시화, 『한국의 현대 디자인』(서울: 열화당, 1976), 25, 29–30, 45, 77; 정시화, 『현대 디자인 연구』(서울: 미진사, 1980), 260–261; 정시화, 「한국 공업디자인 30년 1959–1989」, 『기억과 대화: 한국 모던디자인과 부수언』(서울: 서울대학교 한국디자인산업연구센터, 2004), 12–14.

2   정시화는 과거에도 넓은 의미의 디자이너들이 무명하게 존속되어 왔으나 1960년대 중반 이래, 구체적으로는 1966년 상공미전 개최를 기점으로 그래픽 디자이너, 공업 디자이너에 대한 인식이 일반화되며 새로운 디자이너 세대가 나타났다고 진단한다. 정시화, 『한국의 현대 디자인』, 42–48.

3   정시화, 『현대 디자인 연구』, 260–269.

4   1965년 9월 13일 청와대 수출 확대 회의에서 한국공예디자인연구소의 설치를 결정했으나, 연구소 개관식은 1968년 10월 22일에 열렸다. 1969년 2월에 이 연구소는 한국디자인센터로 바뀐다. 자세한 내용은 다음을 참고. 최호랑, 「1960–70년대 한국 디자인 개념의 형성과 전개」(석사 논문, 서울대학교, 2015), 32–33.

5   정시화, 「한국 공업디자인 30년 1959–1989」, 『기억과 대화: 한국 모던디자인과 부수언』, 13.

6   1946년 예술대학 미술부 도안과 신설로부터 1951년 미술대학 응용미술과로 이어지는 서울대학교의 교과과정 변천에 관해서는 다음을 참고. 김민수, 「서울대학교 미술대학의 디자인·공예 교육 50년사: 1946–1996년」, 『한국현대미술교육과 서울대학교 미술대학 1946–1960』(서울: 서울대학교 조형연구소, 1996), 31–40; 허보윤, 「미술로서의 디자인: 이순석의 1946–1959년 응용미술교육」, 『조형_아카이브』 2권(2010): 150–153.

공예, 도안, 의장의 유래와 쓰임

1950–1960년대 당시 디자인과 유사한 의미로 널리 쓰인 용어로 공예(工藝), 도안(圖案), 의장(意匠)이 있다. 이 용어들이 미술(美術), 조각(彫刻), 회화(繪畵)와 마찬가지로 서양에서 유래한 개념을 지칭하기 위해 19세기 말 일본에서 만든 것이란 사실은 널리 알려져 있다.[7] 또 이들이 대체로 식산흥업 기조에 바탕을 둔 관제 용어로 만들어졌다는 것 역시 주지의 사실이다.[8]

다만 세 용어는 유사하면서도 그 쓰임이 조금씩 달랐다. 먼저 공예는 대체로 '자신이 직접 제작할 수 있는 수준의 제품'이라는 의미로 통용되면서,[9] 때때로 공업이나 공업 디자인의 의미를 포함하거나 대신하기도 했다. 이러한 쓰임새는 물론 19세기 후반 이래 일본에서의 용례와 맞닿아 있는 것이었다.[10] 도안은 '디자인(design)'의 직접적인 번역어로 만들어진 이래 주로 도면이나 밑그림이라는 의미로 쓰였고, 우표나 화폐 같은 평면적 대상의 표면에 '그림을 그려' 장식하는 행위를 지칭하기도 했다. 때때로 입체적 물품 혹은 제품에 덧붙여진 장식이나 문양이라는 의미로도 쓸 때에는 도안 앞에 산업을 붙여 산업도안이라고 썼다. 한편 의장은 법률과 제도의 영역(1961년 의장법), 그리고 전문 분야(건축 의장, 기업 내 의장실)에서 대상의 형상 또는 조형 행위 전반을 지칭하는 의미로 쓰였다. 이처럼 전문적이거나 공식적인 맥락과 관계된 쓰임새는, 멀게는 1888년 제정된 일본 의장법이나 1908년 개소한 한성미술품제작소를 통해서도('의장은 총히 조선식으로')[11] 유사하게 확인된다.

여기서 한 가지 흥미로운 것은 단어들 사이에 미묘한 위상 차이가 존재했다는 점이다. 예컨대 1964년부터 4년간 한일약품 선전부 의장과장으로 근무한 부수언은 당시를 회상하며 "도안이라는 용어를 사용하는 것이 싫었고, 내가 하던 일이 광고만이 아니었기 때문"에 부서명을 도안과 대신 의장과로 썼다고 회고한 바 있다.[12] 정시화의 글에서도 비슷한 인식이 발견된다. 그는 1960년대 이전이 디자인에 관한 요구가 "미술 개념 이상으로는 받아들여지지 않"던 시기였으며, 디자인이 "도안이라는 의미로만 해석되었던 시기"라 설명하며 도안을 디자인보다는 미술적인 것으로 평가 절하한다.[13] 일련의 증언은 당대 사회에서 도안이 다른 용어들에 비해 수준 낮거나 기초적인 디자인 행위를 뜻하는 것으로 인식되고 있었음을 짐작케 한다.

산업미술: '대중적인 생활예술', '행동하는 미술'로서의 디자인

세 단어에 더해, '산업미술'도 1940년대 중반부터 서서히 그 쓰임의 폭이 넓어졌다. 이 용어의 부상은 시대의 변

7   공예는 한자 문화권에서 오래 쓰여 온 용어이지만, 19세기 후반에 새로운 쓰임새를 가지게 되었다. 공예, 도안 의장 등의 용어의
        유래와 용례에 관해서는 다음의 연구를 참고. 사토 도신,「근대 일본미술의 미술용어」,『조형』21권(1998); 최옥수,「한국 근대
        공예개념의 형성과 교육에 관한 연구」(석사 논문, 서울대학교, 1999); 노유니아,「한국 근대 디자인 개념과 양식의 수용: 동경미술학교
        도안과 유학생 임숙재를 중심으로」(석사 논문, 서울대학교, 2009); 신유미,「한일 근대 공예도안 연구」(석사 논문, 이화여자대학교,
        2011); 최공호,「공예(工藝), 모던의 선택과 문명적 성찰」,『한국근현대미술사학』제22집(2011): 23–35; 노유니아,「근대 전환기 한국
        '工藝(공예)' 용어의 쓰임과 의미 변화에 대한 고찰」,『문화재』54권 3호, (2021): 192–203.
8   사토 도신,「근대 일본미술의 미술용어」, 138.
9   정시화,「서구 모더니즘의 수용과 전개: 공예와 디자인(1)」,『조형』17권(1994): 83.
10   일본어 こうげい(kogei, 工芸)는 처음에 공업과 미술(fine art) 개념이 혼재된 의미로 쓰이다 점차 전통 기법으로 생산된 수공품과
        새로운 제조 기술로 만들어진 생활용품을 포괄하는 응용미술(applied art)의 의미를 가지게 되었다. 이후로는 기계생산을 뜻하는
        공업과 분리되어 수공 제작의 의미로 귀착되었다. 19세기 후반 일본에서 '공예'의 의미 변화에 관해서는 다음을 참고. 최옥수,「한국
        근대 공예개념의 형성과 교육에 관한 연구」, 22.
11   최공호,「이왕직미술품제작소 연구」,『고문화』34호(1989): 97.
12   서울대학교 한국디자인산업연구센터 엮음,『기억과 대화. 한국 모던디자인가 부수언』, 57.
13   정시화,『한국의 현대 디자인』, 25.

화를 인식한 일군의 미술가–디자이너들에 의한 것이었다. 그들이 인식한 당대란 과거 일제 강점기의 '불구자 교육'에 기인한 '좁은 시야'에서 벗어나 "모든 것을 우리 손으로 창조 창작해야만"하는 시대,[14] 동시에 "현실적으로 긴급한 실천의 필요가 있는 시대", "예술과 산업과의 유기적 종합적 결합"을 통해 "대중적인 생활예술 형성"이 요구되는 시대였다.[15] 시대에 걸맞은 새로운 미술의 존재와 필요성을 인식했던, 그리고 능동적이며 주체적인 창작 활동에 대한 의지가 충만했던(조능식의 표현을 빌리면, '무한한 정열과 진실한 제작 태도') 이들이 선택한 산업미술이란 단어는[16] 잘 알려져 있듯 1945년 조선산업미술가협회(1948년 대한산업미술가협회로 개칭, 약칭 산미협회)의 창립과 함께 본격적으로 쓰이기 시작한다.

실제로 산미협회 초기 회원 몇몇은 당대 주요 기업에서 상품 포장, 광고, 포스터 등의 제작을 담당하거나 교육 활동에 참여하며 사회 제도 속에 산업미술의 자리를 마련해 나갔다. 예컨대 협회 초대 회장으로 수차례의 개인전을 통해 '디자인', '그래픽'과 같은 용어 확산에 일조한 한홍택은 1940년부터 오랜 기간 유한양행과 협업했고[17] 서울대학교, 홍익대학교, 덕성여자대학교에서 교수로 일했다. 엄도만의 경우 한홍택보다 앞서 1936년부터 1939년까지 유한양행에서 근무했고, 이완석은 일본 유학 후 1936년 무렵 귀국해 천일제약 광고 도안과 상품 포장 디자인을 담당하다 1960년에는 천일백화점 사장에 취임하기도 했다.

시대 조건상 미술을 근간으로 디자인 개념을 학습한 이들의 이러한 실천과 행동은 조능식이 1958년 《제2회 한홍택 모던 데자인전》을 평하며 "동양화나 서양화의 본질이 감상하는 회화"인 것에 반해 "데자인의 생명은 행동하는 데 있다."고 쓴 데서 알 수 있듯, 순수미술과 구분되는 디자인의 사회적 역할을 인식했기에 가능한 것이었다.[18] 그런 면에서, 이들이 시대적 요청이라 인식한 "우리 생활 주변에서 가장 가까이 메만질 수 있고 보고 들을 수 있는 미술"[19]은 곧 서구에서 유래한 현대적 의미의 디자인과 다르지 않은 것이었다. 나아가 산업미술의 기능을 "국민생활과 직접적인 연관성을 가졌을 뿐만 아니라 그 국가나 사회를 상징하는, 산업의 동맥적 역할을 하는 ... 생활하는 미술이요 산업하는 미술이며, 나아가서는 외교하는 미술"[20]로 인식한 데에서는 '디자인 혹은 조형을 통한 사회 전반의 개혁과 구축'이라는, 독일 공작연맹(Deutscher Werkbund)이나 러시아 구축주의(Constructivism)와 같은 서양 현대 디자인 운동의 문제의식과도 접점이 형성된다.

따라서 비록 초기 산미협회 회원들이 생산한 결과물이 이른바 회화적 디자인(pictiorial design)[21], '그리기(illustration) 중심'[22] 등으로 평가절하된다 하더라도, 또 실제 산업 혹은 대중 생활과 접점을 크게 형성하지 못한 한계에도 불구하고(정시화의 지적에 따르면, '비사회적') 이들의 활동은 이념상의 현대성을 내포했다는 점에서 의미를 가진다. 또한 그 "회화적 기법"의 선호가 "일반인이 이해할 수 있는 아카데믹한 표현기법"을 고려한 차원이었다는 진술,[23] 그리고 이들의 사실주의 경향이 일본 목판화뿐만 아니라, 사회주의 리얼리즘의 영향을 받았다

---

14   한홍택, 「산업미술소고 생활미화에의 영향」, 『경향신문』, 1954년 5월 30일 자, 4면.

15   한홍택, 「산업미술특집: 산업미술과 산업건설」, 『경향신문』, 1947년 5월 22일 자, 4면.

16   한편, 조능식은 산미협회 명칭에 쓰인 산업미술이란 용어가 일본인의 영향을 받은 것이라 회고한 바 있다. 대한산업미술가협회,
        「산미협회 50년사 발간을 위한 좌담회」, 『산미오십년』(서울: 대한산업미술가협회, 1998), 48.

17   한홍택이 유한양행에서 일한 시기와 형태에 대해서는 명확하게 파악되지 않는다. 여러 자료를 종합해 볼 때, 1940년부터 일하기
        시작해 김용중, 조능식 등과 함께 1954년까지 근무한 뒤에도 한동안 디자인 고문 등의 역할을 맡았던 것으로 보인다. 이경성, 「한홍택의
        생애와 예술」, 『한홍택작품집』(한홍택선생 작품집발간추진위원회, 1988); 박암종, 「한국 디자인 100년사(1)」, 『월간디자인』, 1995년
        8월, 159–160; 강현주, 「한홍택 디자인의 특징과 의미」, 『디자인학연구』 25권 3호(2012): 145.

18   조능식, 「정열의 개화: 한홍택개인전평」, 『동아일보』, 1958년 5월 31일 자, 4면.

19   조능식, 「정열의 개화: 한홍택개인전평」.

20   산업미술가협회 동인 일동, 「소개와 안내의 말씀」, 1955년 10월 9일. 『한홍택작품집』에서 재인용.

21   필립 맥스는 20세기 전반 50년 동안 유럽 포스터가 보인 회화성을 '회화적 모더니즘(pictorial modernism)'이라 지칭한다. Philip B.
        Meggs, A History of Graphic Design, 3rd ed., (New York: Wiley & Sons, Incorporated, John, 1998); 필립 B. 맥스, 『그래픽
        디자인의 역사』, 황인화 옮김(서울: 미진사, 2011), 288.

22   정시화, 『한국의 현대 디자인』, 52–53.

23   엄도만, 「산업미술특집: 산업미술과 회화」, 『경향신문』, 1947년 5월 22일 자, 4면.

는 사실도 상기할 필요가 있다.[24] 그런 면에서, 산업미술 개념과 일부 조형에 깃든 이들의 인식과 태도는 "한국 현대디자인이 수용한 '예술 민주화로서의 디자인'이라는 개념의 초기 모습"[25]이라 평가될 만하다.

한편 '산업미술'은, "산업에 관한 미술적 소용으로 구별해서 불리워진 용어"[26]라고 정의되었던 것과 별개로 한동안 '그래픽 디자인'에 가깝게 썼다. 이와 관련해, 1972년 한국인더스트리얼디자이너협회(KSID)의 창설 과정에 관한 다음의 회고, "일각에서 '산업미술'이라는 이름으로 그래픽 위주의 디자인 활동이 전개되고 있었기 때문"에 협회 명칭에 '산업디자인'을 쓰지 않기로 결정했다는 내용을 참고할 만하다.[27] 이처럼 3차원보다 2차원 디자인에 가까웠던 '산업미술'의 쓰임새는 이 용어의 확산에 크게 기여한 산미협회 설립 주역들이 대체로 공예가보다 화가로서의 교육 배경이나 정체성을 가졌던 사실과 연관돼 보인다.

그러나 1960년대 후반으로 갈수록 산업미술은 점차 공업 제품 혹은 상품에 관련된 디자인을 모두 포괄하는 의미로 쓰임새가 변화하며 그 쓰임의 폭이 줄었고, 대신 '상업미술'이 그래픽 디자인을, '공업미술'이 제품 디자인을 지칭하게 되었다. 산업미술과 유사한 상업미술의 부상, 그리고 평면과 입체를 기준으로 한 상업미술과 공업미술 양자 구도의 형성은 1966년부터 시작된 상공미전의 3부 구성(상업미술, 공예미술, 공업미술)과도 연결된다.

학과명으로 널리 쓰인 응용미술과 생활미술

일제 강점기부터 간간이 쓰여 온 '응용미술'이 더 널리 퍼지게 된 것은 1954년 제3회 국전의 공예부가 응용미술부로 잠시 개칭된 사건 때문이 아닐까 짐작된다. 이후 1960년대에 들어서며 이 용어는 오늘날의 '디자인'과 유사한 의미로 쓰이기 시작했다. 전술한 바와 같이 산업미술이나 상업미술은 평면 그래픽 디자인과 연결되었고, 입체적 대상에 관해서는 공업미술이란 말이 통용되고 있었다. 반면 응용미술은 특별히 평면적인 것과 입체적인 것의 구분 없이 거의 모든 디자인을 아우르는 의미 범위를 가졌던 것이 특징이다.[28]

응용미술은 '생활에 관계한 미술'이라는 의미로 폭넓게 이해되었는데, 그런 면에서 '생활미술'과 같은 말로 간주되기도 했다. 예컨대 1958년 9월 19일 자 『경향신문』은 「데자인: 능력에 따라선 최고의 수입」이란 기사에서 "응용미술이란 우리 실생활에 불가결의 것이며 즉 생활미술"이라고 썼다. 이어, "응용미술의 범위는 한없이 넓은 것이나 … 그릇·컵 등의 데자인, 옷감들의 새로운 무늬, 공예품들의 새로운 모형, 악세싸리 등의 모형 또는 실내장식, 상업장치, 사업용·선전용 포스타 등"이라며 응용미술이 포괄하는 생활 속 다양한 대상 사례를 적기도 했다.[29]

'응용미술'과 '생활미술'의 넓은 쓰임새는 무엇보다도 대학 교과 과정 명칭을 통해 확인할 수 있다. 서울대학교 미술대학 응용미술과(1951)를 필두로 1960년대에 적지 않은 학교들이 학과명과 전공명에 이 두 용어를 썼다. 예컨대 이화여자대학교 미술대학 생활미술과(1960), 숙명여자대학교 문리과대학 생활미술과(1962. 1963년에 응용미술과로 변경), 수도여자사범대학(現 세종대학교) 생활미술과(1963), 계명대학교 미술공예학과 응용

24 김민수, 「서울대학교 미술대학의 디자인·공예 교육 50년사: 1946–1996년」, 42; 김민수, 「한국 현대디자인과 추상성의 발현, 1930–60년대」, 『조형』 18권(1995): 57.

25 김민수, 「한국 현대디자인과 추상성의 발현, 1930–60년대」, 59. 한편, 예술 민주화는 예술을 통한 사회 변혁과 삶의 질적 고양을 추구한 윌리엄 모리스(William Morris, 1834 –1896)의 사상을 설명하는 개념이다. 박홍규, 『윌리엄 모리스의 생애와 사상』(서울: 개마고원, 1998), 185–186.

26 한홍택, 「산업미술과 신문광고」, 『서울신문』, 1957년 9월 5일 자. 『한홍택작품집』에서 재인용.

27 서울대학교 미술대학 부설 조형연구소 엮음, 『디자인의 새로운 지평: 민철홍과 한국 산업디자인 40년』(서울: 미진사, 1994), 48.

28 정시화는 이러한 용례가 1960년대 이후부터의 특징이라 설명한다. 다음을 참조. 정시화, 「서구 모더니즘의 수용과 전개—공예와 디자인(1)」, 83.

29 「데자인: 능력에 따라선 최고의 수입」, 『경향신문』, 1958년 9월 19일 자, 4면.

미술전공(1964), 성신여자사범대학(現 성신여자대학교) 미술교육과 생활미술 전공(1965), 한양대학교 사범대학 응용미술교육과(1967), 덕성여자대학교 응용미술학과(1968), 성균관대학교 가정대학 생활미술학과(1970), 홍익대학교 공예학부 응용미술과(1971) 등의 사례가 확인된다.

여기서 생활미술이 여자대학과 연결된 것은, 당시로서 '생활'이 곧 '우리 여성들이 맡아보아야 할 가정생활'로 이해된 면이 있기 때문이라 짐작된다.[30] 수예(혹은 수공예), 실내 장식, 직물, 복식 디자인 등과 관계하며 "풍부한 생활감정을 토대로 해서 더욱 아름답고 한층 더 편리한 생활"을 추구하며 '새 조형환경을 차려놓는' 것은 '여성다운' 미술의 역할로 이해되었던 것이다.[31]

한편, 응용미술과 생활미술 등의 교과 과정이 여러 대학에서 비슷한 시기에 등장한 것은 물론 '높은 입시 경쟁률'과 연관된 일이었고,[32] 이러한 현상은 이따금 '문제'로 인식되기도 했다.[33] '응용미술'과 '생활미술'의 확산에 관한 일련의 사실과 기록은 불과 십여 년 사이에 일반 생활과 관계된, 더 실용적인 미술의 중요성이 널리 인식되었음을 방증한다. 달리 말해, 디자인에 관한 당대 사회 일반의 관심이 급격히 증가했던 것이었다.

'디자인 시대'의 도래

1960년대 후반에 가까워질수록 '디자인'이 쓰이는 빈도도 늘었다. 특히 신문과 잡지에서 '디자인'이란 말을 빈번히 쓰기 시작했던 모습이 발견된다. '디자인'은 다른 단어들의 분절적인, 그리고 명료하지 않은 의미 범주를 가로질러 점차 미술과 구분되는 전문 분야로서의 의미를 확보해 나갔다. 실제로 당시 디자인은 곧 "용(用)과 미(美) 그리고 시각의 언어로서 현대 생활, 산업 근대화 속에 모든 조형을 대상으로 하는 가장 광범위한 분야"로 정의되고 있었다.[34]

한국공예디자인연구소 설립(1966)과 곧 이은 한국(수출)디자인센터로의 전환(1969), 한국디자인포장센터 출범(1970) 등의 경우에서 알 수 있듯, 여러 기관 이름에도 '디자인'이 쓰였다. 이 과정에서 다른 용어들의 쓰임이 줄어든 것은 당연한 일이었다. 개중에서 공예의 이탈은 선명한 편이었다. 1966년부터 시작된 상공미전의 부 구성이 1부 상업미술부, 2부 공예미술부, 3부 공업미술부로 나뉜 것 그리고 한국공예디자인연구소가 공예가 빠진 한국(수출)디자인센터로 개칭된 것은 상징적 사건이었다. 이와 같은 점진적 변화는 공예와 디자인이 분명 다른 것이라는 인식을 심어줄 만한 일이었다.

한편 담론장에서 '디자인'의 확산을 주도한 매체는 1966년 창간한 건축 잡지 『공간』, 그리고 1969년과 1970년에 각각 발간된 『계간 디자인』, 『디자인·포장』 같은 기관 발행 디자인 잡지였다. 특히 창간 초기 건축뿐만 아니라 순수 미술과 디자인 분야에 관한 이론적, 비평적 공론장의 역할을 수행한 『공간』은 1969년 한 해 동안 한홍택, 박래경(1935–), 정시화, 권순형 등의 글을 통해 디자인 분야에 관한 비평과 제언을 꾸준히 실었다. 두 기관지에도 이순석, 권순형, 유근준(1934–2019), 김교만을 비롯한 여러 필자가 글을 게재했는데, 여기에는 다른 단어가 아닌 '디자인'이 일관성 있게 쓰였다.

디자인 개념 그리고 디자인이란 용어의 확산과 정착은 여러 사회문화 조건이 결합해 만들어낸 것이었지만, 그 가운데에서도 산미협회의 활동이 하나의 구심점이 되었던 것은 분명하다. 당시 경향신문에 재직 중이던 미술비평가 이구열(1932–2020)은 1965년에 "생활미술(디자인) 분야의 놀라운 발전"에 주목한 데 이어, 1967년 「디

30   최만실, 「여성과 생활미술」, 『동아일보』, 1962년 1월 27일 자, 4면.
31   최만실, 「여성과 생활미술」.
32   「미술 해방 20년: 그 성장을 본다」, 『경향신문』, 1965년 5월 31일 자, 5면.
33   김병기, 「64년 레뷰 ② 미술」, 『조선일보』, 1964년 1월 28일 자, 5면.
34   한홍택, 「현대산업과 그래픽」, 『공간』, 1969년 2월, 38.

자인 시대」라는 글을 통해 당시까지 한국 디자인의 발전상에 관해 서술했다. 여기서 그는 "10년 전까지만 해도 사회의 몰이해와 천시를 감내하며 화공 혹은 도안사로 불렸던 산업미술가"들의 "이념있는 꾸준한 사회적 발언은 의심할 바 없이 한국 산업미술의 현대적인 개화의 실마리를 풀어주는 데 크게 공헌했다."며 디자인 개념의 확산에 미친 산미협회의 영향과 공로를 높이 평가했다.[35]

실제로 산미협회는 국전에 '디자인부' 신설을 건의해[36] 상공미전 개최를 유도하는가 하면 교육, 전시, 공모, 해외 교류, 지역 탐방, 언론 기고 등의 활동을 활발하게 지속했다. 이러한 전방위적 활약은 자기 활동에 대한 자신감 혹은 디자인 분야 전반에 관한 다소 이른 자부심으로 연결되기도 했다. 예컨대 한홍택은 자신의 5회 전시를 설명하는 글에서 "그래픽 디자인, 인더스트리얼 디자인, 그라프트 디자인 등의 전공 분야"가 "사회생활의 모든 영역에 침투되어 그 기능을 발휘하기 시작한 것은 주지의 사실"이라 썼고,[37] 이완석은 위 이구열의 기사에서 "시각미가 날로 개선되고 있는 현상이 디자이너들의 활약" 덕분이라며 "오늘날 디자인은 그 나라의 문화를 단적으로 평가할 수 있는 척도"라고 자신만만해 했다.[38]

이처럼 1960년대 후반에 이르러 '디자인'은 이 분야에서 대표성을 가지는 용어로 정착했는데, 이는 이구열의 언급대로 불과 10여 년 사이에 진행된 급격한 변화의 결과였다. 1958년 무렵 미술대학 교수가 디자인을 양장(洋裝)으로 이해하고 있었다는 김정자의 회고[39]나, 자신의 '디자인전'에 몰려든 사람들이 '도대체 옷은 어디서 파냐'고 물었다는 한홍택의 에피소드[40]는 1960년대 초반과 후반이 사뭇 다른 분위기였음을 짐작하게 한다.

수출, 포장, 산업이라는 국가주의적 명제

1960년대 후반의 경우 공적 기관과 제도의 편성을 통해 디자인 개념이 확산된 과정에 각별히 주목할 필요가 있다. 이후로 한동안 디자인 용어와 개념이 점차 협애화되었기 때문이다. 그 기점의 하나로 정시화가 지목한 것처럼, 1960년대 중반의 두 가지 제도적 변화(1966년 한국공예디자인연구소 설립과 상공미전 개최)를 꼽을 수 있다. 그런데, 여기에 상공부나 대한상공회의소 같은 경제 기관 및 단체가 깊게 관계하고 있었던 점을 상기할 필요가 있다. 이러한 제도가—디자인이 수출 증대에, 궁극에 경제 발전에 기여해야 한다는—국가주의적 디자인관에 근거한 것이었음을 방증하기 때문이다. 실제로 제1회 상공미전의 심사 기준에는 "정부 수출 촉진에 이바지할 수 있는 작품의 기능성, 생산성 및 특히 양산의 가능성, 수출 가능성을 중점적으로 배려"한다는 내용이 명기돼 있었다.[41]

경제 발전과 수출 증대를 위한 미술(곧 디자인)을 강조하는 태도는 박정희의 '미술수출' 휘호가 증명하듯,[42] 분명 '위'로부터 하달된 것이었다. 무엇보다도 '수출 드라이브'로 호명된, 수출과 산업의 성장에 전투적으로 매진하는 정책 기조가 당대 디자인 개념과 제도의 형성에 크게 영향을 주었던 것은 분명하다. 구체적으로, 1차 경제개발 5개년 계획(1962–1966)에서 2차 계획(1967–1971)으로의 전환 과정에서 대두된 '양적 성장보다 질적 성장'

35   이구열, 「디자인시대」, 『경향신문』, 1967년 6월 26일 자, 5면.

36   「국전에 디자인부를 산업미협 건의」, 『경향신문』, 1965년 10월 11일 자, 5면.

37   「제5회 한홍택 그라픽 아트전」, 『대한일보』, 1964년 6월 15일 자. 『한홍택작품집』에서 재인용.

38   이구열, 「디자인시대」, 『경향신문』.

39   박영목, 『한국의 디자인의 새벽 서울대학교 미술대학 아카이브: 디자인 김정자』(서울: 서울대학교 미술대학 조형연구소, 2013), 37.

40   이철우, 「시각 디자인계의 선구자, 한홍택」, 『시각디자인』, 1987년 3월. 『한홍택작품집』에서 재인용.

41   『제1회 대한민국 상공미술전람회 도록 '66』(서울: 상공부, 1967)

42   당시 대통령 박정희는 1967년 한국공예디자인연구소를 방문해 '미술수출'이라는 붓글씨를 남겼다. 이 휘호는 1969년 『계간 디자인』 창간호 첫 장에 국민교육헌장과 함께 실렸다.

이라는 화두[43] 그리고 '제2경제론' 같은 이념화된 수정 전략과 디자인의 상관관계를 생각해 볼 수 있다.[44]

그런데 이러한 국가주의 혹은 발전주의적 디자인 인식은 한편으로 '아래'로부터 추동된 것이기도 했다. 가령 이경성(1919–2009)이 1970년 제21회 산미전을 혹평하며 남긴 다음과 같은 문장은 인상적이다. "조국의 근대화를 당면 목표로 삼고 있는 이 마당에 무엇보다도 중요한 것은 산업의 근대화 즉 기계화이고 … 그래서 현대 디자인의 방법은 판매증진을 한층 효과적으로 하기 위하여 널리 조형의 근대적 정신과 기술을 활용한다."[45] 이러한 인식은, 디자인이 "피아의 발전은 물론 나아가서는 국가문화발전에도 큰 도움이 될 것"이라는 1950년대 중반의 조심스러운 진단에서 분명 한걸음 더 나아가 대담해진 것이었다.[46] 또 그 연장에서, 이경성과 정시화 같은 평론가들이 2차원 매체를 중심으로 활동한 산미협회를 '의욕 못따른 조형', '비창의적', '비사회적', '일종의 문화적 소모'와 같은 문구를 동원해 강경하게 비판했던 사실도 특기할 만하다.[47]

이렇게 관 주도의 정책 및 제도 수립을 발판으로 위와 아래 양쪽에서 형성되기 시작한 일련의 디자인 개념은 종국에 1960년대 말부터 1970년대 초반에 이르러 '디자인포장', '산업디자인(ID: industrial design)' 등의 용어로 구체화된다. 1970년 한국디자인포장센터 출범과 서울대학교 대학원 응용미술과 ID전공 개설, 1971년 대한민국상공미술전람회의 대한민국산업디자인회로의 개칭, 1972년 한국인더스트리얼디자이너협회(KSID, 現 한국산업디자이너협회(KAID)) 설립, 1977년 디자인·포장 진흥법 제정 등 디자인이 '포장', '산업'과 접합한 일련의 사건이 10년 사이에 발생한 것은 우연이 아니었다.

무엇보다도 이러한 디자인 개념이 위력을 발휘한 상징적 장면으로 한국포장기술협회, 한국수출디자인센터, 한국수출품포장센터 3개 기관을 한 달여 만에 통폐합해 만든 한국디자인포장센터의 출범(1970년 5월) 과정을 꼽을 수 있다. 아울러 국가와 디자인계 양측의 발전을 향한 욕망이 한데 모여 만들어진 이 거대 진흥기관 겸 관제 디자인 에이전시가 이후 상당 기간 동안 디자인과 포장을 동일시하게 만드는 데 기여한 사실도 분명 지적할 필요가 있다.

험난한 앞 시대로부터 이어져 온 1950–1960년대 한국 디자인은 길지 않은 20여 년 동안 대단히 활발하게 변화하고 움직였다. 디자인은 근래에 드물게 사용하는 여러 용어로 호명되었고 때때로 기업, 교육, 행정, 전문가 집단, 전시, 외교 등에 관한 사회 제도 속에서 구체적 현상으로 부상하며 주목받기도 했다. 디자인의 이러한 운동 혹은 약동은 일부 주체들의 능동적 활동 의지에 기인한 현상이었던 동시에 '새롭게 인식되기 시작한 현상과 개념을 어떻게 이해하고 어떤 용어로 담아낼 것인지'에 관해 사회적 조정과 합의가 이루어진 과정이기도 했다. 요컨대 이 시기의 한국 디자인은 해방과 종전 이후 도래한 복잡하고 역동적인 시대의 조건 상황과 그에 따른 제반 요구—능동적이고 주체적인 현실 세계 건설, 교육 제도 마련, 분야의 전문화, 국가 경제 발전 등—와 결부되어 그 의미와 형태가 변화하며 점진적으로 사회 제도 속에 정착했다. 그리고 1960년대 말미에 이르러 한층 선명해진 그 정착의 모양새는 1950년대 미술가–디자이너들의 이상주의적 언명에서 미묘하게 변화한 것이었다. 그것은 분명 (일반을 위한) 생활하는 미술보다 (국가를 위한) 산업하는 미술, 외교하는 미술에 가깝게 기울어 있었다.

43   1960년대 후반 수출 상품의 경쟁력 확보가 문제시되는 과정에서 양적 성장 중심 전략의 한계가 지적되었고, 이 과정에서 디자인이 주목받기 시작했다. 자세한 내용은 다음을 참고. 최호랑, 「1960–70년대 한국 디자인 개념의 형성과 전개」, 14–16.

44   제2경제론은 새 이데올로기적 가치를 통한 새로운 사회체제의 형성을, 국민의 정신과 소질에 대해 강조하는 한편 새로운 동원체제로의 전환을 의미한다. 林貝洳, 「1970년대 초 한국 경제정책 변화가 대학교육에 미친 영향: 서울대학을 중심으로」(석사 논문, 서울대학교, 2006), 13. 최호랑, 「1960–70년대 한국 디자인 개념의 형성과 전개」, 52–61에서 재인용.

45   이경성, 「의욕 못따른 조형작업 21회 산미전」, 『동아일보』, 1970년 2월 19일 자, 5면.

46   한홍택, 「산업미술소고 생활미화에의 영향」, 『경향신문』, 1954년 5월 30일 자, 4면.

47   이경성, 「의욕 못따른 조형작업 21회 산미전」; 정시화, 「외측 디자인과 내측 디자인」, 『공간』, 1970년 3월, 77.

1950–1960년대 한국 대중문화 태동기의 형상들
〈자유부인〉에서 『선데이서울』까지

김백영
서울대학교 사회학과 교수

김백영은 서울대 사회학과를 졸업하고 같은 학과 대학원에서
박사 학위를 받았다. 일본 교토대학 방문연구원, 광운대학교
교수, 도시사학회 편집위원장, 미국 UC 샌디에이고 방문학자
등을 역임했다. 현재 서울대학교 사회학과 교수로 재직
중이며, 한국사회사학회 회장과 서울대학교 아시아연구소
동북아시아센터장 등을 맡고 있다. 대표 저서『지배와 공간:
식민지도시 경성과 제국 일본』(2009) 이외에「4.19와 5.16의
공간사회학」,「철도제국주의와 관광식민주의」,「강남 개발과
올림픽 효과」 등의 논문과『고도의 근대』,『서울사회학』등
다수의 공저가 있다.

1950–1960년대는 한국 사회가 강력한 반일 민족주의와 반공 국가주의, 냉전의 이데올로기적 그림자와 미국의 압도적 영향력 아래에서 식민 통치의 유산과 전쟁의 상흔을 딛고, 서서히 재건을 향한 일보 전진을 시작한 시대이다. 동족상잔의 처참한 폐허 위에서 출발하여 4.19와 5.16의 정치적 격변을 거쳐 산업화와 경제개발의 '이륙단계'에 접어들기까지 한국 대중문화의 주된 특징은 무엇이었으며, 그것을 빚어낸 주요한 국면과 계기는 무엇이었을까? 이 시기 한국 사회는 제도나 정책이 미분화되어 정부가 사회 전반에 대해 충분한 장악력을 확보하지 못한 상태에서 매우 급격하고 역동적인 변화가 이루어졌기에 이 시기 사회문화 변동을 검토하려면 일정한 시기 구분을 통해 국면별로 살펴보는 것이 불가피하다. 이 글에서는 1950–1960년대 한국 대중문화와 여가·소비문화의 전개 양상을 크게 1950년대와 1960년대 전반, 1960년대 후반의 세 가지 국면으로 나누어 살펴보고자 한다.

1950년대: 아메리카니즘이 지배한 '혼돈의 시대'

만 3년간의 전쟁이 끝난 후 극도의 경제적 빈곤과 사회적 혼란 상태에 놓여 있었던 1950년대 한국 사회문화에 지배적 영향력을 행사한 것은 미국 문화였다. 그것을 단적으로 보여주는 것은 극빈 상태에 허덕이던 한국 경제에 난데없는 미제 물자의 범람 현상을 야기했던 미국의 원조물자이다. 국제연합한국재건단, 미국 대외활동본부(Foreign Operation Administration, FOA), 경제협조처, 주한미국경제협조처 등을 통해 유입되어 경매, 불하, 무상 분배 등 다양한 방식으로 남한 사회 전역에 유포된 미제 원조물자는 쌀, 밀, 설탕 등 식료품에서부터 벨벳이나 나일론 같은 합성섬유, 치약이나 비누 같은 생필품, 재봉틀 같은 가정용 기계, 트럭 등 차량, 화장품이나 향수 등 사치품에 이르기까지 1950년대 한국인의 일상생활 전 부문을 물질적으로 장악했다고 해도 과언이 아니다.[1] 1950년대는 제1공화국의 정치적 난맥상을 배경으로 단지 경제적·물질적 측면뿐만 아니라 문화적·정서적 측면에서도 미국의 힘이 한국 사회문화 전반에 압도적 영향력을 미치던 시대였다.

전후 국가 재건이라는 시대적 소명에 대한 마땅한 전망이나 대책을 찾아보기 어려웠던 이승만 정권의 정책적 무능은 문화·관광정책에 있어서도 다를 바가 없었다. 1954년 『동아일보』는 당시 정부의 문화정책에 대해 "민주적 언론자유의 창달이나 학문연구의 자유, 예술인에 대한 합당한 처우 등은 도외시한 채", "외국 신문잡지와 도서는 신경과민적 검열하에 수입을 금지하여", "문화인을 점차로 절망적인 냉소적 태도로 도피케" 만들고 있다고 신랄하게 꼬집었다.[2] 이러한 정책과 비전의 부재, 제도와 인프라의 결여는 관광 분야에서도 마찬가지였다. 전란으로 파괴된 각종 호텔은 아직 보수할 생각조차 못 하고 있었으며, 관광객들에게 위안을 제공할 오락장도 전무한 상태였다. 교통 인프라도 극도로 열악하여, 통일호와 태극호 2종에 불과한 철도에, 불과 3천 대의 버스와 1천 대의 택시도 태반은 1930년대산으로 노후하여 관광용으로는 부적합했으며, 가용한 선박이나 항공기는 사실상 전무한 상황으로 1950년대 관광 인프라는 외국인 관광객을 받아들이기에는 '한심한' 수준에 놓여 있었다.[3]

이처럼 정부가 문화정책 수립이나 관광산업 육성에 신경 쓸 의지나 능력이 결여된 상황에서, 미군정 시기 이래 사회적 영향력을 확대해온 '아메리카니즘(Americanism)'의 문화적 힘은 1950년대 한국 사회문화에 지배적 영향력을 행사했다. 특히 1950년대 '문화적 미국화' 양상이 가장 두드러졌던 대표적인 두 영역으로 영화와 대중음악을 들 수 있다.

1950년대 영화를 통해 대중계몽을 주도한 기관은 주한 미공보원(USIS; United States Information Services, Korea)이었다. 미공보원은 대중에게 기획 영화, 보도 영화, 농민 잡지, 전시회 등 다양한 매체를 통해

1   이하나, 「미국화와 욕망하는 사회」, 『한국현대생활문화사 1950년대』(파주: 창비, 2016), 146–147.
2   「사설: 정부와 문화정책」, 『동아일보』, 1954년 8월 4일 자; 「문화정책과 그 산물」, 『동아일보』, 1955년 4월 18일 자.
3   「관광단 맞아들일 준비는?」, 『동아일보』, 1955년 4월 20일 자.

미국식 자유민주주의의 제도와 가치를 소개하는 임무를 담당했다. 특히 라디오와 같은 방송매체가 부족하고 농촌지역의 문맹률이 높은 1950년대 상황에서 영화는 가장 중요한 매체였다. 이 시기 대표적인 보도 영화는 1953년부터 상영된 〈리버티 뉴스(Liberty News)〉[도판 1]였는데, 1950년대 내내 미공보원 보도 영화의 영향력은 이승만 정부의 공보 영화보다 우위에 있었다. 가령 1959년 미공보원 영화반에 의한 순회 영화 상영 횟수는 7,001회(관람자 약 680만 명)로, 농림부의 농촌지역 순회 영화 상영 횟수 62회(관람자 약 3만 명)나 문교부의 상영 횟수 92회(관람자 약 17만 명)를 압도했다.[4]

특히 1950년대 농촌지역은 국가의 영향력이 거의 미치지 못하는 고립된 섬과 같은 상태에 놓여 있었기에, 당시 미공보원의 무료 영화를 통해 재현된 미국 문명을 처음 접했을 때 농민들이 느꼈을 문화적 충격은 결코 작지 않았다. 이승만 정부의 방기 속에 전 국민의 8할을 차지하는 '농민들의 마음이 썩어가고 있는'[5] 상황에서 이 영상매체는 농촌지역에 아메리카니즘을 전파하는 중요한 수단이었다. 1950년대 후반 미공보원은 월간잡지 『새 힘(New Strength)』 35만 부를 제작하여 농촌지역의 마을 이장, 농업학교, 농촌 지도조직에 배포하기도 했다. 또한 같은 시기 라디오 방송과 전시회도 미국의 대중문화를 소개하는 데 큰 역할을 담당했다. 라디오 매체는 1950년대 후반 급증했으며 1960년대에는 그 중요성이 더욱 커졌다. 전시회는 1950년대 말부터 많이 활용되어 미국의 원조로 남한 경제가 얼마나 향상되었는지 보여주었다.

1950년대 후반에는 영화에 대한 대중적 수요가 늘어나면서 극영화 제작 편수가 급증하는 등 영화산업의 황금기가 시작되었다. 1947년 90개였던 전국의 극장 수는 1958년 150여 개, 그리고 1959년 200여 개로 증가했다. 1957년경에는 세 개의 스튜디오(삼성, 안양, 정릉)가 지어졌으며, 충무로가 한국 영화의 산실이 된 것도 이때부터. 1955년 〈춘향전〉[도판2]과 1956년 〈자유부인〉[도판 3]의 흥행 성공은 회생 불능으로 보였던 영화산업의 가능성을 확인하는 계기였다. 특히 〈자유부인〉은 1954년 정비석이 『서울신문』에 연재한 소설을 영화화한 것으로 뜨거운 불륜 논쟁을 낳는 등 문화적 금기에 도전했다. 1950년대 말에는 처음으로 국산 영화 관객 수가 외화 관객 수를 넘어섰으며, 문화영화에 비해 극영화 편수가 급속히 늘어나면서 본격적 상업영화의 시대를 열었다.[6]

이는 새로운 여가문화의 출현을 알리는 것으로, 군사, 반공, 계몽 위주의 내용을 담아내었던 극영화가 점차 멜로, 액션, 스릴러, 코미디 등의 본격 상업영화 장르로 분화되었다.[7] 특히 1950년대 말에는 신상옥, 신성일 등 젊은 영화인들의 주도하에 멜로영화 붐이 일어나 1959년에 제작된 총 111편의 국산영화 중 86편이 멜로영화였

---

4   이종님, 「전후 대중매체를 통한 문화전파에 관한 연구」, 성공회대 동아시아연구소 엮음, 『냉전 아시아의 문화풍경1: 1940–1950년대』(서울: 현실문화연구, 2008), 261.

5   「노름으로 낭비하는 농촌여가」, 『조선일보』, 1960년 8월 18일 자.

6   1950년대 영화산업의 황금기를 이끈 대표적 영화기업으로 임화수의 한국연예주식회사를 들 수 있다.

7   김청강, 「현대 한국의 영화 재건논리와 코미디 영화의 정치적 함의(1945–60): 명랑하고 유쾌한 '발전 대한민국' 만들기」, 『진단학보』 112호(2011).

도판 1. 리버티 뉴스(Liberty News)   도판 2. 〈춘향전〉 포스터, 1955   도판 3. 〈자유부인〉 포스터, 1956

다. 당시 코미디 영화는 신생 대한민국에 대해 밝고 유쾌하고 희망적인 이미지를 생산하고, 반공, 애국주의, 민족주의 등의 코드를 삽입하는 방식으로 이데올로기적 목적을 성취했고, 이들 영화 제작자들은 이러한 상업영화의 정치적 유용성을 무기로 정권에 협력하여 영화를 특권적 산업으로 성장시키고자 했다.[8] 1950년대 말 많은 극영화들이 상업성과 계몽성의 이중성을 띤 것은 이러한 당시의 독특한 영화 산업 구조의 산물이었다.

1950년대 아메리카니즘의 영향력은 대중음악에도 큰 영향을 미쳤다. 특히 전국 각지에 산재했던 미군기지 주변에 형성된 기지촌은 남한에 미국 팝 문화를 대량 전파하는 온상이었다. '미8군 쇼'는 초창기 한국 연예계 형성에 큰 영향을 끼쳤다. 경제적 측면에서도 1950년대 미군기지 쇼 종사자들에게 지불된 달러화의 규모는 당시 한국의 대외 수출액을 상회할 정도로 상당한 수준이었다. 1950년대 한국 대중가요의 음악 스타일은 미국, 중남미, 일본, 중국 등지에서 유래한 다양한 음악 스타일들을 융합하는 용광로의 한가운데에 존재했다. 당대 최고 가수인 현인이 불러서 인기를 끌었던 〈베사메 무초〉의 번안곡이나 볼레로 리듬에 이국적 정서를 담아 공전의 히트를 기록한 〈신라의 달밤〉(박시춘 작곡, 유호 작사)은 그 단적인 예다.[9] 이처럼 이국적 정서를 담아낸 노래는 신세영의 〈백제의 밤〉, 〈불국사의 밤〉, 〈고궁의 달〉 등으로 이어졌으며, 현인의 〈인도의 향불〉, 허민의 〈페르샤 왕자〉, 금사향의 〈홍콩 아가씨〉, 원방현의 〈남양의 밤〉 등이 등장하는 1950년대 중반에 절정을 맞았다. 1950년대 말에 이르면 국제성을 향한 대중적 욕망에 부응하여 스윙재즈, 부기우기, 맘보, 스탠더드팝 스타일로 만들어진 미국 분위기의 대중가요가 인기를 끌었다.[10] 이처럼 이 시기 한국 대중가요의 특징은 '이국적 퇴폐주의'로 요약된다. 1950년대 세간에 가장 큰 논란을 불러일으켰던 '자유부인' 담론을 통해 확인할 수 있듯이 '아메리칸 라이프스타일'은 새롭게 형성되기 시작한 도시 중간계급의 정체성과 섹슈얼리티에 큰 영향을 끼쳤다.[11]

하지만 60년대 중반 이전까지는 미국 팝 음악의 인기는 대중적인 것으로 보기는 어렵다. 무엇보다도 그것을 가장 열렬하게 소비한 집단은 청년세대였다. 일반적으로 한국에서 청년문화는 4.19세대가 등장하는 1960년대부터 논의되지만, 1950년대의 카페, 음악다방, 무도장, 재즈, 그리고 릴케와 괴테 같은 문화 아이콘들을 통해서 우리는 이미 1950년대부터 청년문화의 낭만주의와 유미주의, 지적 데카당스의 흐름이 뚜렷하게 나타남을 확인할 수 있다. 특히 1950년대 서울 명동을 중심으로 형성된 청년문화의 전형은 박인환, 전혜린, 김수영과 같은 이른바 '명동백작파'[12] 문인들에게서 찾아볼 수 있다.

1950년대 청년문화는 식민지 시기에 신체에 각인된 '일본화'의 흔적들을 내장하고 있으면서 동시에 전쟁과 분단을 거치면서 미국의 영향을 받아 '미국화'하려는 욕망이 드러난 것으로 볼 수 있다.[13] 이들에게 블루스 음악과 트위스트, 맘보 스타일 등 미국적 기호들은 전쟁 트라우마에서 벗어나는 탈출구로 기능했다. 이들 청년세대의 미국화에 대한 욕망은 1960년대 한국 대중문화의 미국화 경향을 선취한 것이기도 하다. "미국적인 것을 빨리 받아들이는 것이 바로 시대의 삶에 가장 잘 적응하는 것, 동경할 만한 첨단 유행의 삶을 사는 것"[14]이라는 대중들의 사회심리가 1950년대 대중가요에 나타난 미국 지향성의 본질이었다.

8   김청강, 「현대 한국의 영화 재건논리와 코미디 영화의 정치적 함의(1945–60): 명랑하고 유쾌한 '발전 대한민국' 만들기」, 28.

9   신현준·허둥훙, 「냉전 초기 남한과 타이완에서 대중연예의 국가화 및 미국 대중문화의 번역」, 성공회대 동아시아연구소 엮음, 『냉전 아시아의 문화풍경1: 1940–1950년대』, 328.

10   이영미, 『서울의 대중가요』(서울: 서울역사편찬원, 2022), 100–103.

11   신현준·허둥훙, 「냉전 초기 남한과 타이완에서 대중연예의 국가화 및 미국 대중문화의 번역」, 344.

12   '명동백작파'는 이봉구의 사소설 『명동백작』에 등장하는 문인들, 혹은 그들의 삶의 양식을 말하는 것으로 해방 이후 1950년대까지 명동을 중심으로 활동한 청년 예술가들의 사교계를 지칭한다.

13   요시미 순야는 1950년대 말 일본 사회에서 두 개의 '아메리카'가 나타난다고 주장한 바 있다. 하나는 도쿄의 긴자, 롯폰기, 하라주쿠에서 나타난 '소비의 대상(욕망)'으로서 아메리카이고, 다른 하나는 오키나와나 요코스카에서 나타난 '반기지 저항의 대상(폭력)'으로서 아메리카다. 1950년대 한국 청년문화의 특이성도 이러한 두 개의 미국화에 대한 이접(離接) 효과에서 나온다고 볼 수 있다. 요시미 순야, 「[특집 : 동북아시아와 민족 문제] 냉전체제와 '미국'의 '소비': 대중문화에서 '전후'의 지정학」, 『문화과학』 42호, 2005년 여름.

14   이영미, 『한국 대중가요사』(서울: 시공사, 1999), 126.

1950년대 전성기를 누렸던 미국 문화의 영향력은 이후로도 오랫동안 지속되었다. 1970년대 유신체제하의 공식 문화('민족문화')에 저항하는 청바지와 통기타로 대표되는 '청년문화'의 등장은 1950년대 아메리카화의 사후 효과로 해석될 수 있다. '민족문화 중흥'을 기치로 내세워 '외래 퇴폐문화'에 제약을 가하고 문화적 민족주의 정책을 가시화한 것은 박정희 정권이 들어선 이후의 일이다.

마지막으로, 이러한 아메리카니즘의 문화적 영향은 특히 남성보다도 여성의 여가 문화에 큰 변화를 야기했다. 1950년대 여성의 취미 영역에서는 댄스와 영화 관람이라는 새로운 여가 활동이 급부상하여 '독서'라는 비교적 오래된 취미 활동과 경합을 벌이게 된 것이다. 그 결과 1950년대 대중지들은 편집 기획의 갱신을 통해 새로운 영역을 개척하려는 적극적인 움직임을 보였다. 에로, 스릴러, 엽기(獵奇) 등 대중오락지의 통상적인 콘텐츠 외에 시사물, 고전독물, 문예물, 르포르타주 등이 큰 비중을 차지하게 되면서 대중잡지의 지면은 한층 다채롭게 꾸며지게 되었다.

1960년대 전반: '조국 근대화'를 위한 전방위적 문화정책의 수립

1960년대는 4.19혁명과 5.16쿠데타라는 두 개의 정치적 격변에 의해 이전 시대와 단락지어진다. 이승만 정권하에서 억눌렸던 '자유'와 '빵'에 대한 대중의 모순된 욕망이 차례로 분출하면서 일어난 두 사건의 결과, '무정책의 시대', '혼돈의 시대'였던 1950년대는 종언을 맞았다. 1960년대 한국 사회는 '더 나은 삶'을 지향하는 대중의 들끓는 열망을 바탕으로 새로운 국가를 건설하자는 사회적 공감대와 더불어 출발했고, 군사정권은 이 터전 위에 국가주의와 성장주의가 결합된 개발 독재 체제라는 집을 짓기 시작했다.

이승만 정권과 달리 박정희 정권은 정책 목표 달성을 위한 국민 동원의 수단으로 다양한 문화정책을 폭넓게 구사했다. 일례로 박정희 정권은 집권 초기부터 대중을 '국민'으로 호명해 내는 도구로 영화를 적극적으로 활용했다. 1961년 국립영화제작소를 설립해 각종 국정 홍보영화나 문화영화를 제작·배포·상영하기 시작했으며, 영화 담당 행정부서를 기존의 문교부에서 공보부로 전환시켰다. 그 결과 1960년 연간 80편이었던 정부 제작 영화 편수는 1969년에는 151편으로 늘어나게 된다. 1962년 정부는 국립영화제작소를 통해 '농어촌에 라디오를 보냅시다'라는 캠페인을 전국적으로 전개했는데, 1960년대 초반 정부 주도로 보급된 라디오, 스피커, 신문 등을 통해 농촌 대중의 문화적 욕구 수준은 급격히 높아졌다. 1966년부터는 시(市)·군(郡) 홍보용 〈농촌뉴스〉도 제작·배포했다. 박정희 정권은 1965년 '지방문화사업조성법'을 제정하여 정부 보조를 제도화하면서 지방문화원에 대한 지배 역시 강화했다. 그 결과 1960년 총 20개였던 전국 지방문화원의 숫자는 1965년에는 97개로 급증했다. 1961년까지도 정부에서 제작한 영화의 배포 범위는 미공보원에 비해 1/4 미만에 불과했지만, 그 비중은 점차 역전되어 1960년대 농촌지역 순회 영화 상영 활동의 축이 미공보원에서 정부(공보부)로 옮겨가게 된다. 지방문화원을 통한 순회 영화 상영은 계몽·선전과 흥행·오락을 결합시킴으로써 농촌 지역민들에게 근대화에 대한 열망을 불러일으켜 이들을 개발 독재 체제의 지지자로 포섭하는 데 적극적으로 활용되었다.

영화산업 전반을 놓고 보더라도, 1950년대까지 한국 영화산업이 자연 성장 상태에 놓여 있었음에 비해, 1960년대부터는 국가권력이 영화산업에 직접적으로 개입하기 시작했다. 1962년 영화법이 처음 제정·공포되었으며, 1966년에는 검열이 명문화된 2차 개정법이 공포 시행되었다. 이 시기 영화는 '애국가영화–뉴스영화–문화영화–본영화'의 조합으로 상영되었는데, 이는 영화의 제작 단계부터 대중적 수용 단계까지 전 과정에 국가가 개입했음을 단적으로 보여준다. 1960년대 중반 무렵 국민 1인당 연평균 영화관 방문 횟수가 5회에 이를 정도로 당시 영화가 차지하는 대중적 영향력은 매우 컸으며, 이 시기 한국 영화계는 양적·질적으로 큰 변화를 경험했다.

박정희 정권은 신문·방송과 같은 언론매체에 대해서도 적극적 개입에 나섰다. 신문 등 정기간행물에 대해서는 전반적으로 **축소정책**을 펼친 반면, **방송정책**과 관련해서는 **이중적 정책**을 전개했다. 즉 한편으로는 방송 관련법을 제정하고 방송윤리위원회를 발족시켜 규제하면서, 다른 한편으로는 민영방송의 신설을 대폭 허가하여 지역민방의 확대를 유도한 것이다. 물론 이러한 허가는 정부의 선별을 거친 것으로, 1960년대 방송은 정부의 강력한 통제하에 놓여 있었다.[15]

1960년대 초까지만 해도 텔레비전은 대중에게 친숙한 물건은 아니었다. 1961년 전격적으로 국영방송 (KBS)이 설립된 이래 두 차례 민영방송 개국(1964, 1969), TV 수상기의 국내 조립생산 개시(1966), 전자산업 육성법 공포(1969), 국민 교육 매체화 방침(1970) 등 여러 계기를 거치면서 텔레비전은 점차 대중매체로서의 위상을 확보해갔다. 1960년대 TV 드라마의 내용은 대부분 반공과 계도, 계몽을 위한 목적성을 강하게 띠었는데, 1963년부터 TV 광고 방송이 시작되면서 방송에서 연예 오락 프로그램과 일일연속극의 비중이 늘어나기 시작했다. 하지만 1969년까지도 텔레비전 보급률이 3.9%에 머물렀던 점을 감안하면[16] TV가 국민통합과 근대화 이데올로기 전파 수단으로서 그 역할을 온전히 수행할 수 있게 된 것은 지방중계소 신설에 따른 가시청 지역 확대와 민방 출현에 따른 프로그램 다양화로 KBS와 MBC의 방송망이 전국화된 1970년대 이후의 일이다.[17]

박정희 정권은 문화재 정책에 대해서도 매우 적극적이었다. 국립국악원 설립(1951)이 거의 유일한 정책적 성과물이었다고 할 정도로 전통문화 정책이 부재하다시피 했던 이승만 정권과는 달리, 군부정권은 집권 초기부터 문화재 정책의 정비작업에 착수했다. 우선 정부는 문화유산 관련 행정업무를 문화재관리국으로 통합(1961)하고, 문화재보호법을 제정(1962)하는 등 전통문화 관련 기구와 법제를 정비했다. 1963년 문화교육부 문화재관리국은 새로 지정된 문화재보호법에 따라 기존의 보물을 국보와 보물로 재편하고, 121점의 사적을 재지정하는 한편, 기존의 구황실재산법을 폐지하고, 문화재관리특별회계법을 마련했으며 민속조사를 시작하기도 했다.[18]

박정희 정권기 문화재 정책은 애국주의와 민족주의를 통한 국민통합이라는 통치 수단의 일환으로 적극 활용되었다. 1963년 제12회 국전의 건축 부문에서 홍철수의 '순국선열기념관'이 국가재건최고회의의장상을 수상하고, 1960년대 중반 서울 시내 주요 거리 및 공공장소에 애국선열들의 조상(彫像)을 급조하여 건립한 것은 전통문화의 정치적 활용 양상을 잘 보여준다.[19] 전통문화 정책의 이러한 특징은 이후 애국선열조상건립위원회와 현충사 성역화 사업 등으로 이어지게 된다.

이와 동시에 박정희 정권의 문화재 정책은 관광산업 활성화라는 성격도 띠고 있었다. 1974년 개장한 경기도 용인 소재 한국민속촌은 1965년경에 마련된 '관광민속촌' 건설 구상에서 비롯된 것이었다. 이처럼 박정희 정권은 집권 초기부터 전통문화 자원을 활용한 관광산업 활성화를 염두에 두고 있었다. 하지만 그것이 본격적으로 추진된 것은 1972년의 관광개발 5개년 계획안[20] 발표 이후의 일이다. [표 1]을 통해 알 수 있듯이 외국인 관광객이 크게 늘어난 것은 1960년대 말부터의 일이다. 특히 1970년대 일본인 관광객의 급격한 증가세는 주목할 만한 현상인데, 이를 이해하기 위해서는 1960년대 후반 한일관계 변화와 한국 사회 변동을 살펴볼 필요가 있다.

---

15   박정희 정권의 이러한 언론통제는 1972년 10월 유신 이후 최고조에 이르게 된다.

16   이상록, 「TV, 대중의 일상을 지배하다」, 『역사비평』113호, 2015년 겨울, 102.

17   이종님, 「1960–70년대 텔레비전 드라마를 통한 '공공'이데올로기 형성에 관한 연구」, 『냉전 아시아의 문화풍경2: 1960–1970 년대』(서울: 현실문화연구, 2009), 371–398.

18   김지홍, 「1960–70년대 국가건축사업과 전통의 재구축」(박사 논문, 서울대학교, 2014), 52.

19   안창모, 「1960년대 한국건축의 반공·전통이데올로기와 모더니티」, 『건축역사연구』제12권 4호(2003): 138–143.

20   이 계획에는 '한국민속촌' 이외에도 크고 작은 다양한 형태의 민속촌이 포함되었다.

연도	미국	일본	교포	기타	합계(명)
1962	43.3	12.0	14.8	29.9	15,184(100%)
1965	42.3	15.3	25.3	17.1	33,464(100%)
1968	40.7	24.5	18.0	16.8	102,748(100%)
1971	24.9	41.5	21.6	33.6	232,795(100%)
1973	11.4	69.9	10.8	8.8	679,221(100%)

[표 1] 국적별 외국인 관광객 입국 현황(%), 1962–1973 (출처: 교통부 관광국 통계자료, 1974년 6월)

1960년대 후반: 시청각 시대의 도래와 소비적 주체의 탄생

제1차 경제개발 5개년 계획(1962–1966)의 성공적 수행과 한일 국교 정상화와 베트남 파병 등의 영향으로 1960년대 중반 이후의 사회 분위기는 1960년대 초반과는 사뭇 다른 국면에 접어들게 된다. 특히 1965년 수출 드라이브가 본격화하면서 한국 경제는 역사상 유례없는 고도성장기에 진입하게 되었는데,[21] 같은 해 5월에는 경제성장 5단계론의 주창자인 미국의 로스토우(W. W. Rostow)가 방한하여 한국 경제가 후진국에서 탈피하여 경제성장의 도약단계에 이르렀다고 진단하여 박정희 정권의 '조국 근대화' 노선에 힘을 실어주었다. 1960년대 후반 한국 사회는 이러한 정부의 강력한 개발 드라이브에 한일 수교와 베트남전쟁 특수라는 호재가 경제적 상승효과를 내어 정부 주도적 근대화 정책의 성과물이 사회 전반에 발현하기 시작한 시기였다.

박정희 정권은 18년간의 집권 기간 내내 내핍과 절제를 강조한 것으로 알려져 있지만, 1966년부터는 소비문화에 대한 정부의 인식에서 극적인 변화가 나타난다. 그해 연두교서에서 박정희 대통령은 "증산, 수출, 건설을 통한 공업화"를 역설하면서 동시에 "소비가 미덕이 되는 풍요한 사회"의 전망을 내놓는데,[22] 이를 계기로 여당과 야당 간에 중산층 문제와 양극화 현상, 도농 간 지역 격차 문제를 둘러싸고 공방이 펼쳐지는 등 정부의 중산층 육성 정책에 대한 논쟁이 벌어지기도 했다. 대통령이 소비사회를 실현 가능한 미래상으로 제시하자, '소비는 미덕'이라는 언명 자체가 사회적 가치를 지닌 실체가 되어 통용되기 시작한 것이다.

실제로 1966년은 전 사회적으로 경제 호황의 분위기가 감지된 시기인데, 그 효과가 즉각적으로 나타난 대표적 영역이 여가문화였다.[23] 이호철이 연재소설 『서울은 만원이다』에서 인상적으로 묘사했듯이,[24] 1966년 출현한 새로운 여가문화의 가장 두드러진 특징은 '여가의 야외화'이다. 1966년 여름휴가를 결산하는 신문 기사는 "올 여름 유달리 많은 피서객, 7백만 명이 산과 바다를 찾았다고 하니 어마어마한 수효"[25]라고 기록하고 있다. 이전까지 사색, 음악감상, 독서, 장기와 바둑 등 실내 활동에 머물러 있던 대중들이 갑자기 도시로, 거리로, 서울로 또는 산으로, 해변으로 폭발할 듯이 쏟아져 나오기 시작한 것이다. 교외의 산은 주말마다 행락객들의 행렬이 줄을 잇고, 도심은 유흥을 즐기러 나온 사람들로 흥청거리며, 고궁과 강변에는 주말마다 피크닉을 나온 사람들로 가득했다. 본격적인 고도성장기로 접어드는 이 전환점에 경제성장의 효과와 대중들의 억눌려 있던 욕망이 맞물려 여

21   이완범, 「제1차 경제개발 5개년계획의 입안과 미국의 역할」, 한국정신문화연구원 엮음, 『1960년대의 정치사회변동』(서울: 백산서당, 1999), 117–134.

22   김성환, 「1960–1970년대 노동과 소비의 주체화 연구」, 『코기토』 81호(2017): 552.

23   송은영, 「1960년대 여가 또는 레저 문화의 정치」, 『한국학논집』 51호(2013).

24   이호철은 "1966년으로 접어들자 겨우내 방구석에 처박혀 있던 서울 사람들이 거리로 쏟아져 나오고 사람들이 트랜지스터 라디오 메고 유원지로 나돌"게 뇌었음을 인상적으로 그려낸 바 있다. 이호철, 『서울은 만원이다』(서울: 여원사, 1976), 51–52.

25   「바캉스와 크리스마스」, 『동아일보』, 1966년 9월 3일 자.

가문화의 변화로 나타나기 시작했음을 보여주는 것인데, 이것은 국가정책이 의도하거나 예비하고 있던 사회현상이 전혀 아니었다.

대중들의 소비문화에 대한 인식이 전환하면서, 빈곤과 내핍, 금욕과 절제 담론이 지배했던 이전 시기와 달리, 1960년대 후반 이후에는 상류층의 과시적 소비에 대한 격렬한 비난은 찾아보기 어렵게 되었다. 대중매체에서도 근면·성실한 산업 역군을 강조하면서도, 이러한 '생산적 삶'의 지향점이 '소비적 삶'의 물질적 욕구를 충족시키는 데 있음을 부인하지 않았다. 김승옥은 소설『60년대식』에서 당시 도시 사회에 화술, 행동, 욕망, 지식, 태도 등 다양한 차원에서 이전과는 다른 아비투스를 표출하는 새로운 사회적 주체가 형성되고 있었음을 생생하게 포착해냈다.[26] '조국 근대화'의 기치하에 전 국민의 삶이 규율화되고, 1968년 장안을 공포로 몰아넣었던 '김신조 사건' 이후로는 '싸우면서 건설하자'는 표어가 산업현장 곳곳에 내걸려있는 긴장된 정국이 이어졌지만, 소비 대중의 형성은 부인하거나 거스를 수 없는 현실이자 대세였다.

1960년대 중후반에 새로운 시대적 아이콘으로 등장한 '중산층 가정' 모델도 같은 맥락에서 해석되는 현상이다. 이 시기에는 중산층 문화가 가시화되면서 계층분화가 사회적 쟁점으로 대두되기도 했는데, 이러한 중산층 가정문화 판타지를 대중적으로 확산시킨 대표적 매체로 여성지『여원(女苑)』[도판 4]을 들 수 있다.[27] 지역과 계층과 세대를 막론하고 당시 여성 독자들에게 선풍적인 인기를 끌었던 이 잡지는 다양한 문화적 교양과 생활지식을 제공하면서 주부들에게 중산층 가정 판타지를 전파하는 강력한 매체였다. 특히 이 시기 신식(양옥)주택과 아파트는 도시 중산층의 풍요로운 삶을 담아내는 현대적 생활의 외장이자 안락한 삶의 판타지로서 독자들을 매혹시켰다. 당시 '스위트홈' 이미지에 빠질 수 없는 필수품으로 등장한 세 가지가 텔레비전, 냉장고, 세탁기였다.[28] 이들 내구소비재는 현대 가정 혁명과 생활 혁명, 소비 시대의 상징으로, 일본에서는 '신3종의 신기(神器)'라 불리며 이미 1950년대부터 등장한 것이었다.[29]

한 가지 특기할 사항은 일반적으로 서구 사회에서는 전자기기 중에서도 실생활에 필요한 냉장고나 세탁기가 먼저 대중화되었음에 비해, 박정희 정권은 의도적으로 TV와 라디오의 보급에 훨씬 더 주력했다는 점이다. TV 방송국의 급속한 개국과 TV 수상기 구입 장려, '농어촌 라디오 보내기 운동' 등을 통해 정부가 이례적으로 대

---

26   박진영, 「1960년대 후반의 대중소비사회 담론과 증상으로서의 글쓰기: 김승옥의『60년대식』을 대상으로」,『현대소설연구』80호 (2020).

27   『여원』은 1955년 창간되어 1970년 종간되었다. 1960년대 전반에 걸쳐 신태양사에서 발행하던『여상(女像)』과 함께 우리나라 여성 교양지로 크게 각광을 받았으며, 교양·오락·생활정보·독자 수기 등 다양한 내용으로 꾸며 직업여성·여대생들에게 인기가 많았다. 한국민족문화대백과사전 '여원(女苑)' 항목 참조.

28   김예림, 「1960년대 중후반 개발 내셔널리즘과 중산층 가정 판타지의 문화정치학」,『현대문학의 연구』32호(2007).

29   참고로 일본에서는 1966년경에 텔레비전 94.1%, 전기세탁기 75.5%, 전기냉장고 61.1%의 보급률을 보인다. 淸水知久, 『1960年代—ごとばが語る時代の氣分』(有斐閣, 1987), 30–33.

도판 4.『여원(女苑)』창간호, 1955

중매체를 보급시키기 위해 노력한 결과 TV와 라디오의 보급이 급속히 진전되었으며, 박정희 정권은 이를 근대화의 상징처럼 홍보했다.[30] 1960년대 후반 한국의 텔레비전 보급 대수는 1965년 3만 9,270대에서 1969년 24만 6,060대로 비약적인 증가세를 보였으며, 1969년에는 여원사에서 『TV가이드』 첫 호가 발간되었다.

이 시기에는 경제성장과 인구팽창, 독자층의 성장 등을 배경으로 한국 출판 자본주의도 호시절을 맞았다. 『출판연감』 1966년 판에 의하면 '1965년은 한국 출판사상 최고'였다고 평가된다.[31] 그런데 1960년대 후반 출판시장은 '주간지 전성시대'라는 별칭을 통해 알 수 있듯이, 당시 독서 대중의 수요는 주로 대중잡지와 전집류에 집중되어 있었다. 1968년 9월 창간된 『선데이서울』[도판 5]과 같은 통속잡지의 등장은 대중 독서물의 재편을 알리는 신호탄이었다.[32] 1960년대 중반 무렵부터는 새롭게 등장한 라디오·영화·TV 등 시청각 매체의 영향력 증가로 인해 이들 새로운 미디어가 일상의 변화를 추동하게 되면서 종래의 대중매체를 대표했던 신문·잡지 등 활자매체의 영향력은 전반적으로 퇴조세에 놓이게 된다.

다른 한편, 1960년대 후반은 성장지상주의의 지배하에, 1968년 안보 위기, 1969년 삼선개헌을 거쳐 1970년대 초 유신체제의 구축으로 향해가는 강력한 권위주의 통치체제가 기틀을 잡아가던 시기이기도 하다. 반공 애국주의와 반일 민족주의를 국민통합의 핵심 통치이념으로 삼은 박정희 정권은 집권 초기부터 국민 동원을 위한 정치적 수단으로 민족의 전통문화를 적극 활용했다. 1966년에는 애국선열조상건립위원회가 발족했으며,[33] '민족의 성역' 현충사 조성사업이 시작되어 5억 9천만 원의 예산을 투입하여 1969년 완공을 보았다. 1960년대의 대표적 민족문화유산 기념사업이었던 현충사 건립은 1970년에는 '5대 사적 중점정화사업'으로 이어져 '사찰 유적'(불국사, 화엄사)과 '선현 유적'(도산서원, 행주산성, 진주성)에 대한 사적화 사업이 추진되었다. 또한 1968년 문화공보부를 발족시켜 문화재 관리를 통괄하고, 1969년부터 1973년까지 문화재개발 5개년계획을 추진하여 문화재의 발굴·보존에 대한 지원을 확대하는 등 문화재를 관장하는 기구와 정책이 본격적으로 정비된 것도 이 시기의 변화다. 같은 시기에 국민교육헌장 제정(1968), 새마을운동 개시(1970), 가정의례준칙 제정(1973) 등이 추진되었음을 고려해볼 때, 박정희 정권의 전통문화 정책은 국민교육과 일상생활에 대한 통제와 규율화에 있어서 충효 사상을 비롯한 전통적 가치를 핵심 이념으로 활용한 개발 독재 정권의 통치전략과 불가분의 관계에 있었다고 할 수 있다.[34]

30   임종수, 「1960–70년대 텔레비전 붐 현상과 텔레비전 도입의 맥락」, 『한국언론학보』 48권 2호(2004); 김영희, 「한국의 라디오시기의 라디오 수용현상」, 『한국언론학보』 47권 1호(2003).

31   천정환·정종현, 『대한민국 독서사』(파주: 서해문집, 2018), 120–121.

32   김경연, 「통속의 정치학: 1960년대 후반 김승옥 '주간지 소설' 재독(再讀)」, 『어문론집』 62권(2015): 383.

33   안창모, 「1960년대 한국건축의 반공·전통이데올로기와 모더니티」, 『건축역사연구』 12권 4호(2003): 138–143.

34   윤영도, 「냉전기 국민화 프로젝트와 '전통문화' 담론」, 성공회대 동아시아연구소 엮음, 『냉전 아시아의 문화풍경2: 1960–1970년대』(서울: 현실문화연구, 2009).

도판 5. 『선데이서울』 창간호, 1968

이처럼 1960년대 후반에 새롭게 나타난 여가의 야외화나 시청각 매체의 확산, 중산층 가정 모델과 소비적 주체의 출현은 '정치적 억압'과 '경제적 성장'을 맞바꾸는 역설적 상황의 소산이었다고 볼 수 있다. 한편에서는 대중문화를 적극 향유하는 사적 소비 주체, 사사화된 익명의 대중들이 분화되고 있었지만, 다른 한편에서는 '민족중흥'과 '조국 근대화'를 위한 집단적 국민정신의 훈육과 통제가 강화되고 있었던 것이다.

미술과 산업: 산업미술가의 탄생

1945년 해방은 사회 전 분야에 새로운 움직임을 촉발하는 기점으로 작동했고 광복 이후 수많은 문화예술
단체들이 설립되기 시작했다. 이러한 흐름 속에서 1945년 창립된 조선산업미술가협회(약칭 산미협회)는
국내에서 가장 오래된 디자인 단체로 권영휴, 엄도만, 유윤상, 이병현, 이완석, 조능식, 조병덕, 홍남극, 홍순문,
한홍택 등이 창립 회원으로 활동했다. 이들은 미술과 디자인이 서로 다른 영역으로 분화되기 이전 '산업미술'의
개념을 새롭게 정의하고, 불모지였던 한국 디자인계의 기반을 마련하는데 주요한 역할을 해왔던 선구자였다.
　　「미술과 산업: 산업미술가의 탄생」에서는 한홍택의 초기 작업과 아카이브를 통해 일본 유학 시기
교육과정을 비롯해 해방 전후 함께 활동했던 산업미술가들의 활동을 조망하고자 포스터, 장정과 삽화, 광고와
포장디자인 등 매체를 통해 발현된 이 시기의 다양한 실천을 소개한다. 또한 그와 함께 산미협회를 주도했던
이완석이 천일제약의 도안 담당으로 근무했던 시기 수집한 천일제약의 상표와 각종 광고, 포장디자인에 관한
자료들을 통해 해방 이전 디자인이 고안되고 개발되던 과정과 디자이너로서 고민했던 흔적을 살펴볼 수 있다.

산미협회는 1946년 5월 제1회 산미협회 발표전《조국광복과 산업부흥전》을 개최하며 공식적인 활동을 시작했다. 해마다 정기적인
회원전을 통해 '산업건설', '올림픽', '관광' 등 사회적 이슈나 시의성 있는 주제로 전시를 개최하면서 '산업미술'의 의미와 역할을 인식시키려는
노력을 이어갔다.

조선산업미술가협회(1945–) 창립 회원 사진, (좌)조능식, 이완석, 한홍택, 권영휴, 1945, 국립현대미술관 미술연구센터 소장.

"하나의 미술 단체가 40년을 끌고 왔다는 것은 확실히 한국 현대미술에 있어서 특기해야 할 일이다.
그것도 관의 도움 없이 순전히 자기들만의 힘으로 이처럼 지속해오고 발전해왔다는 것은 기적에 가까운
경이적인 사실이다. ... 초기에 포스터라고 불리우던 그래픽 아트를 중심으로 생긴 이 단체가 나중에
산업사회에 돌입하면서 다양한 개념과 그의 실천으로서의 꽃을 피운 것은 어느 의미에서는 한국 사회
자체의 힘을 입었는지도 모른다."

미술평론가 이경성,『창립 40주년 기념전 산미시각디자인부』전시 도록 서문, 1986년 7월.

《제6회 산미전》브로슈어, 1948, 국립현대미술관 미술연구센터 소장.

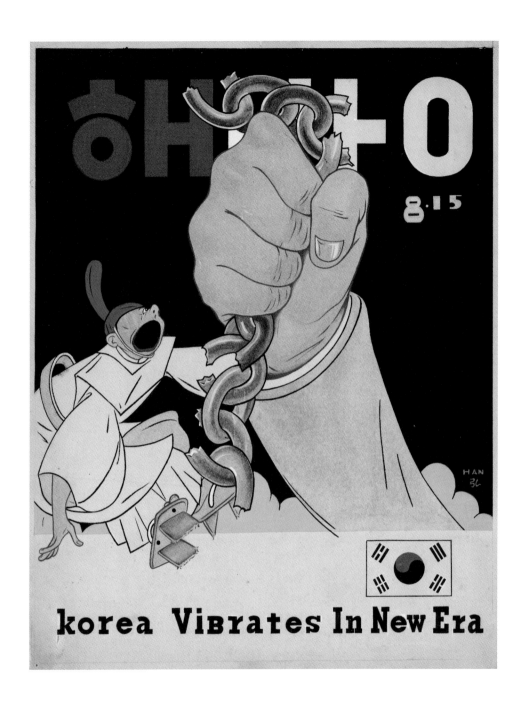

한홍택이 1945년에 제작한 〈해방〉 포스터는 '해방 8.15'와 '새로운 시대를 맞이하는 한국(Korea Vibrates In New Era)'이라는
문구와 함께 힘껏 움켜쥔 손으로 사슬을 끊어내는 이미지를 화면 중앙에 크게 배치해 강력한 메시지를 전하고 있다. 당시 대중과 소통하는
도구로서 가장 강력한 매체였던 포스터의 역할을 잘 보여주는 이 작품은 흑과 백, 적색과 청색의 대비와 과감한 구도로 역사의 현장을
압축적으로 포착해낸 선명한 표현이 돋보인다.

한홍택, 〈해방〉, 1945, 종이에 채색, 30.5 × 22 cm. 국립현대미술관 미술연구센터 소장.

한홍택, 〈대한민국정부수립〉, 1948, 종이에 오프셋 인쇄, 94 × 63 cm. 디자인코리아뮤지엄 소장.

한홍택, 〈평양〉, 1946, 종이에 채색, 30.5 × 22 cm. 국립현대미술관 미술연구센터 소장.

임원식(1919-2002)은 한국음악계의 초석을 다진 인물로 한국 최초의 오케스트라 고려교향악단의 지휘자로 교향악 발전에 기여했으며
1948년 오페라 베르디의 〈라 트라비아타〉의 초연 무대를 지휘, 오페라 운동을 주도했다. 미국 줄리아드 음악원에서 수학하다
1949년 귀국, 미국행을 잠시 미루고 서울교향악단의 지휘를 맡아 활동하던 중 6월 25일 한국전쟁을 맞았다. 당시 예정되었던 임원식의
환송 음악회를 위해 그려진 것으로 추정되는 이완석의 포스터에는 짙푸른 배경 위를 날아가는 열 마리의 하얀 새가 그려져 있는데,
먼 길 떠나는 동료 예술인의 안녕를 바라는 마음을 읽을 수 있디.

이완석, 〈임원식 도미환송음악회〉, 1950, 종이에 채색, 53 × 37.5 cm. 예화랑 소장.

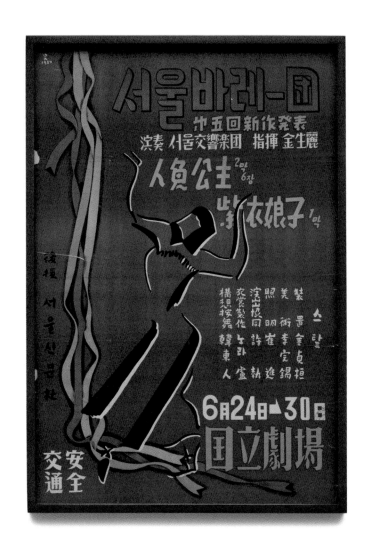

1946년 창립된 서울발레단은 전문무용단의 시스템을 구축한 최초의 단체로 우리나라 발레 운동의 선구자적 역할을 수행했다. 1946년 10월 창립공연 〈레 실피드〉 이후 매해 공연을 올렸는데 1950년 6월 24일부터 30일까지 부민관(現 국립극장)에서 예정되었던 제5회 정기공연 〈인어공주〉의 개막 직후 한국전쟁이 발발하며 해체되었다. 포스터에는 두 팔을 든 무용수의 유연한 몸짓과 발레리나의 토슈즈를 연상케 하는 세 가지 색상의 리본이 감각적으로 표현되어 있으며, 공연의 스탚(스태프)으로 명시된 김정환(장치), 이완석(미술), 최진(조명), 허집(연출 협동), 노라노(의상 제작), 한동인(구상 안무) 등 당시 협업했던 예술인들의 면면을 살펴볼 수 있다.

이완석, 〈서울바레–단〉, 1950, 종이에 인쇄, 75.5 × 51.5 cm. 예화랑 소장.

이완석, 〈문화건설〉, 1940년대, 종이에 채색, 90 × 62.5 cm. 예화랑 소장.

이완석, 〈농자천하지대본야〉, 1940년대, 종이에 채색, 100.5 × 70 cm. 예화랑 소장.

이완석, 〈임진란수진포진도〉, 1948, 종이에 채색, 100 × 70 cm. 예화랑 소장.

이완석, 〈8.15 경축소품 미협전〉, 1959, 종이에 실크스크린, 79 × 53.3 cm. 예화랑 소장.

해방 후 출판과 산업미술가들

일제 강점기 민족말살정책으로 인해 해방 직후 대부분의 아이들은 한글을 읽을 수 없는 상황에 놓였다. 오랜
수난 끝에 한글로 출판할 수 있는 자유를 얻게 된 출판사들은 한글 학습과 관련된 다양한 서적을 펴내는
일에 앞장서게 된다. 우리 말과 글을 되찾고자 하는 열망이 가득했던 시기 새로운 창작물로서 아동 잡지들이
간행되고 동시, 동화, 동요 등 아동문학 서적도 폭발적으로 늘어났다. 이 밖에도 다양한 장르의 잡지와 단행본이
다수 발행되었는데 이러한 출판물의 표지와 각종 삽화에는 한홍택을 비롯하여 이순석, 이병현, 조병덕, 조능식,
정현웅 등 당대 최고의 삽화가, 장정가로 인정받았던 산업미술가들이 참여했다. 문학과 미술이 긴밀하게
조우했던 시기에 이들의 작업은 풍부한 회화성과 개성 있는 표현을 고스란히 담고 있는 일상의 미술이었다.

이완석, 〈어린이〉, 1950년대, 종이에 채색, 65 × 49 cm. 예화랑 소장.

한홍택, 〈자전거 타는 아이들〉, 1940년대, 종이에 채색, 21 × 15 cm. 국립현대미술관 미술연구센터 소장.

'어린이구락부'라는 제목이 쓰여진 표지와 크레딧이 적혀 있는 뒷장, '고양이 목에 방울 달기', '모자장수와 원숭이' 등 7개 이야기의
삽화 총 17장으로 구성된 원본 삽화이다. 정방형에 가까운 독특한 비례의 화면 속에 돼지, 오리, 코끼리, 토끼, 고양이 등 다양한 동물 캐릭터가
처한 상황과 표정이 생생하게 포착되어 있다. 연필로 밑그림을 그리고 맑은 수채 기법으로 채색하였는데 붉은색과 녹색, 푸른색의 대비가
화면을 생기있게 한다.

한홍택, 〈어린이구락부〉, 1940년대, 종이에 채색, 20 × 18.4 cm. 국립현대미술관 미술연구센터 소장.

한홍택, 〈어린이구락부〉, 1940년대, 종이에 채색, 20 × 18.4 cm. 국립현대미술관 미술연구센터 소장.

한홍택, 〈동물만화〉, 1940년대, 종이에 채색, 13.7 × 19.3 cm. 국립현대미술관 미술연구센터 소장.

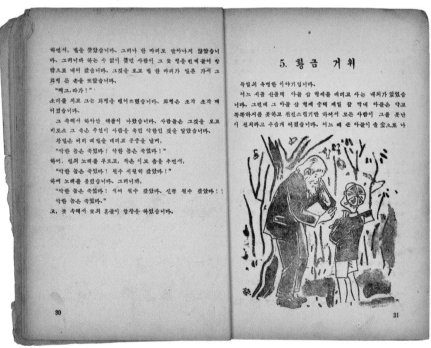

조선아동문화협회는 방정환의 아동문학 36편을 선별, 5권으로 나누어 각각 다른 삽화가들을 배정하여 '소파동화독본' 시리즈를 기획했다. 한홍택 외에도 김의환(『까치옷』), 정현웅(『울지않는 종』), 윤희순(『나비의 꿈』), 김규택(『귀먹은 집오리』)이 삽화를 맡았다. 한홍택이 삽화를 맡은 『황금거우』는 시리즈의 마지막 권으로 「시곤쥐 서운구경」, 「황금거위」, 「왕자와 제비」 등 7개의 이야기로 구성되어 있다

방정환, 『소파동화독본(小波童話讀本) 제5권 황금거우』, 표지·삽화: 한홍택, 조선아동문화협회, 1946, 국립현대미술관 미술연구센터 소장.

임병철, 『이소프얘기』, 표지·삽화: 한홍택, 고려문화사, 1946, 국립현대미술관 미술연구센터 소장.

이영철, 『세계명작 소년소설집』, 삽화: 정현웅, 장정: 한홍택, 고려문화사, 1947, 국립현대미술관 미술연구센터 소장.

한학,『복수왕』, 표지·삽화: 한홍택, 일월사, 1947, 국립현대미술관 미술연구센터 소장.

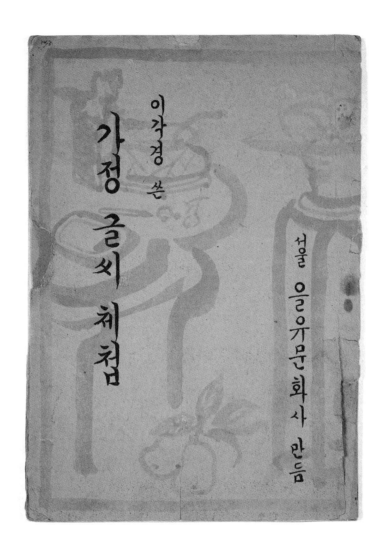

1946년 2월 1일 발행된『가정 글씨 체첩』은 을유문화사의 첫 출판 도서로 총 24쪽으로 구성되어있다. '붓 잡는 법', '쓰는 법', '세종대왕의 말씀', '정포은 시조', '이충무공 시조', '김종서 시조', '황진이 시조', 「사씨남정기」에서', '혜경궁 「한중록」에서', '「선조대왕 친서」에서' 등 고전명문을 순 한글 표기로 수록하여 올바른 한글 쓰기를 위한 지침서의 역할을 했다.

이각경,『가정 글씨 체첩』, 표지: 조병덕, 삽화: 김용환, 을유문화사, 1946, 국립한글박물관 소장.

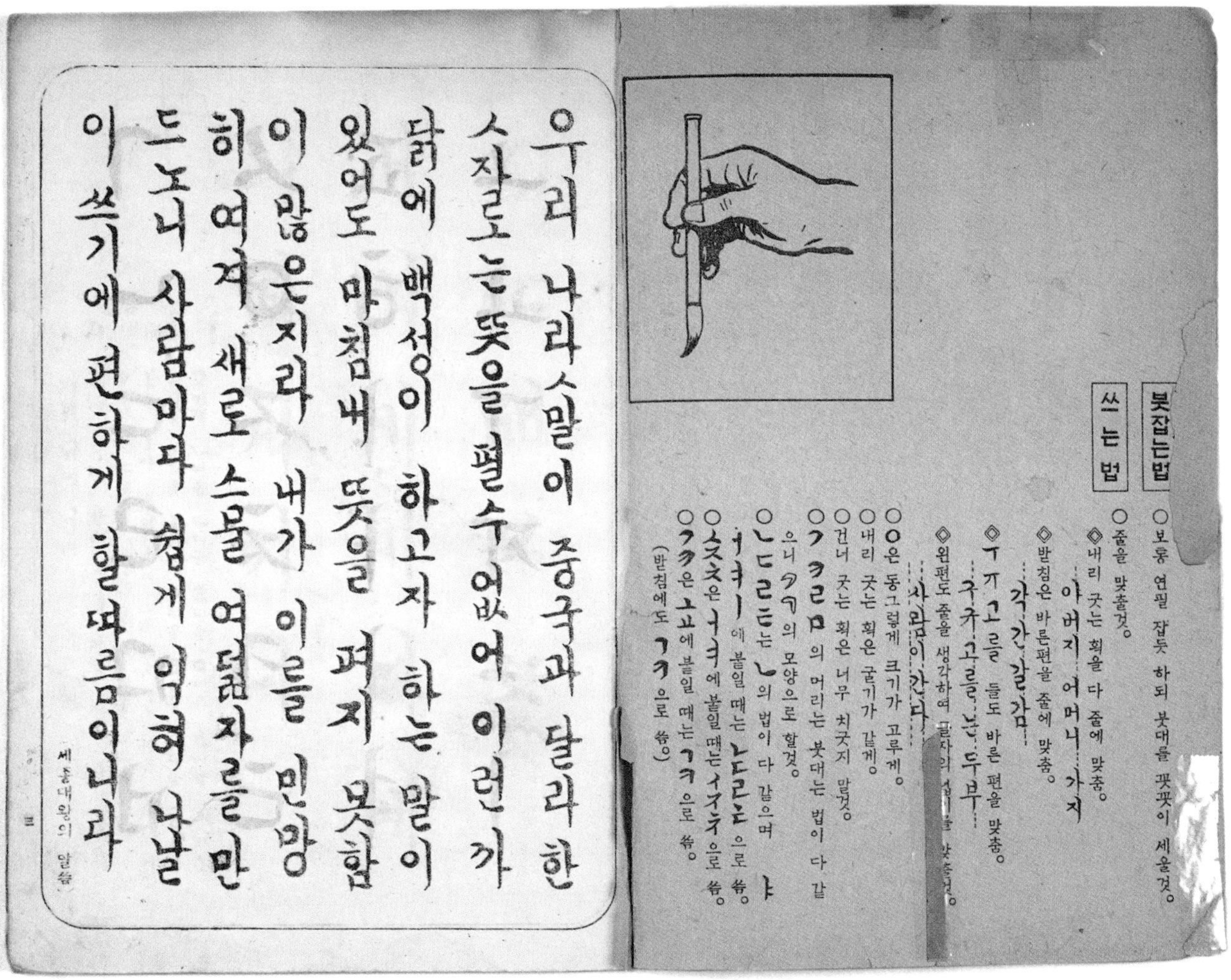

우리 나라ㅅ말이 중국과 달라 한
ㅅ자로는 뜻을 펼수 없어 이런 까
닭에 백성이 하고자 하는 말이
있어도 마침내 뜻을 펴지 못할
이 많은지라 내가 이를 민망
히 여겨 새로 스물 여덟자를 만
드노니 사람마다 쉽게 익혀 나날
이 쓰기에 편하게 할따름이니라

(세종대왕의 말씀)

붓잡는법

○보통 연필 잡듯 하되 붓대를 꼿꼿이 세울것。

쓰는 법

○줄을 맞출것。
◇내리 긋는 획을 다 줄에 맞춤。
아버지 어머니 가지
◇받침은 바른편을 줄에 맞춤。
각 간 갈 감
◇ㅜ ㅠ 고를 들도 바른 편을 맞춤。
구 주 고 를 노 두 부
◇왼편도 줄을 생각하여 글자의 [illegible]을 맞출것。
사람이 간다
○ㅇ은 동그렇게 크기가 고루게。
○내리 긋는 획은 굵기가 같게。
○건너 긋는 획은 너무 치긋지 말것。
○ㄱ ㅋ ㄹ ㅁ 의 머리는 붓대는 법이 다 같으니 ㄱ ㄱ 의 모양으로 할것。
○ㄴ ㄷ ㄹ ㅌ는 ㄴ의 법이 다 같으며 ㅑ ㅕ ㅣ 에 붙일 때는 ㄴ ㄷ ㄹ ㅌ 으로 씀。
○ㅅ ㅈ ㅊ은 ㅓ ㅕ 에 붙일때는 ㅅ ㅈ ㅊ 으로 씀。
○ㄱ ㅋ은 ㅗ ㅛ 에 붙일 때는 ㄱ ㅋ 으로 씀。
(받침에도 ㄱ ㅋ 으로 씀。)

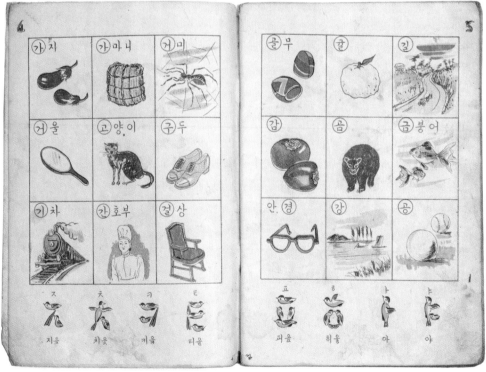

1946년 5월 5일 어린이날에 맞추어 조선아동문화협회에서 발행한 한글 학습 교재로, 사물을 그림으로 표현하고 그 아래에 글자를 표기해 아이들이 쉽게 사물의 이름을 익힐 수 있도록 구성하였다.

윤석중, 『어린이 한글책』, 그림: 홍우백, 조선아동문화협회, 1946, 국립한글박물관 소장.

『윤석중 동요집』, 『잃어버린 댕기』, 『윤석중 동요선』, 『어깨동무』에 이어 출간된 아동문학가이자 시인 윤석중(1911–2003)의 다섯 번째
동요집이다. 1940년 가을부터 1942년 겨울까지 지은 동요 41편을 1943년 봄 『새벽달』이란 책 이름으로 출간하려다 내지 못하고,
해방 후 쓴 동요 「새 나라의 어린이」 등 작품 9편을 추가하고 책 이름을 바꾸어 간행했다.

윤석중, 『초생달: 윤석중 동요집』, 표지: 조병덕, 삽화: 김의환, 장정: 정현웅, 박문출판사, 1946, 국립중앙도서관 소장.

『소학생』 제64호, 표지: 한홍택, 조선아동문화협회, 1949, 근대서지연구소 소장.

『소학생』 제68호, 표지: 한홍택, 조선아동문화협회, 1949, 근대서지연구소 소장.

『조선교육』 제2권 제7호, 표지: 조병덕, 문화당, 1948, 근대서지연구소 소장.
『조선교육』 제3권 제1호, 표지: 조병덕, 문화당, 1949, 근대서지연구소 소장.

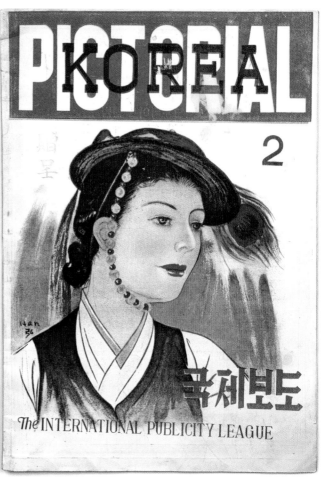

『국제보도 제1호』, 표지: 홍순문, 삽화: 한홍택, 국제보도연맹, 1945, 대한민국역사박물관 소장.
『국제보도 제2호』, 표지: 한홍택, 국제보도연맹, 1946, 대한민국역사박물관 소장.

『민주경찰』 제2권 제4호, 표지: 조능식, 경무부경찰교육국, 1948, 근대서지연구소 소장.
『민주경찰』 제4권 제2호, 표지: 조능식, 경무부경찰교육국, 1950, 근대서지연구소 소장.
『현대과학』 제2호, 표지: 조능식, 현대과학사, 1946, 근대서지연구소 소장.
『새벗』, 표지: 조능식, 대한기독교서회, 1952, 근대서지연구소 소장.

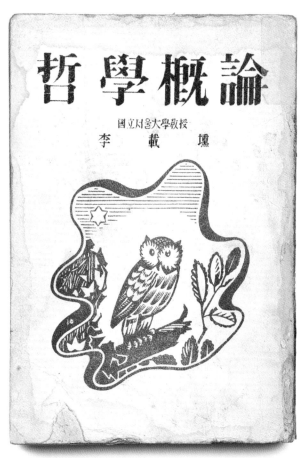

『과학시대』, 표지: 이순석, 중앙공업연구소 연구회 출판부, 1950, 근대서지연구소 소장.
이재훈, 『철학개론』, 장정: 이순석, 동방문화사, 1948, 근대서지연구소 소장.

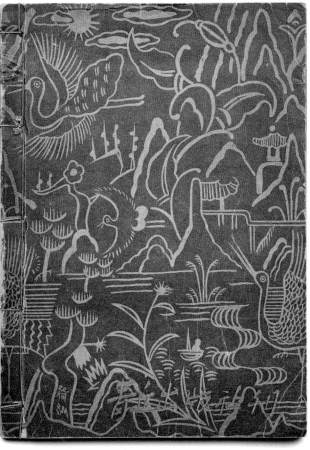

이순석의 장정으로 제작된 구상 시인의 첫 시집이다. 짙은 녹색의 배경 위에 십장생도를 연상케 하는 그림이 옅은 옥색으로 그려져
표지 전후면 전체에 배치되어 있으며 오침(五針) 선장본의 독특한 형태를 띠고 있다.

구상,『시집 구상』, 장정: 이순석, 제자: 오상순, 청구출판사, 1951, 근대서지연구소 소장.

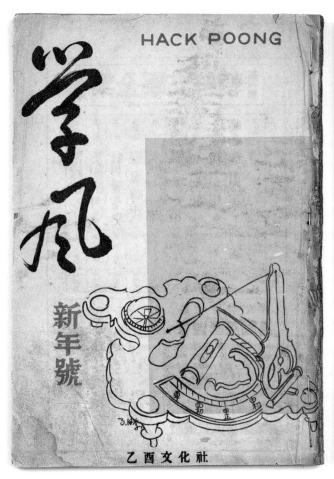

『학풍』, 제2권 제1호, 표지·목차화: 이병현, 을유문화사, 1949, 근대서지연구소 소장.
서정주, 『김좌진장군전』, 장정·삽화: 이병현, 을유문화사, 1948, 근대서지연구소 소장.

주요섭,『사랑 손님과 어머니』, 장정·삽화: 조병덕, 을유문화사, 1954, 근대서지연구소 소장.
『필하아모니』창간호, 표지: 조병덕, 서울교향악협회, 1949, 근대서지연구소 소장.

서정주 외,『소학생 문예 독본 6』, 표지: 조병덕, 1949, 근대서지연구소 소장.

『마르코·포로 대여행기』, 표지·장정·삽화: 이완석, 동방문화연구원, 1956, 근대서지연구소 소장.

한홍택, 〈금융조합은 동네의 금고〉, 1934, 종이에 오프셋 인쇄, 80.5 × 52.5 cm. 디자인코리아뮤지엄 소장.

일본에 유학했던 산업미술가들

일제 강점기 고등 미술 교육 기관이 설립되지 못했던 조선에서 새로운 미술을 배우고자 하는 이들은 유학을
택해야 했다. 현실적으로 일본 이외 다른 나라로의 유학은 어려웠기 때문에 미술 지망생 대부분이 일본을
선택했으며 디자인 개념에 해당하는 도안의 경우에도 마찬가지였다. 임숙재, 이순석, 이병현, 한홍택 등
일본에서 도안을 전공하고 돌아와 활동했던 이들을 통해 새로운 분야의 개념과 기법, 조형 언어가 도입되었고
미술대학 내 도안 혹은 응용미술과와 같은 초기 디자인 교육 제도가 정착되기 시작했다.

한홍택이 일본 유학 시절 접한 서구 모더니즘의 영향은 그의 작품에서 독특한 형태와 색채로 나타난다. 도쿄도안전문학원 졸업작품인
〈언덕〉에는 한복을 입고 춤을 추는 여인과 패랭이를 쓰고 악기를 연주하는, 푸른 의상의 남자가 서구적인 인체 비율로 그려져 있다. 장승과 한복,
비파와 같은 한국적 소재를 활용하면서도 한홍택의 유학 시기 일본에 전해진 서구 아르누보 스타일의 영향이 엿보이는 작품이다.

한홍택, 〈언덕〉, 1938, 종이에 채색, 50 × 42 cm. 국립현대미술관 소장.
도쿄도안전문학원 졸업작품 〈언덕〉이 실린 브로슈어, 1938, 국립현대미술관 미술연구센터 소장.

한홍택, 〈도쿄유학시절소묘, 몰리에르〉, 1938, 종이에 목탄, 63 × 49 cm. 국립현대미술관 미술연구센터 소장.

한홍택, 〈선비와 말〉, 1938, 종이에 먹과 붓, 23.6 × 30.5 cm. 국립현대미술관 미술연구센터 소장.

한홍택, 〈가족〉, 1941, 종이에 먹과 붓, 21.4 × 21.4 cm. 국립현대미술관 미술연구센터 소장.
한홍택, 〈무제〉, 1941, 종이에 먹과 붓, 23.7 × 21.3 cm. 국립현대미술관 미술연구센터 소장.

한홍택, 〈부인 초상〉, 1941, 종이에 연필, 채색, 37.6 × 27 cm. 국립현대미술관 미술연구센터 소상.
한홍택, 〈부인 초상〉, 1941, 종이에 연필, 채색, 38 × 28 cm. 국립현대미술관 미술연구센터 소장.

한홍택, 〈아기업고 있는 소녀〉, 1947, 종이에 연필, 38.6 × 26.8 cm. 국립현대미술관 미술연구센터 소장.

한홍택, 〈정물〉, 1939, 캔버스에 유채, 45.5 × 33 cm. 국립현대미술관 미술연구센터 소장.

한홍택은 귀국 직후 1940년부터 유한양행에 근무하며 광고 제작과 도안을 담당했다. 이른 시기부터 유한양행은 광고의 중요성을 인식하고 많은 힘을 기울이던 기업이었다. 이 자료는 그가 디자인을 맡았던 시기보다 앞선 1930년대 후반 광고로 네오톤 토닉은 당시 유한양행이 미국 제약회사로부터 직수입해 판매한 강장제였으며 당시『동아일보』와『조선일보』에 동일한 삽화를 이용해 제품을 홍보하는 다양한 광고가 게재되었다.

유한양행 네오톤 토닉 광고지, 1930년대 후반, 국립한글박물관 소장.

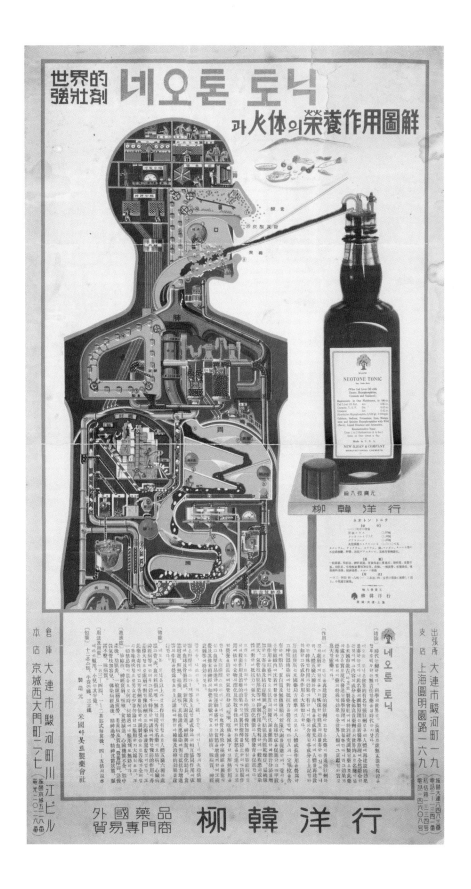

임숙재, 〈동식물 도안〉, 1920, 종이에 먹, 18.5 × 27.5 cm. 국립현대미술관 소장.

임숙재는 1928년 국내 최초로 도쿄미술학교 도안과를 졸업한 인물로 그가 유학했던 1920년대 일본에서는 유럽에서 돌아온 교수진에 의해 아르누보 양식의 곡선과 장식성이 강조되는 작품들이 많이 제작되었다. 단순하고 평면적인 형태 처리와 한국적인 소재의 차용 등 절충적인 시도가 엿보이는 그의 작업을 통해 일본 유학 시기의 영향을 확인할 수 있다. 그는 귀국 후 1928년『동아일보』에「공예와 도안」이라는 글을 연재하며 도안 제작의 목적을 "용도가 적합해야 할 것, 미관의 색채를 표출해야 할 것, 실물을 제작하기가 용이하고 간단할 것"이라 설명했다. 이는 합목적성, 심미성, 실용성과 같은 여러 목적을 충족시켜야 하는 오늘날의 디자인 개념과도 유사한 것이었다.

임숙재, 〈사슴〉, 1928, 종이에 채색, 26 × 19 cm. 국립현대미술관 소장.

일제 강점기에 도쿄미술학교 도안과를 졸업한 이순석은 1931년에 귀국해 국내 최초의 도안 개인전을 열고 유학 시절에 작업한 상업미술, 공예, 실내장식도안 등의 작품을 선보이며 새로운 분야를 대중에게 소개하고자 했다. 1946년 서울대학교 예술대학 도안과 교수로 부임해 디자인 교육의 초석을 다졌고, 1966년 한국공예디자인연구소의 초대 소장으로 활동하며 디자인 진흥정책 수립에도 영향을 미쳤다. 그의 초기 작업으로 책의 장정과 1949년 제2회 개인전《장식도안전》포스터 정도가 전해진다. 귀국 직후 화신백화점에 취직하여 도안 업무를 맡았다고 하나 작업에 대한 자료는 전해지지 않고 있다. 1930년대 화신백화점의 광고와 포장 등 자료들을 통해 그가 도안가로 활동했을 당시 디자인 작업의 대상이나 유형들을 살펴볼 수 있다.

화신백화점 포장지, 1932–1936년, 서울역사박물관 소장.

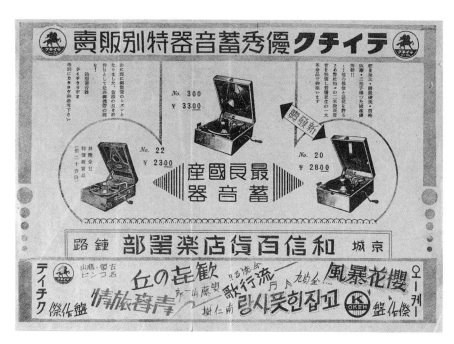

화신백화점 악기부 데이치쿠 우수 축음기 특별판매 광고지, 연도 미상, 국립한글박물관 소장.
화신백화점 광고 포장지, 연도 미상, 서울역사박물관 소장.

이완석과 천일제약

이완석이 일본 유학을 마치고 귀국했던 1930년대 후반 조선은 제약업계가 성황을 이루고 있었다. 한의사
조근창이 1913년 개업한 천일약방은 일제 강점기 조선 최대 규모의 제약회사로 성장했다. 1938년 천일제약
주식회사로 확장하며 180여 명의 직원을 두었고, 예지정(現 종로4가) 본점 외에도 황금정(을지로), 대구, 평양,
광주에 지점을 두고 50여 곳의 대리점과 1400여 개 특약점, 1만여 개의 소매점에서 천일제약의 약을 취급했다.
또한 일본 오사카, 중국의 텐진·상하이, 홍콩, 대만 등지에도 지사를 설치했다고 알려져 있다. 이완석이
천일제약의 도안 담당으로 근무했던 시기 수집한 천일제약의 상표와 각종 광고, 포장디자인에 관련된 자료들은
해방 이전 시기에 디자인이 고안되고 개발되던 과정과 디자이너로서 고민했던 흔적을 추적해 볼 수 있는 귀한
사료이다.

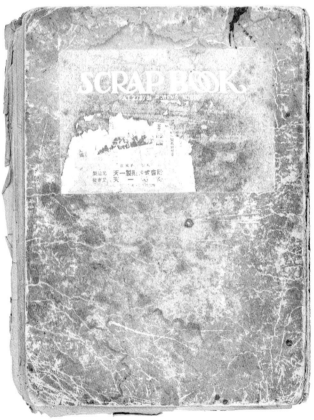

천일제약 포장 스크랩북, 1930–1940년대, 예화랑 소장.
천일제약 광고집, 1930–1940년대, 국립현대미술관 미술연구센터 소장.

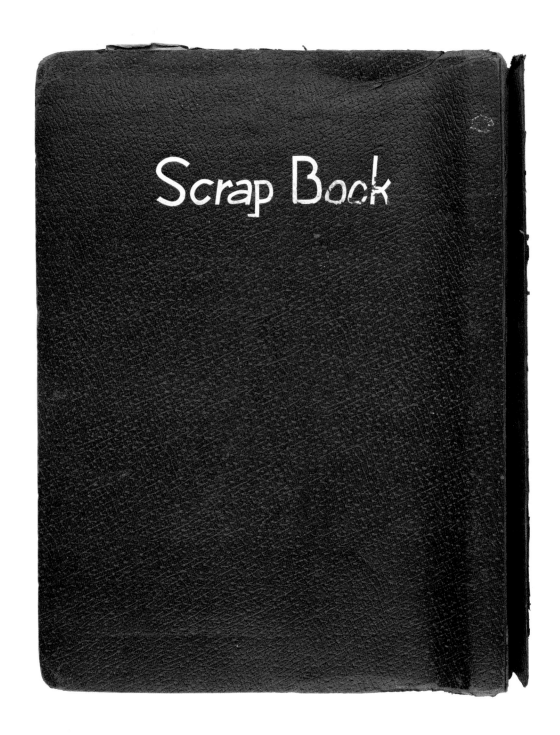

천일제약 상표집, 1930–1940년대, 국립현대미술관 미술연구센터 소장.

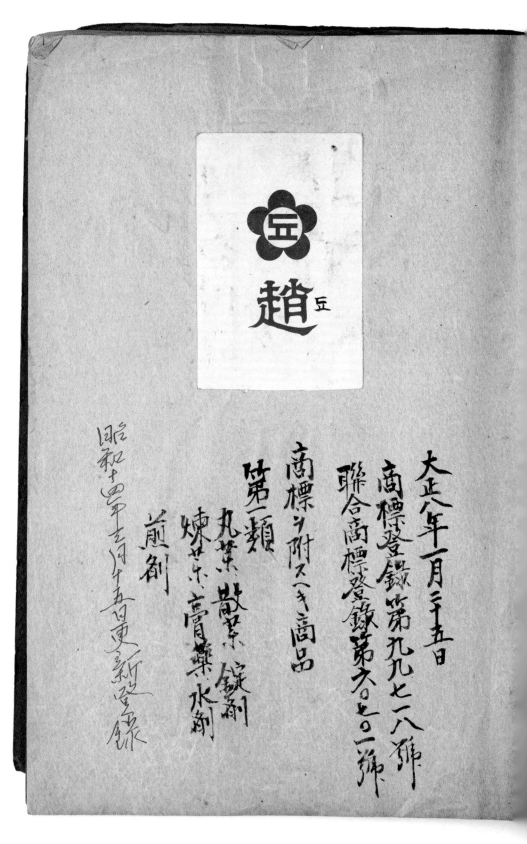

大正八年一月二十五日
商標登錄第九九七一八號
聯合商標登錄第六〇七〇一號

商標ヲ附スヘキ商品
第一類
丸藥 散藥 錠劑
煉藥 膏藥 水劑
煎劑

昭和十四年十二月十五日更新登錄

『천일제약 상표집』은 천일제약의 상표권 등록에 관련된 사항이 수록된 스크랩북으로 유사상표 등록을 통해 모방제품으로부터 보호하려던 당시의 노력을 유추해 볼 수 있는 자료가 포함되어 있다.

천일제약 상표집, 1930–1940년대, 국립현대미술관 미술연구센터 소장.

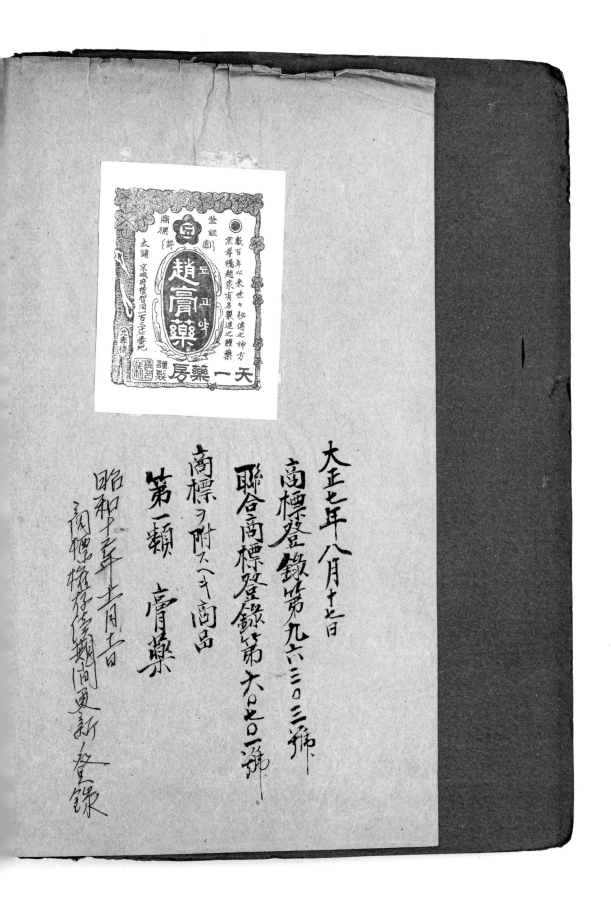

大正七年八月十七日
商標登錄第九六三〇三號
聯合商標登錄第六〇七〇一號
商標ヲ附スベキ商品
第一類　膏藥
昭和十二年十二月吉
商標權存續期間更新登錄

『천일제약 포장 스크랩북』에는 광고에 자주 등장했던 조고약과 아리진 등 각종 약 포장을 위한 다양한 샘플들이 포함되어 있다.

천일제약 포장 스크랩북, 1930–1940년대, 예화랑 소장.

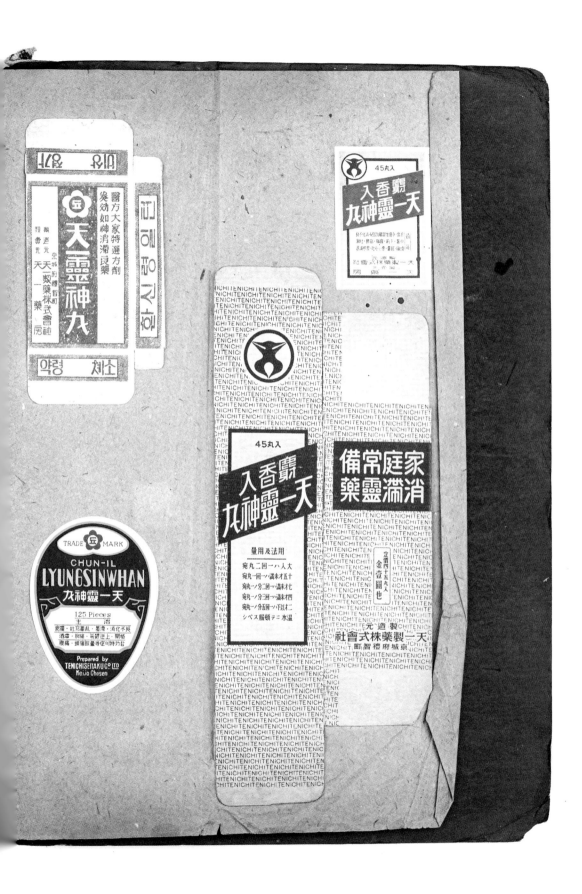

『천일제약 광고집』은 신문광고, 전단지, 포스터, 전차 광고 등을 모아 놓은 스크랩북으로 특히 완성된 광고뿐 아니라 레이아웃이나
광고 카피 등을 고안한 흔적이 담긴 스케치도 포함되어 있어 디자인 과정을 엿볼 수 있는 자료다.

천일제약 광고집, 1930–1940년대, 국립현대미술관 미술연구센터 소장.

観光朝鮮・冬号・早春号

이완석, 〈천일제약 삼용강장수 광고 스케치〉, 1930년대, 종이에 연필, 20.5 × 30 cm. 국립현대미술관 미술연구센터 소장.

이완석, 〈천일제약 삼용강장수 광고 포스터〉, 1930년대, 종이에 인쇄, 25 × 60 cm. 예화랑 소장.

이완석, 〈천일제약 삼용강장수 광고 시안〉, 1930년대, 종이에 연필, 포스터물감, 19.1 × 18.8 cm. 국립현대미술관 미술연구센터 소장.

천일제약 삼용강장수 신문 광고, 1930년대, 국립현대미술관 미술연구센터 소장.
천일제약 삼용강장수 전단지 광고, 1930년대, 국립현대미술관 미술연구센터 소장.

人蔘茶と鹿茸酒の合成劑！

靈効・美味・芳香・百％！

体力増強には是非本剤を！

製造元　天一製藥株式會社

發賣元　天一　藥房

京城府禮智町

이완석, 〈천일제약 삼용강장수 전차 광고〉, 1930년대, 종이에 인쇄, 국립현대미술관 미술연구센터 소장.

당시 작은 광고판과도 같은 역할을 했던 휴대용 성냥갑 패키지를 비롯해, 우표, 팸플릿, 각종 광고 등 이완석이 수집한
다양한 시각 자료들로부터 디자이너로서 부단히 연구하고 노력했던 그의 태도를 짐작할 수 있다.

성냥갑 패키지 스크랩북, 1930년대, 국립현대미술관 미술연구센터 소장.

1930년대 후반 조선 광고계의 첨단,
천일제약(天一製藥)과 디자이너 이완석

전용근
디자인사 연구자

전용근은 디자인사 연구자로 서울대학교에
출강하고 있다. 서울대학교 미학과에서 학부를,
디자인역사문화전공에서 석사를 마쳤다. 2020년에 영국
Victoria and Albert Museum/Royal College Art에서
「Displayed Modernity: Advertising and Commercial
Art in Colonial Korea, 1920–1940」로 디자인사학 박사
학위를 받았다. 한국을 비롯한 동아시아 디자인사와
그래픽 디자인사를 주로 연구하고 있으며, 논문으로는
「1920년대 잡지『상공세계』의 발행과 새로운
시각디자인」(2022)이 있다.

국립현대미술관 이완석 아카이브에는『천일제약 상표집』, 『천일제약 광고집』,『천일제약 포장 스크랩북』, 그리고 각종 신문·잡지 광고, 팸플릿, 포스터, 사진 등 천일제약과 관련된 자료들이 다수 포함되어 있다. 꼼꼼하게 정리된 이 자료들은 이완석의 해방 전 활발한 활동을 보여주며, 다른 한편으로는 한국 디자인사 연구에서 그동안 자료의 부족으로 접근하기 힘들었던, 식민지기 광고 디자인과 디자이너의 문제에 대한 새로운 이해를 가능하게 하는 귀중한 자료들이기도 하다.

이완석은 1915년 공주에서 태어났다.[1] 유족들의 전언과 미술사학자 이구열의 회고에 따르면 그는 1932년부터 1936년 사이에 도쿄에서 유학하며 태평양미술학교에서 공부했다. 이 시기에 이른바 '조고약 본포' 천일제약 "사장의 아들"과 친해진 것이 계기가 되어 귀국 후 천일제약의 "도안 담당으로 일자리를 얻고 있었다."고 전해진다.[2] 따라서 이완석이 소장했던 천일제약 관련 자료는 1936년 이후에 '도안 담당', 즉 디자이너로 근무하면서 제작하거나 수집한 것들로 추정된다.

천일제약은 식민지기의 대표적인 조선인 경영 제약회사 중 하나였다. 사사(社史)가 남아 있지 않아 회사의 정확한 연혁은 알 수 없지만, 신문·잡지의 기록을 종합하면, 조(趙)씨 가문에 전해지던 종기 치료제를 '조고약(趙膏藥)'으로 상품화하며 조근창(趙根昶, ?–1938)과 아들 조인섭(趙寅燮, 1891–1958)이 1913년 종로에 천일약방(天一藥房)을 설립했다.[3] 그리고 1937년에는 자본금 50만 원의 천일제약주식회사를 설립하고 제조매약부와 신약부를 신설하는 등 기업 구조를 확장한다. 이후 천일제약은 제조를, 천일약방은 판매를 담당하는 형태로 운영되었다. 대표 상품으로는 조고약 외에 소화제의 일종인 '천일영신환'이 있었으며, 비슷한 시기에 등장한 화평당(和平堂), 조선매약(朝鮮賣藥) 등의 제약회사들과 경쟁했다. 1920–1930년대『동아일보』같은 일간지에는 약 광고가 총 광고의 절반 가까이를 차지했는데, 이들 제약회사는

새로운 광고 디자인을 지속적으로 시도하며 광고의 양과 질 측면에서 조선인 광고계를 주도하는 역할을 했다.[4] 그러므로 경영진 일가와의 친분이 계기가 되었다고는 하나, 이완석이 1930년대 후반 천일제약에 근무한 것은 그가 당시 광고에 있어서 선도적인 회사에서 일했으며, 반대로 그곳에서 일할 만큼 디자이너로서의 능력을 인정받았음을 의미한다고도 할 수 있다. 그가 남긴 자료들을 통해 우리는 당대 조선 광고계의 첨단을 엿볼 수 있는 것이다.

『천일제약 상표집』은 110여 점의 천일제약 관련 상표 디자인과 그 등록·인허가 관련 사항이 수록된 스크랩북이다. 1912년부터 1945년까지 등록된 상표들이 대체로 연대순으로 정리되어 있는데, 스크랩북 자체가 언제 처음 만들어진 것인지, 이완석이 어떤 역할을 했는지는 분명하지 않다. 이완석이 회사의 자료를 전임자로부터 승계하여 작성했을 가능성이 크지만, 자신의 디자인 참고용으로 새로이 작성했을 가능성도 있다.

수록된 상표 사례 중 특히 주목할 만한 것은 첫 번째 상표이다.[도판 1] 이 상표는 꽃 모양 테두리 안에 한글 '됴' 가 배치된 형식인데, '됴'는 천일제약 경영진 가문의 성 '조(趙)'를 표기한 것이고, 꽃 모양은 매화를 형상화한 것으로 알려져 있다.[5] 아래에는 이 상표가 1913년 제60701호로 상표등록 되었으며, 1933년 상표권 존속 기한 갱신 등록이 이루어졌다고 적혀 있다. 한국에서 상표 제도는 일본의 상표법을 번역한 대한제국의 1908년『상표령(商標令)』으로 처음 시행되고, 이후 이것이 1910년 일본의 식민 지배와 함께 일본 『상표법(商標法)』으로 대체된다.[6] 물론 제도화 이전에 통용되던 여러 형태의 상표들이 있었지만, 천일제약(천일약방)이 처음 매약업 등록을 하던 1913년에 등록한 '됴' 상표는 제도화 초기의 상표이면서, 1930년대 시점에는 이미 20년 넘게 유통되었던 유명 상표로서의 의미가 있다.

한 가지 흥미로운 점은『천일제약 상표집』에 '조고약' 의 유사상표로 볼 수 있는 상표 70여 점이 수록되었다는 것이다. 예를 들어 '組膏藥', '粗膏藥' 등 발음은 '조고약'이지만 한자 표기는 다른 상표들이다. 이 상표들은 하단에 '거(拒)'

1   이완석의 이력에 대해서는 노유니아,「미술을 둘러싼 이완석의 족적: 여명기 디자이너 / 해방 후 한국미술의 후원자」,『공주시립미술관 건립을 위한 청전 이상범 작고 50주년 기념 학술대회: 근·현대기 공주 화단과 미술가』발표집(2022) 참조.

2   이구열,「한국의 근대 화랑사 7: 천일화랑과 이완석」,『미술춘추』, 1981년 3월, 37. 여기서 '사장의 아들'이 누구를 가리키는 것인지는 아직 명확하지 않다.

3   「반도의약계대관(半島醫藥界大觀)」,『삼천리』, 1938년 1월, 37;「연선 일업삼대 새해 탐방: 조고약」,『동아일보』, 1957년 1월 5일 자;「여명의 개척자들 (6): 조근창 인섭 부자」,『경향신문』, 1984년 4월 14일 자.

4   서범석·신인섭,『한국광고사』(파주: 나남, 2011), 104–105.

5   「마-크예찬: 천일약방」,『매일신보』, 1927년 1월 23일 자.

6   한국에서의 상표제도와 디자인에 대해서는 전용근,「한국 근대 상표 디자인의 변천과 문화적 특성」(석사 논문, 서울대학교, 2015) 참조.

도판 1. 천일제약 '됴' 상표,
1913년 9월 19일 상표등록 제60701호

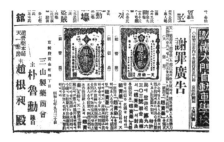

도판 2. 삼산제약상회의 사죄 광고,
『매일신보』, 1932년 9월 22일 자

도판 3. 천일제약 '천(天)' 상표,
1938년 3월 14일 상표등록 제299531호

도판 4. 천일제약 삼용강장수 신문 광고

표기가 있는데, 정확한 의미는 파악할 수 없지만 상표등록이 거부되었던 것으로 추정된다.[7] 1930년대에는 조고약의 상표권을 침해한 회사들이 소송에서 벌금형을 선고 받고[8] 사죄 광고[도판 2]를 낸 일이 있을 정도로 조고약의 유사 상품들이 많이 등장했는데, 천일제약은 스스로 유사상표 등록을 시도해 봄으로써 일찍부터 자사의 브랜드를 보호하고자 한 것으로 짐작할 수 있다.

　마지막으로『천일제약 상표집』에서 중요한 부분은 1938년 상표등록을 마친 '天' 상표로, '天'자를 마치 두 팔을 뻗고 있는 사람 같은 곡선적인 형태로 변형해 원 안에 배치한 디자인이다.[도판 3] 이 상표는 이후 기존의 한글 '됴' 상표와 병행하여 쓰이는데, 천일제약의 광고나 패키지 디자인에서 특정 제품보다는 회사 전체를 상징하는 상표로 활용된다. 1937년에는 천일제약주식회사가 설립되면서 기업 구조가 대대적으로 변경됐으므로, 이러한 구조적 변화에 맞추어 새로운 상표를 만들었을 가능성이 있다. 또한 1937년에서 1938년 사이는 이완석이 도쿄에서 돌아와 천일제약에 합류했을 것으로 추정되는 시기이며, 그는 '도안 담당'으로 일했으므로, 새로운 디자이너의 아이디어를 반영한 새로운 상표를 디자인했을 가능성도 있다.

『천일제약 광고집』은 신문·잡지 광고, 포스터, 사진, 메모 등 60여 점의 자료를 모아 놓은 스크랩북이다. 천일제약의 제품 중에서도 삼용강장수(蔘茸强壯水)와 관련된 자료들이 대다수를 이룬다. 수록된 광고 중 하나는 삼용강장수를 "신발매품"이자 인삼과 녹용으로 만든 강장제로 소개하는 신문 광고로, 제품의 특징과 계절에 맞는, 단풍 아래 두 마리의 사슴과 인삼의 일러스트레이션이 화면 좌우로 들어간 디자인이다.[도판 4] 이 스크랩 하단에는 "동아·조선·매신· 삼대신문"이라는 메모가 적혀 있는데, 실제로 동일한 디자인의 광고가 당시의 3대 조선어 일간지, 즉『조선일보』,『매일신보』, 『동아일보』의 1939년 11월 24일, 25일, 26일 자에 각각 실렸으며, 이때 처음으로 삼용강장수가 광고된 것으로 보인다.[도판 5] 이를 통해 이완석이 천일제약의 디자이너로서 신제품 삼용강장수의 광고를 담당했고, 제작·유통된 광고물들을 모아『천일제약 광고집』에 정리한 것으로 추정할 수 있다. 또한

7　　　노유니아,「미술을 둘러싼 이완석의 족적」, 61.

8　　　「상표권침해소」,『동아일보』, 1932년 1월 21일 자.

도판 5. 천일제약 삼용강장수 광고,
『조선일보』, 1939년 11월 24일 자

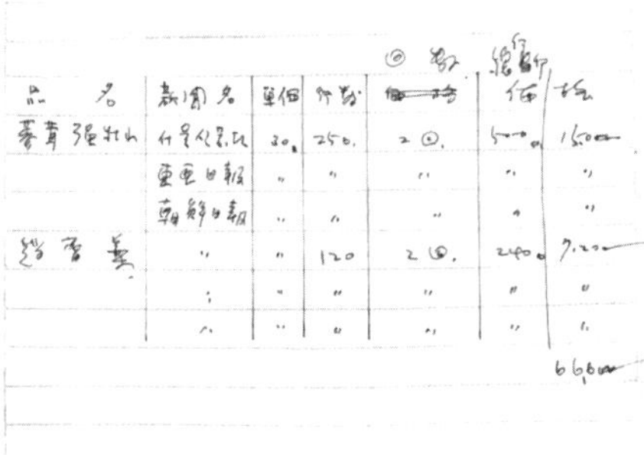

도판 6. 천일제약 광고 게재 목록 메모,
『천일제약 광고집』

도판 7. 이완석, 〈천일제약
삼용강장수 광고 시안 스케치〉

도판 8. 이완석, 〈천일제약
삼용강장수 광고 시안〉

도판 9. 천일제약 삼용강장수 신문 광고

뒷부분에 스크랩된 광고 게재 목록 메모에는 해방 후 발간 된
『서울신문』이 포함되어 있어[도판 6][9], 스크랩북은 1939년에서
해방 직후까지 만들어진 것으로 추정된다.

아카이브에 포함된 다른 두 장의 그림들은 이완석이
어떤 과정으로『천일제약 광고집』의 삼용강장수 광고들을
디자인했을지 엿볼 수 있게 한다. 첫 번째는 연필로 거칠게
스케치한 광고 레이아웃 초안이다.[도판 7] 화면 우측 하단에는
입에 무언가를 물고 앉아 있는 사슴이, 좌측 상단에는 몇 개의
도형이 그려져 있고, 우측 상단과 좌측 하단에는 각각 광고
카피와 제품 로고타입이 배치될 위치를 표시한 것으로 보인다.
또한 레이아웃 밖에 삼용강장수의 첫 글자 '蔘'의 레터링
디자인을 고민한 흔적들이 남아 있다. 이완석은 이 초안을
바탕으로, 보다 정교한 두 번째 레이아웃 시안을 디자인했을
것이다.[도판 8] 초안의 연필 선은 여기에서 검정과 회색의
채색으로 다듬어졌다. 이전의 전체적인 구성이 유지된 채,
좌측 상단의 도형은 은행잎, 사슴이 입에 문 것은 인삼이라는
것이 분명히 드러나며, 사슴은 평면적이고 단순화된 형태로
묘사되었다. 광고의 카피가 배치될 위치는 여전히 연필 선으로
표시되어 있지만, 좌측 하단의 '蔘茸強壯水' 레터링 로고타입은
획의 끝을 향해 부드럽게 가늘어지는, 붓글씨의 흔적이
느껴지는 특징적인 서체로 디자인되어 있다. 이러한 광고
디자인은 심플한 이미지와 카피, 뚜렷한 브랜딩, 충분한 여백을
갖춰 1930년대의 많은 광고주, 비평가, 디자이너들이 '모던'한
것으로 여겼던 디자인이다.

『천일제약 광고집』에는 위의 레이아웃을 바탕으로
제작한 실제 광고도 수록되어 있다.[도판 9] 광고의 배경은
정방형에 가깝게 변형되었지만, 전체적인 이미지와 텍스트의
배치는 위의 레이아웃과 대체로 유사하다. 은행잎의 개수나
사슴의 입에 물려 있던 인삼 유무 등 세부 사항에 차이가
있을 뿐 일러스트레이션의 형식은 거의 동일하고, 삼용강장수
레터링도 동일한 디자인이라고 볼 수 있다. 가장 큰 차이는 실제
광고의 가장자리를 장식하고 있는 뇌문(雷文) 테두리인데, 이
디자인은 삼용강장수의 다양한 광고 디자인에 적용되어 형식적
일관성, 나아가 브랜드 정체성을 부여했던 요소라고 할 수 있다.
뇌문 테두리는 레터링과 함께 다양한 일러스트레이션이나

9   조선총독부 기관지였던『매일신보』는 해방 후 미군정에 의해 1945년
     11월『서울신문』으로 제호를 바꾸었다. 김민환,『한국언론사』(파주:
     나남, 2005), 346.

도판 11. 이완석,
〈천일제약 삼용강장수 전차 광고〉

도판 10. 천일제약 삼용강장수
전단지 광고

도판 12. 천일제약 삼용강장수 오케이 레코드
새해 공연 프로그램 광고

도판 13. 천일제약 삼용강장수 '윈도우 선전'

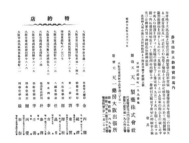

도판 14. 천일제약 오사카 출장소 팸플릿

사진과 결합되어 삼용강장수의 신문 광고뿐만 아니라 전단지 [도판 10], 전차 광고[도판 11], 공연 프로그램[도판 12], '윈도우 선전'[10] [도판 13] 등 다양한 형태의 광고에 활용되었다.

[도판 9]의 광고는 이완석의 광고 디자인 과정을 보여주는 것과 동시에, 천일제약의 해외 판매와 광고 활동을 반영하는 것이기도 하다. 이 광고 스크랩, 그리고 다음 쪽의 광고 스크랩 하단에는 "大朝大毎"라는 메모가 적혀 있는데, 이는 오사카 기반의 일본 일간지 『오사카 아사히 신문(大阪朝日新聞)』과 『오사카 마이니치 신문(大阪毎日新聞)』을 가리키는 것이다. 즉 이 광고들은 일본 발행 신문에 내보낼 목적으로 제작된 것이며, 그에 따라 광고 카피도 일본어로 작성되어 있다. 한편 『천일제약 광고집』에는 "오사카 출장소 팸플릿(大阪出張所にでバンブレード[11])"이라는 메모가 적힌 인쇄물도 스크랩되어 있다.[도판 14] 1940년 9월 20일 삼용강장수 신발매를 알리는 이 팸플릿은 오사카시 히가시나리구(東成區)에 천일제약의 출장소가 있었으며, 10개의 조선인 경영 약방을 '특약점'으로 하여 제품을 판매했음을 보여준다. 일본 이외에 중국 신문에 게재한 광고들도 스크랩되어 있는데, 중국인을 묘사한 일러스트레이션이나 중국어 레터링 등 디자인 요소들을 현지화하여 변형한 것을 확인할 수 있다.[도판 15] 광고 디자이너로서 이완석의 작업은 조선을 넘어 아시아를 향하고 있었다.

천일제약의 광고 활동 중 또 주목할 만한 것은 영화 '타이업(tie-up)' 광고이다. 영화감독·평론가 서광제(徐光霽, 1901-?)는 1934년 「조선영화와 타이업 문제」라는 신문 기사에서 타이업이란 "영화 가운데 광고를 집어 넣는 것과 혹은 완성된 영화를 상설관에 상영함에 당(當)하여 어떠한 화장품 회사나 식료품 회사 또는 큰 백화점 등에게 그 영화의 신문 광고를 전부 맡기는 것"이라고 설명했다.[12] 오늘날의 PPL (product placement) 및 이른바 '컬래버레이션(collaboration)' 정도로 볼 수 있는 이러한 협업은 1930년대 중반 당시 최신의 광고 기술이었다고 할 수 있다.

『천일제약 광고집』에는 영화〈대단한 금광

10   투명 필름 위에 컬러로 광고 디자인을 인쇄한 형태로, 가게나 교통수단의 유리창에 부착했을 것으로 보인다.

11   '大阪出張所 にてパンフレット'의 오기로 생각된다.

12   서광제, 「조선영화와 타이업 문제 (4)」, 『조선일보』, 1935년 5월 27일 자.

도판 15. 천일제약 삼용강장수 신문 광고

도판 16. 천일제약 삼용강장수 〈대단한 금광〉
타이업 광고 촬영 현장 사진

도판 17. 천일제약 삼용강장수 〈대단한 금광〉
타이업 신문 광고

도판 18. 천일제약 삼용강장수 〈수업료〉
타이업 신문 광고

〈素晴らしき金鑛〉 촬영 현장 사진 두 점, 그리고 타이업 신문 광고 한 점이 수록되어 있다.[도판 16, 17] 〈대단한 금광〉은 1941년 일본 영화사 도호(東宝)에서 만든 장편 흑백영화로, 희극배우 야나기야 긴고로(柳家金語樓, 1901–1972)가 주인공 '김씨(金さん)' 역을 맡았다.[13] 현장 사진을 스크랩한 지면에는 영화 제목을 레터링으로 표현한 디자인, "조선에 모습을 나타낸 야나기야 긴고로"라는 카피, "도호 영화사와 천일과의 타이업, 긴고로 천일 약품을 가지고 매약행상업이 되다, 1941. 6. 1. 수원 로케이션에서"라는 메모 등 타이업 광고와 관련된 여러 기록들이 남아 있다. 또한 첫 번째 사진에는 약장수 차림을 한 야나기야가 삼용강장수 상자를 앞에 두고 있는 모습이, 두 번째 사진에는 그 장면을 촬영하는 배우들과 스태프들의 모습이 담겨 있다. 이 장면은 실제 영화에 실린 것을 확인할 수 있는데, 조선과 일본 및 동아시아의 관객들에게 천일제약과 삼용강장수를 알리는 역할을 했을 것이다.

1941년 7월 20일 『매일신보』[14]에 실린 〈대단한 금광〉 광고에는 제목의 레터링 디자인, 첫 번째 사진 속의 야나기야, "조선에 모습을 나타낸 야나기야 긴고로" 카피와 함께 삼용강장수 레터링, 천일제약 '天' 상표가 배치되어 있다.[도판 17] 이러한 구성은 스크랩북을 정리한 인물, 즉 이완석이 이 광고를 디자인했음을 시사한다. 『천일제약 광고집』에는 1940년 고려영화제작소의 영화 〈수업료〉와 삼용강장수의 타이업 광고들도 스크랩되어 있어[도판 18] 천일제약과 이완석이 영화 타이업 광고의 노하우를 쌓아 가고 있었으며, 이를 바탕으로 일본의 대형 영화사 도호와의 협업을 이끌어냈을 것이라고 추측할 수 있다.

『천일제약 광고집』에 수록된 두 점의 〈미의 제전 (美の祭典)〉 포스터 역시 타이업 광고였다.[도판 19] 〈미의 제전〉은 1936년 베를린 올림픽을 소재로 한 리니 리펜슈탈(Leni Riefenstahl, 1925–2002)의 다큐멘터리 영화 〈올림피아(Olympia)〉시리즈의 2부로, 조선에서는 1941년 1월 메이지좌 극장에서 개봉했다.[15] 올림픽 스포츠의 아름다움을 연출한 이 영화를 두 포스터는 "멋진 청춘과 건강과 찬가"

13   일본영화 데이터베이스(http://www.jmdb.ne.jp/1941/bq001630.htm),
      2022년 9월 23일 접속.

14   스크랩북에는 '7월 19일'로 표기되어 있으나 실제로는 7월 20일 자에 게재.

15   「スポーツ美, "美の祭典"封切廿日より明治座へ」, 『朝鮮新聞』, 1941년
      1월 19일 자.

도판 19. 이완석, 천일제약 삼용강장수
『미의 제전』 타이업 포스터 광고

도판 20. 천일제약 조고약 봉투

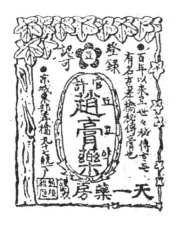

도판 21. 신문광고에 실린 1910년대 천일제약
조고약 봉투 디자인,
『매일신보』, 1913년 12월 19일 자

라고 소개하고 있다.[16] 하단에는 상용강장수의 레터링을
배치함으로써, 강장제로서 삼용강장수의 효능을 '멋진 청춘과
건강'과 연결시키려고 의도했다고 해석할 수 있다.

천일제약은 광고 디자인뿐만 아니라 제품 포장, 즉 패키징
디자인에 있어서도 선도적인 역할을 한 회사였다. 『천일제약
포장 스크랩북』에는 상자, 봉투, 라벨, 스티커, 설명서 등 제품
포장과 관련된 자료 90여 점이 수록되어 있다. 신문 광고와 달리
제품 포장은 연대를 특정하기가 어렵지만, 스크랩북의 자료들은
대부분 제조원 천일제약주식회사와 발매원 천일약방 둘 다
표기되어 있어 천일제약이 설립된 1937년 이후에 만들어지거나
사용된 것들로 볼 수 있다. 이는 또한 이완석의 근무 시기와도
대체로 일치하므로, 적어도 일부는 이완석이 디자인했을
가능성이 높다.

『천일제약 포장 스크랩북』은 이 시기에 천일제약에서
판매하던 다양한 제품의 포장이 수록되어 있다. 오랜 기간 대표
상품이었던 '조고약', '천일영신환'뿐만 아니라 '아리진(Allysin)',
'에이지정(A–G Tablets)', '세키신(Sekisin)' 등 천일제약 설립
이후의 신약 제품이 다수 등장한다. 수록된 천일제약 포장
디자인에서는 '전통과 첨단의 이원화'라고 할 만한 경향이
관찰된다. 회사의 전통적인 대표 상품은 기존의 포장을
유지하고, 새롭게 출시된 상품은 새로움을 강조할 수 있는
형식의 포장 디자인을 적용한 것이다. 예를 들어 조고약의
경우 ('천일제약주식회사'가 표기된) 1930년대 후반의 봉투가
스크랩되어 있는데[도판 20], 이 디자인은 처음 조고약을
판매했던 1913년, 혹은 그 이후의 봉투 디자인과 거의 동일하다.
[도판 21] 반면 1938년부터 신문 광고에 등장하기 시작하는
신제품 아리진의 상자 디자인은 당시의 '모던' 디자인을
반영한다. 제품 로고는 로마자 'Allysin'을 비교적 장식이 없고
직선적인 산세리프(sans–serif) 서체로 표현했으며,[17] 상자는 짙은
갈색(혹은 검정)과 노랑, 직선과 원으로 구성된, 마치 러시아
구성주의 그래픽 디자인을 연상시키는 기하학적 디자인을
사용했다.[도판 22]

한편, 한자를 중심으로 한글, 일본어 가나, 로마자를

16   한편 많은 연구자들이 〈올림피아〉가 나치의 민족주의와 파시스트
      미학에 대한 선전이었음을 지적했다. 예를 들어, Michael Mackenzie,
      "From Athens to Berlin: The 1936 Olympics and Leni Riefenstahl's
      Olympia," *Critical Inquiry* 29, no. 2 (2003) 참조.

17   일문 로고 역시 'アリヂン' 가타카나를 고딕체로 표현했다.

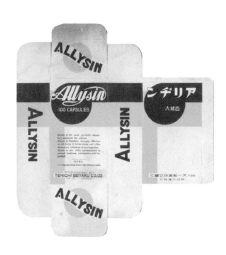

도판 22. 천일제약 아리진 포장 상자

섞어 다양한 제품 포장에 적용한 디자인들은 이 시기 천일제약의 보다 글로벌한 유통과 홍보 활동을 짐작하게 한다. 상표 역시 '됴' 상표와 '天' 상표가 혼용되는 양상을 보이는데, 개별 제품의 특성과 대상 시장에 따라 보다 효과적인 디자인을 모색한 결과로 보인다.

과거의 인쇄 광고는 신문이나 잡지와 함께 전해져 당시에 어떤 상품들이 생산되고 판매되었는지 현재의 우리에게 알려준다. 그러나 지면 위의 광고 그 자체를 누가, 어떻게 제작했는지는 알려주지 않는다. 그런 면에서 이완석이 수집하고 보관한 천일제약 관련 자료는 식민지기 광고 디자인에 있어서 제작의 측면을 이해하는 중요한 단서가 된다. 물론 이 자료들은 이완석 디자인의 일부, 천일제약 광고의 일부일 뿐이며, 나아가 당시 조선에서 볼 수 있었던 광고의 극히 일부분에 지나지 않는다. 이 자료들만으로 당시 조선의 광고계를 온전히 파악할 수는 없는 것이다. 그럼에도 불구하고 이완석이 정성스럽게 모아 놓은 스케치, 메모, 신문·잡지 광고, 포스터, 팸플릿들은, 더 효과적인 광고, 더 좋은 디자인을 만들고자 했던 디자이너의 존재를 생생하게 증언한다. 또한 1930년대 후반 광고 디자인의 첨단에 있던 이들이 창조했던 디자인이, 이후 한국 디자인의 역사에서 어떻게 변화하고 계승되었는지 질문하게 한다.

한국적 정서와 회화적 표현으로 한 시대를 그려낸 한홍택

박암종
미술학 박사, 디자인코리아뮤지엄 관장

박암종은 홍익대학교 미술대학 학사, 석사 과정을
수료하고, 동 대학에서 「한국 근대디자인의 시대별
디자인 특징에 관한 고찰」 논문으로 미술학 박사
학위를 받았다. 제9대 (사)한국시각정보디자인협회
회장을 역임하였고, 1991년부터 동서울대학교와
선문대학교 시각디자인과에서 32년간 재직하였다.
1990년대 초부터 근현대 디자인 유물을 수집하기
시작하여 이를 토대로 수많은 논문과 연구
결과를 발표했다. 수집한 자료를 기반으로
2008년 신촌 와우공원에 근현대디자인박물관을
설립, 2019년 분당 코리아디자인센터로 박물관을
이전해 현재 디자인코리아뮤지엄 관장으로 재임하고
있다. 제6대 (사)서울특별시박물관협의회 회장,
제4대 선문대학교박물관장을 역임하였고 현재 10대
(사)한국사립박물관협회 회장, 11대 (사)한국박물관협회
부회장을 맡고 있다.

들어가며

한홍택은 이미 여러 연구자에 의해 다양하게 평가되고
기록되어 있다. 또한 1세대 디자이너인가 아닌가? 또는
디자이너인가 아니면 화가인가? 이러한 양단의 평가와 논의가
계속 있어 왔다. 그의 사후 28년이 흐른 지금 이러한 논의는
이제 끝이 났다. 이미 그를 포함한 일제 강점기 일본에 유학한
초기 디자이너들의 작품과 활동 사항에 대한 내용들이 계속
밝혀지며 한국 근·현대디자인 역사가 되었다.

툴르주 로트렉, 쥘 셰레, 알폰스 무하. 이 작가들은 미술
분야에서는 화가들이지만 시각디자인 분야에서는 엄연히
일러스트레이터이자 포스터 작가들이다. 또 레오나르도
다빈치와 미켈란젤로는 뭐라 불리는가? 조각가, 화가, 건축가,
기술자, 해부학자, 발명가 등등 필요한 대로 부른다. 그래도
아무 문제가 없다. 김환기(金煥基) 화백이 그린 드로잉들이
수많은 잡지 표지와 내부 삽화를 장식했다고 장정가라거나
삽화가라고 단정하지 않는다. 이러한 다양한 행위와 남겨진
작품들은 나름대로 매우 소중한 시대적 가치를 더해 가고
있다. 국립현대미술관에서는 표지화와 삽화도 이미 미술창작
작업 중 한 분야로 인정해 본격적으로 관련 잡지를 수집하기
시작했다. 한 작가의 일생을 조망하는 전시의 경우 작품과 그
작품이 활용된 책이나 포스터, 광고 등 관련된 아카이브가 함께
구성되었을 때 더욱 풍성해진다.

실제 남겨진 많은 자료들과 역사적 흐름을 통찰하지
않으면 한홍택에 대한 세대 논의나 가치 평가는 무의미하다.
필자가 많은 자료들을 직접 보고 디자인 역사를 오랜 기간
연구한 관점에서 구태여 세대를 논한다면, 한홍택은 디자인
1세대가 분명 맞다. 세대 논의는 어차피 시간 개념이 내포되어
있으므로 이는 명백하게 결론에 도달할 수 있다. 한홍택
이전과 이후에도 여러 작가들이 대학에서 디자인을 전공하고
디자이너로서 다양한 창작 활동을 해왔음에 주목해야
한다. 임숙재, 이순석, 이병현, 한홍택, 유강열 등이 광복 전
'도안과(圖案科)' 전공자들이다.

시각디자이너인가 아니면 화가인가의 구분도 지금으로
보면 사실 의미가 없다. 현재 화가나 디자이너들의 활동 영역이
너무나 넓어졌고 서로의 경계를 넘나드는 일도 흔하다. 남긴
작품 자체가 더 중요하다고 할 수 있다. 이 글에서는 한홍택이
60년간 활동하며 남긴 그래픽 디자인과 회화 작품을 통해
그의 창작과 조형성, 더 나아가 이 시대를 향해 던져 주고 있는
영향력과 가치가 무엇인가에 대해 살펴보고자 한다.

실학파의 영향을 받은 외가

한홍택은 부친 한갑현(韓甲鉉)과 모친 박인서(朴仁緖) 사이의
3남 2녀 중 2남으로 서울에서 태어났다. 모친 박인서는
철종의 부마(駙馬)인 박영효(朴泳孝)의 따님이다. 한홍택에게
외할아버지가 되는 박영효는 잘 알다시피 우리나라 최초의 신문
발행과 인쇄 역사의 선구자이다. 한홍택의 진로에 이런 집안의
배경이 전혀 무관하게 작용하지는 않았으리라. 외할아버지
박영효는 큰형을 따라 박지원의 손자인 박규수(朴珪壽)
사랑방에 출입하면서 이용후생(利用厚生)을 주창한 북학파의
영향을 받았고 개화파인 김옥균(金玉均), 서광범(徐光範)
등과도 친교를 맺었다. 1882년 임오군란의 사후 수습을 위해
특명전권대신 겸 제3차 수신사로 임명되어 일본으로 건너가 약
3개월간 체류하였다. 9월 일본으로 건너갈 때 국적선(國籍船)에
필요한 국기를 달기 위해 박영효는 1882년(고종 19년) 5월
조미수호통상조약 때 역관 이응준(李應浚)이 최초로 제작한
태극기 문양을 기초로 하여 배 위에서 태극사괘의 위치를 바꿔
태극기를 제작하였다

일본에 머무르는 동안 일본 정계의 지도자 후쿠자와
유키치(福澤諭吉)를 비롯해 구미 외교 사절들과 접촉하며
문명개화론에 눈을 떴으며 귀국해서 한성부판윤에 임명되었다.
한성부판윤으로 재임할 때 신문 발간과 신식 경찰 제도의
도입, 도로 정비 사업 등 일련의 문명개화 시책을 폈다. 이후
한성부판윤으로 재임하며 추진했던 신문 창간은 1883년
8월 박문국 설치와 10월 한성순보 창간으로 결실을 보았다.
1919년에는 태극성과 같은 브랜드디자인과 광고 디자인에서
탁월함을 발휘한 경성방직주식회사 발기인 및 초대 사장에
취임하였고, 1923년 3월에는 당시 국내에서 가장 크고 최고의
인쇄 시설을 자랑하는 조선서적인쇄주식회사의 발기인 겸 초대
사장에 취임하였다. 한홍택 외할아버지 박영효의 활동 내력을
보면 그가 실업학교에 입학하고 미술이 아닌 도안을 전공으로
선택한 배경과 전혀 무관해 보이지 않는다.

한홍택이 졸업한 협성실업학교

박영효가 살던 집(現 경인미술관 자리)과 바로 붙어 있던,
한홍택이 수학한 협성실업학교는 여러 번에 걸쳐 변화되었다.
1905년 설립된 서우사범학교와 1907년 설립된 한북의숙. 이 두
학교를 통합해 1908년 서북협성학교가 설립되었고, 국권피탈
후 이 서북학회를 해체하고 오성학교로 개명, 1927년 실업학교

및 직업학교 규정에 의거 협성실업학교로 개편되었다. 개편되고
7년 후인 1934년도에 한홍택은 협성실업학교를 졸업한다.[1]
1929년 창간된 『협실 창간호(協實創刊號)』(협성실업학교학생회
발행)에는 한홍택 선생이 받았을 것으로 보이는 당시의
실용적이고 상업적인 교육 내용에 대해 다음과 같이 간략하게
기록하고 있다.

> 소화(昭和) 2년(1927) 7월 김려식(金麗植)이 교장이
> 되어서는 실업교육의 필요를 감(感)하고 재래의
> 설립자 이외에 방태영(方台榮)을 가(加)하여 교명을
> 협성실업학교라 개칭하고 '실업학교 및 직업학교 규칙'
> 에 의하여 상과(商科), 가구과(家具科), 단공과(鍛工科),
> 판금과(板金科)의 4과를 치(置)하고, 상과는 소화 2년
> 9월에, 가구과는 소화 3년(1928) 4월에 각기 시업식을
> 거행, 오늘에 이르다.[2]

한홍택이 제작한 가장 오래전 작품은, 디자인코리아뮤지엄이
소장하고 있는 1934년 제작한 금융조합기념일 포스터(기념일
5월 30일) 작품이다.[도판 1] 고등학교를 졸업하기도 전에
포스터 작품을 그렸다는 점과 이 포스터에 등장하는 그림
스타일이 그 후에 나타난 것들과 많은 차이점을 보이고 있어
당시 배경이 궁금하지 않을 수 없다. 한홍택이 유학 시 전공을
도안으로 결정하는 데 영향을 끼쳤을 것으로 예상되는
박영효가 마침 1933년 8월에 조선금융조합연합회 고문으로
위촉되었다. 1934년 한홍택이 조선금융조합연합회 포스터를
제작할 당시 이 연합회의 고문이 바로 박영효였다. 한홍택이
고등학교 재학 시절 금융조합기념일 포스터를 제작한 이유가
바로 여기에 있는 것이 아닐까 하는 생각이 든다. 1934년
당시 한홍택이 제작한 포스터의 인물 묘사력과 표현된 선은
유학 후에 제작된 작품들과는 비교할 수 없을 정도로 차이가
난다. 세부적인 묘사력은 현저히 떨어지고 인체를 덩어리로만
표현하였다. 한홍택의 이런 인체 묘사 능력은 남겨진 자료를
통해 일본 유학 후에는 몰라보게 달라졌음을 확인할 수 있다.

도판 1. 〈금융조합은 동네의 금고〉, 1934

유학 시 훈련된 회화적 형태감과 표현력

한홍택은 1934년 재학 시 금융조합기념일 포스터를
디자인하고 그해 협성실업학교를 졸업한 후 곧바로 일본으로
건너가려 했으나 집안의 반대로 실행에 옮기지 못했다.
그러나 1년 후 집안의 허락을 받고 일본으로 건너가 1935년
도쿄도안전문학원에 입학한 후 1937년 졸업하였다. 다음
해인 1938년에는 김옥배(金玉培)와 결혼을 하였으며 1939년
제국미술학교(現 무사시노미술대학) 회화연구과에서 1년간
수학하고 돌아왔다. 현재 그의 도쿄도안전문학원 졸업 작품
[도판 2]과 제국미술학교 재학 당시 수업을 받으며 작업한
소묘 작품들이 남아있다. 도안과를 졸업하고 회화연구과에
수학하면서 회화적 형태 감각을 늘리는 가장 좋은 방법인 데생
작업에 집중했음을 엿볼 수 있다.

1930년대 말부터 1940년대에 유채로 그린 회화 작품들,
누드를 한 여인상[도판 3], 드럼과 소녀, 한홍택 부인 초상화,
한홍택 본인의 자화상, 줄무늬 원피스를 입은 여인을 비롯해
연필과 펜화 위에 수채화로 그린 의자에 앉은 어린이[도판 4]와
바느질하는 여인[도판 5]의 작품들을 보면 인물들의 형태감과
비례감이 완벽하다. 제국미술학교 회화연구과에서 수학한
효과가 그 후 그려진 작품들에서 그대로 나타나고 있음을 알
수 있다. 이런 노력 끝에 향상된 묘사력을 바탕으로 한홍택은
재학 중 일본 기업체의 광고 작품 모집에 종종 응모하여 용돈을
마련할 정도로 재능을 보였다. 한홍택은 당시를 이렇게 회상하고
있다.

"그때 우연하게 신문을 보았지. 한 면 가득히 광고 작품을

---

1   이 학교는 1951년 학제 변경에 따라 광신중학교와 광신상업고등학교로
      개편된다. 당시 학교 위치는 인사동 현 건국빌딩 건국주차장 자리였다.
2   『협실 창간호』, 1929년 7월 12일.

156

도판 2. 〈언덕〉, 1938

도판 3. 〈누드〉, 1938

도판 4. 〈소년〉, 1942

도판 5. 〈부인 초상〉, 1941

모집한다는 것이 실려 있더군. 나도 할 수 있겠다 싶어 응모해 상금을 받곤 했어. 그 덕에 집에서 부쳐주는 빠듯한 돈이었지만 별로 궁색치 않게 지냈지."[3]

한홍택이 일본 유학 시 접한 서구 모더니즘의 영향력은 그의 작품에서 독특한 형태와 색채로 나타나기 시작했다. 도쿄도안전문학원 졸업 작품에서 볼 수 있듯이 흰 한복 저고리와 줄무늬 치마에 앞치마를 들치며 춤을 추는 아낙과 패랭이를 쓰고 기타를 치는, 파란색의 개량한복 같은 옷을 입은 남자가 서구인의 인체 비율로 그려져 있다. 얼굴이나 손 등 인체 전체에서 모딜리아니의 작품을 보는 듯하다. 왼쪽 장승이 서 있는 뒤로 배경이 펼쳐지는데 아무것도 그려지지 않은 노란색 색종이 같은 배경에 나무 몇 그루만 황량하게 등장하고 있다.

이러한 서구적 스타일과 한국적 소재의 결합 방식에 사실적 표현 방법을 사용한 작품들은, 광복 후 개최된 각종 전시회에 출품된 광고 포스터와 유한양행의 광고 포스터들에서 지속해서 나타난다. 그의 작품의 특징이 되다시피 한 이러한 회화적 그래픽 기법은 새로운 시각 언어로 일반 대중에게 색다른 느낌을 주기에 충분했다. 뿐만 아니라 우리나라의 초기 디자인의 교육에 자연스럽게 도입되었으며 그가 앞장서 창립한 조선산업미술가협회의 여러 디자이너들의 작품에도 영향을 주었다.

광복 후 최초의 디자인 단체 조선산업미술가협회 창립

그는 당시 순수미술에 가려 외면당했던 디자인의 중요성을 남다르게 인식하였고 귀국하자마자 실무디자인 분야에서 디자인 경력을 시작하였다. 바로 1940년 초창기 한국 광고사에 주요한 기업으로 기록되고 있는 유한양행에 아트디렉터로 입사한 것이다. 주지하다시피 유한양행은 일찍이 미국에 유학한 창립자 유일한(柳一韓)의 영향으로 광고의 중요성을 깨닫고 광고 제작에 많은 힘을 기울이고 있던 국내 굴지의 중견 회사였다. 그는 전공한 디자인 능력을 발휘하며 이 회사에서 14년간 재직하는 동안 많은 광고 작품을 제작하였다. 한편 광복이 되자 한홍택은 디자인계의 발전과 디자인에 대한 인식을 일신시키기 위한 방법으로 지인들과 함께 협회

3   『시각디자인』, 1987년 3월.

결성을 계획하였다. 1945년에 '대한산업미술가협회'의 전신인 '조선산업미술가협회'의 창립 멤버가 되어 주도적으로 앞장서 협회를 결성하였다. 이완석, 조병덕, 엄도만, 조능식 등의 창립회원들과 함께 1946년 5월 창립전에 이어 12월 동화백화점 화랑에서 연달아 2회전을 열어 미술계의 지대한 관심을 끌었다.

> "그 당시 그림 그리는 사람이 서울에 몇 분
> 안 계셨습니다. 기억나는 대로 꼽으라면
> 조능식(경성일보 기자), 이완석(천일백화점 사장),
> 한홍택(도안가), 유윤상(경성일보 출판국 도안
> 담당), 권영휴(장치미술가), 김정환(무대미술의
> 창시자), 조병덕(순수미술가, 도안가, 이화여대
> 서양화과 교수), 엄도만(도안가, 국제보도연맹이사),
> 최정한(도안가), 홍남극(장치미술가), 이병현(서양화가),
> 김창근(장치미술가) 등이 있었어요."[4]

이 산업미술가협회는 그 후 수많은 협회전과 공모전, 해외교류전을 개최하였고 현재에도 이어지고 있어 결국 현존하고 있는 우리나라에서 가장 오래된 단체가 되었다. 한홍택은 30년간 이 협회의 회장과 대표이사를 역임하며 많은 일들을 성취해 내었다. 회갑을 맞은 1976년에는 모든 직책을 내려놓고 후배에게 자리를 물려주고 유화 작업에 몰두 하였다.

그가 본격적으로 디자인 전시 활동을 벌여 나간 것은 《한홍택 산미 개인전》을 개최한 1952년부터였다. 디자인에 대한 사회적인 이해가 거의 없었고 디자인이 도안이나 산업미술, 상업미술 등으로 통용되던 때에 '디자인전'이란 이름을 내건 것 자체가 획기적이었을 뿐 아니라 디자인 작품을 가지고 개인전을 연다는 것은 너무나 생소하고 특별한 일이었다. 우리나라에 디자인과 관련된 '도안'이라는 이름을 붙인 개인전을 연 사람은, 1931년 《공예도안전》을 연 이순석이 최초이지만 '모던 데자인', '그라픽 디자인', '그라픽 아트', '시각언어' 등의 새로운 이름을 붙여 개인전을 연 것은 한홍택이 처음이었다. 1952년 《한홍택 산미 개인전》, 1958년 《제2회 한홍택 모던 데자인전》, 1961년 《제3회 한홍택 그라픽 디자인전》, 1962년 《제4회 한홍택 그라픽 디자인전》, 1964년 《제5회 한홍택 그라픽 아트전》, 1966년 《제6회 한홍택 그라픽 아트전》, 1969년 《제7회 한홍택

시각언어전》, 1974년 《제8회 한홍택 작품전》 등 그는 매번 이름을 바꾸어가며 개인전을 열었다. 제1회 개인전을 필두로 8회에 걸쳐 계속된 이 같은 개인전 활동을 통해 당시 디자인의 인식이 불모지와 같았던 사회에 디자인의 역할과 가치가 뿌리 내리도록 힘썼다.[5]

한홍택 디자인 작품의 분류와 분석

한홍택 그래픽 디자인의 특징은 초기 유한양행에서 작업한 광고 작품에서 볼 수 있는 바와 같이 회화적 일러스트레이션과 간결한 형태, 중복 구성, 평면성, 비대칭 구성 같은 모더니즘 그래픽 기법이 동시에 강하게 나타난다. 대부분 묘사력이 뛰어난 데생을 기반으로 한 회화적인 작품은, 일반적으로 나타나는 그래픽의 규격화된 성격과 한정된 제약성을 벗어나 새로운 조형적 시각미가 발현되어 있다. 이러한 회화성은 그가 디자인과 회화를 전공한 데에서 비롯되기도 하였지만 당시 우리나라 그래픽 디자인 초기 경향을 대변해 주는 것이기도 하였다. 디자인 활동에 직접적으로 수반되는 사진술, 제판술 등이 병행하여 발전하지 못하였기 때문에 디자이너들은 그리기(illustration)를 중심으로 하여 포스터나 포장, 광고, 책 표지, 레코드 재킷, 달력 등을 제작할 수밖에 없었던 제작환경에서도 그 원인을 찾을 수 있다.

한홍택의 60년간의 작품을 집대성해 놓은, 1988년 발간된 『한홍택작품집』을 살펴보면 크게 그래픽 디자인과 회화 부분으로 나눠 작품을 정리해 놓았다. 게재된 작품들을 정확히 살펴보면 그래픽 디자인은 187점이고 회화 작품은 111점이 수록되어 있다. 협성실업학교를 졸업하고 작고하기까지 본격적으로 작품을 그리고 남겼으니 60년간에 걸쳐 활동하며 남긴 작품의 수이다. 연대별로 세분화해 살펴보면 1930년대에는 그래픽 작품이 3점, 회화 작품이 13점, 1940년대에는 그래픽 작품 17점, 회화 작품 9점, 1950년대에는 그래픽 작품 34점, 회화 작품 5점, 1960년대에는 그래픽 작품 72점, 회화 작품 2점, 1970년대에는 그래픽 작품 59점, 회화 작품 29점, 1980년대에는 그래픽 작품 2점, 회화 작품 53점이 수록되어 있다. 60년간 작업한 한홍택의 작품이 빠짐없이 게재된 것은 아니지만

---

4   대한산업미술가협회, 「산미협회 50년사 발간을 위한 좌담회」,
     『산미오십년』(서울: 대한산업미술가협회, 1998).

5   제8회 개인전 이후 1976년 《제9회 한홍택 유화전: 산, 구름, 마을》과
     1980년 《제10회 한홍택 작품전》은 회화 작품 위주로 전시.

그가 남긴 주요한 작품들은 전부 망라되어 있다고 볼 수 있다.
1950년부터 1970년대까지는 그래픽 디자인 작품들을 많이
제작하였고 그 이후 1980년대부터는 풍경화와 여행스케치를
포함한 회화 작품 활동으로 돌아섰음을 알 수 있다.

세련되고 이국적인 여성 인물화

한홍택이 제작한 가장 많은 디자인 작품은 바로 포스터이다.
그가 가진 회화적 표현 능력을 화면에 가장 잘 구현할 수
있는 것이 바로 포스터이기 때문이었을 것이다. 일제 강점기
일본에서 홍보의 도구로 가장 많이 사용한 것 또한 바로
포스터이다. 일본에서 유학한 디자이너들이라면 당연히 가장
중요한 표현 매체로 생각하였을 것이다. 한홍택이 1950년대부터
1970년대까지 제작한 포스터 중에서 특히 눈에 띄는 것이 바로
서구적인 도시형 여성을 등장시킨 포스터이다. 1939년에 제작한
한복 입은 여성이 등장한 표지디자인으로부터 1940년대에
제작한 소화불량에 효과가 있다는 이드렌 포스터, 진선미
조미료 포스터(1948년), 닭표뿌란듸의 주류(酒類) 포스터
[도판 6], 1959년의 머리 물들이는 염색약 세루하겐 포스터
[도판 7], 1960년대의 하모니정 포스터, 린디올 2.5 피임약
포스터와 달력 그리고 각종 잡지 표지용으로 제작한 것들
대부분 세련된 여성이 주인공이 되어 홀로 등장한다.

　　이러한 포스터들 모두 회화작가들이 그린 초상화
같은 느낌이 들 정도로 사실적이며 얼굴을 뽀얀 우윳빛 또는
복숭앗빛으로 채색하여 통통하게 표현하였다. 전형적인 한국
여성의 모습이 아니라 서양 여성의 모습이 언뜻 중첩되어
나타나는 것이 특징이다. 모두가 동경할 만한 세련된 여성
스타일의 표현방식은 한마디로 한홍택 포스터의 특징이
되었다. 도쿄도안전문학원 졸업작품전에 등장하는 인물을
모딜리아니가 그린 인물 스타일로 표현하였듯이 이후 제작한
포스터 작품에서도 외국인 느낌의 세련된 여성 인물 표현
방법이 다시 나타나고 있다. 1940–1950년대는 더욱 그런
스타일의 작품이 많으나 1960년대에 제작한 표지 등에서는
서구적 이미지가 조금 변모하여 한국 도시 여성으로서의
세련된 스타일로 변화되어 나타난다. 이같이 느끼게 하는
요소는 당시 유행하는 헤어스타일과 의상디자인, 의상의
문양과 액세서리 등을 다르게 표현한 결과이며 이를 통해
세련미를 더하고 있다.[도판 8]
　　일단 한홍택의 회화적 표현 방법이 탁월함으로

도판 6. 〈닭표뿌란듸 위스키 광고를 위한 디자인〉, 1948

도판 7. 〈세루하_겐 염색약 광고를 위한 디자인〉, 1959

도판 8. 〈1958년 12월호 여성지 표지 디자인〉, 1958

가장 손쉽고 편하게 자기만의 서구적 여성 스타일의 포스터를
작업하였으며 이를 그대로 자기 스타일화 하고 결국 끝까지
고집스럽게 버리지 않았다. 어차피 당시 모든 것들이 낙후된
한국이, 앞서가는 선진국인 서구문화를 따라간다고 봤을 때
제품을 대량 소비하는 장소와 세대가 주로 도시에 살고 있는
여성이라고 생각했을 것이다. 그러므로 포스터 속 등장인물은
소박한 일반적 한국 여성보다는 도시 이미지의 세련된 여성을
등장시켜 제품을 판매하는 것이 중요하다고 본 것이다. 한홍택의
여성 인물 포스터는 여성의 자세와 손동작 등의 포즈, 그리고
머리 커트와 장식 등의 헤어스타일, 의상디자인과 섬유의 패턴,
걸치거나 부착한 액세서리 스타일 등 다양한 요소들이 종합되어
개성 있는 그만의 스타일을 창작해 내고 있다.

모던디자인전, 관광포스터와 '미술수출(美術輸出)' 휘호

한홍택이 1958년 개최한 《제2회 한홍택 모던 데자인전》은
6.25 전쟁으로 인한 피해 후유증을 떨치고 국가 재건에 온 국민이
팔을 걷어붙이던 시절로 정부가 수출에 총력을 기울일 때이다.
이 개인전을 통해 그가 선보인 작품들은 수출을 염두에 둔 생활
밀착형 실용디자인들이었다. 즉 핸드백 디자인 세 점[도판 9],
우산 디자인 다섯 점[도판 10], 찻잔과 접시 디자인 일곱 점
[도판 11]을 선보였다. 우산 디자인은 손잡이 디자인 부분만을
입체적으로 표현하였으며 핸드백과 그릇의 형태를 새롭게
디자인하고 그 겉 표면에는 기하 추상형 디자인을 어울리게
적용하였다. 산미협회를 함께 발기하고 창립한 조능식은 이
모던디자인에 대해 전시된 작품에서 착실함과 안정감을 느낄 수
있으며 대범하면서도 세밀함이 돋보이며 색감이 청신하다고 평한
바 있다.

> "한홍택 씨의 전시회장에 발을 들여놓고 무엇보다 먼저
> 느껴진 것은 무한한 열정에서 우러난 향기와 진실한 제작
> 태도의 불길이었다. 예술작품은 어디까지나 그 작가가
> 문제 된다는 말이 언뜻 머리를 스쳐 갔다. 한홍택 씨의
> 디자인에 크게 플러스 되고 있는 점은 노력과 아울러 열정
> 그리고 기교의 섬세함에 있다고 보겠다. 구성의 묘보다도
> 착실함이 앞섰고, 기교의 묘보다는 안정감이 뚜렷하였다.
> … 그리고 한홍택 씨의 대범하면서도 아주 세밀해서
> 자칫하면 빠지기 쉬운 무기력한 화면을 멋지게 조화시키고
> 있었다. 색감에 있어서도 청신하면서 어딘가 우리들

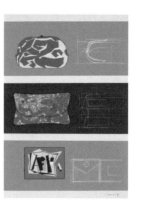

도판 9. 〈핸드백을 위한 디자인〉, 1958

도판 10. 〈우산손잡이 디자인〉, 1961

도판 11. 〈도자기 도안〉, 1961

구미에 맞았다."[6]

1961년 군사 쿠데타로 정권을 잡은 박정희 전 대통령은 좁고
척박한 농토에 의존하던 농경사회에서 벗어나기 위해 1962년
경제개발 5개년 계획을 수립, 낙후된 경제에 활력을 불어넣고
신속한 산업화를 이루기 위해 '수출입국(輸出立國)'이란
구호를 내세웠다. 1차 연도 계획이 끝나고 2차 연도 계획이
시작되는 시점인 1967년 9월 1일에 박정희 대통령은
'미술수출(美術輸出)'이라는 휘호를 써 수출을 국시(國是)로
삼고 있음을 적극적으로 표현하였다.

　이렇게 '미술수출'이라는 구호 아래 관민(官民)이 총력을
기울이고 있을 때 한홍택 선생은 디자이너로서 최고의 능력을
발휘할 수 있는 회화적 표현력을 바탕으로 한 관광포스터를
끊임없이 제작 발표하였다. 『한홍택작품집』을 살펴보면
1940년대에는 그래픽 디자인 총 17점 중 5점, 1950년대에는
그래픽 디자인 총 34점 중 9점, 1960년대에는 그래픽 디자인
총 72점 중 15점의 관광포스터가 게재되어 있다. 제목은
대부분 'KOREA'가 들어가 있으며 다보탑과 경회루 등 지역
관광명소와 대표적 유적 그리고 한복 입은 여성, 춤추는 무희,
신명나는 농악대 등이 화면 전체를 꽉 차게 장식하며 세밀한
필치로 표현하였다.

앞날을 예견한 올림픽, 디자인 콘퍼런스, 환경 분야 포스터

한홍택의 작품을 살펴보면서 또 한 가지의 특이한 작업은
1958년《제2회 한홍택 모던 디자인전》부터 제20회 올림픽을
주제로 탄탄한 회화적 표현 기법으로 포스터 작품을
제작했다는 것이다. 즉 1958년 〈청춘의 환희 올림픽에〉[도판 12],
〈서울올림픽〉[도판 13], 1959년 〈대관령 스키〉, 1966년 〈KOREA
20회 올림픽, Land of Morning Calm 올림픽포스터〉, 1969년
〈스키월드컵〉[도판 14] 포스터를 제작했다는 것이다. 한홍택이
주제로 삼아 제작한 올림픽 포스터는 1972년 8월 26일부터 9월
11일까지 개최된 제20회 올림픽을 겨냥한 것이었다. 이러한
선견지명은, 당시에는 이루어지지 않았으나 무려 16년이 흐른
1988년 드디어 88서울올림픽 개최로 빛을 발했다.

　또 한 가지 주목할 만한 것은 서울디자인콘퍼런스에
관한 포스터를 제작했다는 것이다. 바로 1960년대에
추상표현으로 제작한 서울디자인콘퍼런스 포스터와 1965년에

도판 12. 〈청춘의 환희 올림픽에〉, 1958

도판 13. 〈서울올림픽〉, 1958

도판 14. 〈스키 월드컵〉, 1969

6　조능식, 「정열의 개화: 한홍택개인전평」, 『동아일보』, 1958년 5월 31일 자.

제작한 서울디자인콘퍼런스 포스터이다.[도판 15] 언젠가
우리나라 위상이 세계적으로 인정받아 국제적인 디자인
콘퍼런스를 개최할 것으로 예상해 제작한 포스터들이다.
이와 함께 특별히 눈에 띄는 작품은 지금부터 무려 50년 전인
1970년대, 기후변화로 인한 피해가 속출하고 있는 지금에나
관심 가질 만한 환경에 관한 포스터를 제작한 것이다. 즉 1977년
'오늘의 문제, 새로운 태양 에너지 건설'이라는 문구로 제작한
환경 포스터[도판 16]와 1970년대 〈세계의 표정 에너지절약〉[도판
17], 1970년대 〈대기오염 인간환경회의〉라는 제목의 포스터가
그것이다. 이 환경 포스터 세 점 모두 추상 형태를 주 시각
소재로 사용하였다.

　　　1950년대부터 1970년대까지 이어진 독특하고 차별화된
이런 일련의 포스터 디자인 작업들은 한홍택의 디자인 작업관이
잘 표현되어 있다. 1959년 그가 남긴 글을 확인하면 사대주의에
젖어 외국 것들을 모방하지 말고 우리나라 상황에 맞는 창의적인
디자인을 해야 한다고 강조하고 있다. 그가 작품 제작으로
실천했듯이 부단한 한국적 시각 소재 개발과 개성적 표현 방법
탐구에 매진하라고 말하는 듯하다.

　　　"사대주의에서 오는 것인지는 모르나 외래식 옷차림에
　　　외래품 음식만이 생활의 보람을 느낀다는 층은 마치
　　　생리나 체질이 다른 외국인 전용의 강력제품을 쓰다가
　　　부작용이 발생해도 아무렇지도 않게 느끼는 사람들이다.
　　　자기 피부에 맞지도 않는 화장품을 외국제이니 애용해
　　　보자는 심리와 다를 것이 없다. 선진국의 처방이라고
　　　무조건 좋은 것이 아니고 우리 몸에 내 몸에 맞는 것으로
　　　매사에 처방을 달리해야 하지 않은가 한다. 우리나라
　　　실정으로, 한정된 국토에 한정된 소비자들을 향해서
　　　더욱 다종의 동류상품을 가지고 생산경쟁을 하자면 첫째
　　　양심적인 기업가의 실력 있고 창의성 있는 디자이너가
　　　완전 결합되기 전에는 기업생산의 소기의 목적을
　　　달성하기란 지극히 용이치 못할 것이다."[7]

창의적 발상과 형태가 돋보이는 작품들

한홍택의 탁월한 미감과 도전적 실험정신이 녹아 나온 작품들도
눈에 들어온다. 시각 소재를 사선으로 배치하여 주목성을

도판 15. 서울디자인콘퍼런스 포스터, 1965

도판 16. 〈오늘의 문제, 새로운 태양 에너지 건설〉, 1977

도판 17. 〈세계의 표정 에너지절약〉, 1970년대

7　　　한홍택, 「바르고 창의적인 데자인」, 『장업계』, 1959년.

높인 작품들이 그 첫 번째이다. 대상물을 보는 시각적 관점이
평면적이지 않고 입체적이다. 독특한 시각에서 바라본 대상물의
표현 효과가 탁월하고, 긴장감으로 인한 주목성도 뛰어나다.
포스터의 기능에 충실하게 제작된 작품들이다. 탁월한 회화적
표현력이 뒷받침되지 않으면 표현 자체가 불가능하다. 1940년대
유한양행의 〈유한양행 위적령 홍보 포스터〉[도판 18]와 1950년
〈경주〉 관광포스터 작품[도판 19], 1962년 검은 옷을 입고
사선으로 누운 여성이 등장하는 〈로얄텍스 광고 포스터〉들이
그런 작품이다.

　　　여백미를 활용한 작품도 주목된다. 포스터의 상단이나
하단의 일부분에 흰 여백을 두어 공간 확장성을 극대화하였다.
1972년도에 제작된 농악대가 등장하는 관광포스터와
군기(軍旗)를 배경으로 옛 군졸이 등장하는 관광포스터가 바로
그것이다. 이와 함께 한홍택이 졸업한 협성실업학교 교사로
있었던 주시경 선생의 한글 풀어쓰기에 영향을 받은 것인지
작품 속 제목에 한글 풀어쓰기가 자주 등장한다. 그래픽 작품
속의 타이포그래피를 문자로서만이 아니라 중요한 조형 요소로
삼았다는 특징이 있다. 또한 한글과 영문을 병기해 포스터가
국내만이 아닌 해외에서도 통용될 수 있는 국제적 비주얼
미디어로의 역할도 강조한 셈이다.

　　　회화적 표현 기법을 바탕으로 한 관광포스터와
함께 주목할 만한 포스터는 추상 시리즈 작품들이다. 추상
시리즈도 크게 반추상과 완전추상으로 나눠 볼 수 있다. 먼저
회화적 스타일에서 벗어나 완전추상이 아닌 일부분을 도형화
시키거나 단순화 시킨 형태가 등장하는 포스터들이 주목된다.
중심에 우뚝 선 산의 형태를 따라 선을 반복해 공간을 나누고
그 나누어진 공간에 형형색색의 각기 다른 색들을 채워
넣어 색다른 형상을 이루게 하는 표현 기법을 사용하였다.
배경을 살린 여백미와 함께 독특하고 개성적인 형태로
주목성을 높였다. 1960년대부터 1970년대에 걸쳐 개최한
개인전과 상공미전 심사위원 작품으로 출품한 포스터들에서
이러한 스타일의 포스터들이 등장한다. 1967년 상공미전
심사위원작품으로 출품한 〈Sulaksan 관광포스터〉와 1968년
출품한 〈고요한 아침의 나라 Land of Morning Calm KOREA
관광포스터〉, 1976년 제9회 개인전에 출품한 〈고요한 아침의
나라—Dan Yang 관광포스터〉들이 대표작들이다.

　　　반추상적인 작품과 함께 주목할 만한 포스터 작품은
추상 시리즈이다. 추상 시리즈 포스터는 1961년도 제3회
개인전에서부터 나타나기 시작하였다. 식물이나 꽃의 형태를
개성적으로 변형하여 표현한 추상 형태의 시각 소재를 담은

도판 18. 〈유한양행 위적령 홍보 포스터〉, 1940년대

도판 19. 〈경주〉, 1950

〈애드버타이징을 상징하는 3원주 포스터〉를 비롯해 〈Lettering for Architects and Designers〉, 〈99 Annual of Advertising Art〉가 그것이다. 이어 비슷한 형태의 추상 작품들이 1962년의 제4회 개인전 출품작에서도 나타났다. 〈디자인센스 현대그래픽아트〉, 〈人間家族〉이 그것이다. 1976년 제9회 개인전에 출품한 〈Seoul International Playground〉, 1979년 작 〈대관령 스키 제전! 스키월드컵〉[도판 20], 〈고요한 아침의 나라〉작품에서는 추상 형태가 보다 더 자유로워지면서 서예의 붓질 느낌이 들기 시작했다. 화면 가득 여백을 남기고 일필휘지로 휘두른 붓질이 화면을 압도한다. 시각 소재가 바탕을 꽉 채우지 않고 흰 여백을 남기며 검은색의 추상 형태와 대비되는 표현은 긴장감을 유발시키며 주목성을 높이고 있다. 상단이나 하단 구석에 작은 크기의 문자가 놓이지는 것으로 포스터 작업을 마무리하였다. 포스터를 문자가 아닌 형태로 소구하고 있다.

　　이외에도 한홍택이 디자인한 것들 중에 책 표지 디자인과 달력 디자인, 레코드 재킷 디자인들이 있다. 표지 디자인은 크게 2가지 종류로 나눌 수 있다. 여성지 표지 디자인과 각종 연감과 일반 잡지 표지 디자인들이다. 『가정생활(家庭生活)』[도판 21] 같은 여성지 표지 디자인은 대부분 여성이 한 명 등장하는 초상화 스타일이 대부분이다. 『아이디어(IDEA)』와 같은 일반 잡지 표지 디자인은 구상화와는 다른 완전 추상 형태가 들어가 있다. 달력 디자인은 1974년과 1979년 작업한 것들이 나타난다. 1974년에는 대한생명보험주식회사의 반추상적 형태로 표현한 나무와 바닷가 풍경 등이 들어가 있다. 1979년도 달력은 한국 전통 건축물이 담긴 일러스트 작품[도판 22]이 들어가 있으며 또 한 종류는 등장하는 형태에 반복적인 가는 선을 넣어 형상화하는 독특한 작업을 선보였다. 하늘과 산과 학, 궁궐, 탑 그리고 어린아이들이 들어가 있다.[도판 23] 레코드 재킷 디자인은 대부분 구상적 형태를 등장시켜 표현하고 있다. 시각 소재로는 전통 유적 유물인 경회루, 팔각정, 탑, 부처님을 비롯해 석유램프, 애완용 열대어, 첼로, 연주 악보와 받침대 등이 등장하고 있으며 표현 방법은 단순화한 평면 그래픽 스타일 작업이 주를 이룬다.[도판 24, 25]

　　이외『한홍택작품집』에 수록된 작품들을 살펴보면, 1970년대 중반 이후부터 1980년대에 작품들은 거의 회화 작품들이 주를 이룬다. 이는 크게 두 가지로 구분되는데 하나는 산과 자연풍경 및 초가집 등을 주제로 한 유화 작업과 또 하나는 남미 등을 여행하며 남긴 채색 스케치들이다. 유화 작품이 45점, 스케치는 35점이 남아 있다. 정년퇴임 후

도판 20. 〈대관령 스키 제전! 스키월드컵〉, 1979

도판 21. 〈가정생활 5월호 표지〉, 1961

도판 22. 〈달력을 위한 디자인〉, 1979

도판 23. 〈달력을 위한 디자인〉, 1979

작업한 것들은 대부분 회화 작품들로서 조형성과 완성도가 높아 이 자체로도 회화를 전공한 그의 일생에서 후반기 작업으로서의 의미가 있다.

한국 모더니즘 그래픽 디자인에 끼친 영향력

현재 남아 있는 한홍택의 약 300여 점의 작품 중 회화 작품 100여 점을 제외하면 그래픽 디자인 작품은 약 200여 점이 있다. 앞에서와 같이 이 200여 점의 그래픽 작품을 성격별로 분류해 그 작품들에서 나타나는 특징을 요약하면 다음과 같다. 1) 회화성 있는 묘사력을 기본으로 한 구상적 작품 제작, 2) 새로운 시각과 구도의 창출을 통한 창의적 작품 제작, 3) 조형성 있는 한국적 시각 소재 개발과 다양한 표현 방법 탐구, 4) 구상과 반추상 및 추상을 넘나드는 다양한 조형성, 5) 그래픽 디자인의 본령인 간결성과 단순성의 평면적 형태 표현, 6) 소구 방법은 문자보다 이미지(형태).

한홍택이 활동하며 작업한 이러한 작품의 특징은 세계적인 디자인 흐름에 전적으로 부합하지는 않는다. 1960년대까지만 해도 디자인계에 있어 해외 교류 자체가 전무하였기 때문일 것이다. 서구를 비롯한 일본만 하더라도 모더니즘의 흐름은 바우하우스를 중심으로 한 '실험적 모더니즘'(1920-1930년대), 미국 실용주의의 산물인 유선형 스타일을 바탕으로 한 '유기적 모더니즘'(1930-1940년대), 스위스의 그리드 스타일을 바탕으로 한 '국제적 모더니즘'(1950-1960년대)과 보조를 맞추며 발전해 나가고 있었다. 이와는 별개로 한편에서는 일러스트레이션을 기반으로 한 개념적 디자인과 팝아트적인 스타일이 세계를 선도하고 있을 때 이러한 흐름과는 달리 한홍택은 사실적인 회화성을 바탕으로 한 그래픽 디자인 작업에 몰두하였다. 한국적 스타일을 기본으로 세련되고 정제된 상징적 스타일의 한국적 모더니즘 그래픽 디자인은 그에게 영향을 받은 후배들로부터 1970년대가 되어서야 비로소 나타나기 시작하였다.

즉 서울대 교수로 재직하고 있던 이순석에게 수학한 김교만, 민철홍, 조영제, 양승춘 등과 홍대에서 한홍택에게 수학한 박선의, 권명광, 백금남, 정현종, 나재오 등 그리고 중앙대에서 수학한 김현과 구동조, 김상락 등이 그들이다. 이들은 1950년대부터 1960년대 걸쳐 대학에서 디자인을 전공한 디자이너들로서 1966년 시작된 상공미전을 중심으로 활동하기 시작하면서 1970년대 들어서면서부터는 회화성을

도판 24. 예그린악단민요집 제1집, 1962

도판 25. 〈레코드 재킷 디자인〉, 1960년대

탈피한 모더니즘 그래픽 작품들을 본격적으로 창작해 내기 시작하였다. 1970년대에 결성된 협회와 디자인 소그룹들은 대부분 한국적 스타일을 기반으로 한 작품 활동을 통해 한국 모더니즘 그래픽의 전성시대를 이끌었다. 그 역량이 최종적으로 집약된 결과물이, 한홍택이 1950년대부터 올림픽 포스터를 디자인하며 개최를 기대했던 88서울올림픽이라 할 수 있다.

한홍택에게 직간접으로 영향을 받은 이런 디자이너들이 끊임없이 그래픽 작품 생산을 통해 왕성한 활동을 할 수 있었던 배경에는 당시 사진술, 제판술, 인쇄술의 발달이 뒷받침되었음을 간과할 수 없다. 작가들이 대상물을 직접 그려내는 작업에서 벗어나 형태를 단순화하는 작업들을 시도하였으며 여기서 더 나아가 사진을 찍고 그 사진에 제판술을 더해 새로운 디자인 스타일을 창작해 내었다. 1960년대 수출을 국시로 한 정부 정책과 수출 활성화에 힘입어 디자인계의 산업 인프라라 할 수 있는 것들이 완비되기 시작하였다. 전문 사진작가들의 등장, 고성능 원색 분해기의 보급, 고급 인쇄가 가능한 다색 인쇄기의 설치, 빠르고 정확성 있는 제본 시설, 여기에 1950년대 후반부터 1960년대에 걸쳐 해외의 선진 인쇄술과 제판술을 연수하고 온 인재들이 나타남으로 인해 1970년대에 이르러서는 한국 그래픽 디자인의 전성기를 이룰 수 있는 산업적인 기반이 마련되었다.

인쇄업계는 1960년대 들어 경영쇄신과 경쟁력 강화를

위해 신기술 도입과 최신 시설 증설에 힘씀으로써 기술 및 시설 면에서 일제 강점기의 잔재물이었던 재래식 인쇄 방법의 후진성에서 점차 벗어나 괄목할 만한 발전을 가져오게 되었다. ... 1960년대 중반부터는 정부의 5개년 경제개발 정책에서 비롯된 공업화 시대를 맞이하면서 인쇄업계의 시설도 날로 현대화되기 시작하였다. 인쇄 시설은 재래식의 수동 방식에서 자동 방식으로 바뀌고 단색에서 다색 인쇄기로 대체되는 등 현대화 추세에 따르는 경영 합리화로 시설과 기술이 모두 선진국 수준으로 발전을 하게 되어 1960년대 중반부터는 인쇄물 수출국으로 발돋움하게 되었으며, 수출시장 확대를 위한 시장 개척에 박차를 가하기 시작하였다.[8]

88서울올림픽은 한홍택을 비롯한 초기 디자이너들의 부단한 창의적 작품 활동과 이에 영향 받은 후배 디자이너들의 세계 디자인 사조의 흐름과 호흡하고 교류하며 마련된 디자인 역량의 결정체로서 성공적인 행사로 귀결되었다. 이러한 그래픽 산업 기반을 바탕으로 활발한 작업들이 전개된 배경에는 광고와 홍보 분야, 잡지와 출판 분야, 심볼과 아이덴티티 디자인 분야로 진출한, 앞서 밝힌 한홍택과 초기 디자이너들에게 수학한 후배 디자이너들의 더욱 전문적인 디자인 분야로의 활동이 전개되었기 때문이다. 그러므로 역사적 관점에서 이 흐름을 요약해 볼 때, 1) 사실적 디자인에서 2) 단순화한 디자인을 거쳐 3) 상징적 디자인으로 발전해 나왔다고 볼 수 있다. 이러한 우리나라 디자인의 역사적 흐름의 시작점에 한홍택을 비롯한 1세대 디자이너들, 좀 더 활동 작가들의 영역을 넓히면 화가들이 자리해 있었다고 볼 수 있다.

맺으며

한홍택은 디자이너로서, 그리고 교육자로서 당시 불모지나 다름없었던 디자인계에서 디자인에 대한 일반의 인식을 환기시키는 데에 큰 역할을 하였다. 상표 디자인과 동일시되던 '도안'이라는 말이, 영역이 넓어진 현대적 용어인 '시각디자인'

으로 바뀌기까지 그의 공헌은 지대했다. '한홍택도안연구소' 와 같은 개인연구소를 개설해 운영한 단기적인 연구제도와 장기적인 대학 교육제도, 그리고 사회적으로는 협회 활동을 통해 우리나라 디자인 발전에 혼신의 힘을 기울인 한국 디자인 역사 속의 큰 산이었다.

1970년대부터 시작된 한국 모더니즘 그래픽 디자인의 역사는 한홍택의 회화성을 바탕으로 한 그래픽 작품들이 1950년대부터 활발하게 제작되기 시작하면서 출발했다고 할 수 있다. 이러한 바탕 없이 역사는 시대를 단절하고 건너뛰면서 나타날 수 없다. 한홍택의 이러한 사실주의적 그래픽 디자인은 상징적 디자인으로 가는, 한마디로 통과의례 같은 존재다. 한홍택과 일단의 회화 작가들이 영역을 넘나들며 함께 작업하고 활동한 1950년대부터 1970년대까지의 우리나라 디자인 역사는 그런 의미에서 매우 소중하다. 그 중심에 한홍택이 있다. 혹자는 지금의 기준으로 '디자인 작품임에도 아이디어가 없는 것은 한계 아닌가'라고 할 수 있다. 당시는 아이디어로 승부하는 디자인의 시대가 아니었다. 너무 앞서갈 수 없는 디자인의 속성상 몇 발짝 더 나간 이 정도의 시도만으로도 충분하다. 시대의 흐름을 읽는 혜안과 땀 흘려 찾아낸 창의적 발상과 고민 끝에 내놓은 결과들이 지금 보아도 모두 탁월하다. 한홍택의 60년 창작 활동에서 디자이너인가 화가인가는 전혀 중요하지 않다. 사실 세대 논쟁도 별로 중요하지 않다. 정상에 도달한 작가들 모두 공통적으로 실천했을 내용으로 한홍택도 마찬가지의 길을 걸었다.

작가가 실험적으로 시도한 것들은 개인전과 회원전에 꾸준히 출품하였고 그 모든 것들을 모아 1988년 『한홍택작품집』으로 기록하였으며 최근 국립현대미술관 작품 기증으로 이어졌다.『한홍택작품집』발간 후 34년, 한홍택 사후 28년 만이다. 광고물, 인쇄물, 포스터, 삽화 등의 원본과 회화 및 드로잉 작품 등 자료 400여 점과 화구, 유품 및 문헌자료 300여 점 등 피땀 흘린 한 작가의 60년 역사가 온전히 기증되었다. 한홍택과 동시대에 활동한 작가들을 함께 소개하는 이번 전시를 통해 한국미술의 역사와 한국 디자인 역사가 어떻게 분화되고 교류되었는지 확인하고 밝히는 데 크게 기여할 것으로 기대한다. 금번 전시를 기회로 한홍택의 삶과 작품에 관한 글을 쓰게 된 필자도 개인적으로 매우 의미 있다 아니 할 수 없다. 한홍택을 다시 한번 마음으로 추모하며 글을 마친다.

8   「인쇄 문화의 역사—현대편」, 대한인쇄문화협회. http://www.print. or.kr/bbs/board.php?bo_table=B41&wr_id=5/&sca=F

모던 데자인: 감각하는 일상

1950년대 전쟁으로 파괴된 한국 사회의 복구와 민생 안정을 위해 들어온 원조 물자는 낯설고도 풍요로운 서구식 물질과 문화를 전하며 현대적 삶을 지향하는 대중의 욕망을 이끌었다. '도안'이라는 용어가 1950년대 '데자인', '디자인'과 같은 용어로 대체된 것은 본격적인 산업화에 영향을 받은 1960년대 사회 전반의 변화를 예고한 것이었다. 산업적 토대가 부재한 시기였기에 산업미술가들의 작업이 양산으로 이어질 기회는 매우 희박했고, 스스로의 존재를 정의하고 증명하기 위해 작품 제작과 전시를 이어갔던 시기에 이들이 남긴 디자인 작업의 대부분은 일종의 제안과 실험이었다.

한편 '산업미술가'로 이름을 남긴 소수의 인물 외에 많은 익명의 도안가, 디자이너들이 공존하고 있었다. 기업과 상품의 광고와 포장을 위해 창작된 이미지들은 대중의 일상, 기호와 밀접한 관계를 맺게 되는데, 이들의 손에서 탄생했을 다양한 일상의 시각문화를 〈한글 레터링 컬렉션〉(2022)과 〈로고 아카이브 50-60s, 기업 로고의 탄생과 성장〉(2022)으로 선보인다.

한영수의 서울 풍경(1956–1963)

한영수는 1958년 한국 최초의 리얼리즘 사진 연구단체인 신선회를 통해 본격적인 사진 활동을 시작했으며
1966년 '한영수사진연구소'를 설립, 상업사진가로 활동하며 한국의 광고 및 패션사진에 선구적인 역할을 했다.
그의 '서울' 연작은 1956년부터 1963년 사이 서울을 촬영한 작품으로 한국전쟁 이후 회복기에 접어든 도시의
일상을 사실적으로 기록한다. 정비되지 않은 골목과 상점의 쇼윈도, 손글씨로 만들어진 각양각색의 간판, 거리의
매대에 놓인 잡지들, 한복과 양장을 한 여성들이 화면 안에 공존하는 그의 사진에는 가장 모던한 현재를 살고자
했던 이들의 생동감 있는 표정과 움직임이 고스란히 담겨 있다.

한영수, 〈서울〉, 1956–1963(2018 인화), 인화지에 젤라틴 실버 프린트, 40.3 × 50.3 cm. 국립현대미술관 소장.

한영수, 〈서울 소공동〉, 1956–1963(2022 인화), 인화지에 젤라틴 실버 프린트, 40.6 × 50.8 cm. 한영수문화재단 소장.

한영수, 〈서울 명동〉, 1956–1963(2022 인화), 인화지에 젤라틴 실버 프린트, 50.8 × 40.6 cm. 한영수문화재단 소장.

한영수, 〈서울 명동〉, 1956–1963(2022 인화), 인화지에 젤라틴 실버 프린트, 40.6 × 50.8 cm. 한영수문화재단 소장.

한영수, 〈서울 명동〉, 1956–1963(2022 인화), 인화지에 젤라틴 실버 프린트, 40.6 × 50.8 cm. 한영수문화재단 소장.

한영수, 〈서울 종로〉, 1958(2022 인화), 인화지에 젤라틴 실버 프린트, 40.6 × 50.8 cm. 한영수문화재단 소장.

한영수, 〈서울 소공동〉, 1958(2022 인화), 인화지에 젤라틴 실버 프린트, 40.6 × 50.8 cm. 한영수문화재단 소장.

한영수, 〈서울 명동〉, 1956–1963(2018 인화), 인화지에 젤라틴 실버 프린트, 40.6 × 50.8 cm. 한영수문화재단 소장

한영수, 〈서울 명동 사보이 호텔 옆〉, 1956(2018 인화), 인화지에 젤라틴 실버 프린트, 50.3 × 40.3 cm. 국립현대미술관 소장.

한영수, 〈서울 명동〉, 1958(2018 인화), 인화지에 젤라틴 실버 프린트, 40.3 × 50.3 cm. 국립현대미술관 소장.

한영수, 〈서울 을지로1가 (구)반도호텔〉, 1956–1963(2018 인화), 인화지에 젤라틴 실버 프린트, 50.3 × 40.3 cm. 국립현대미술관 소장.

한영수, 〈서울 동대문〉, 1957(2018 인화), 인화지에 젤라틴 실버 프린트, 40.3 × 50.3 cm. 국립현대미술관 소장.

한홍택은 귀국 직후 1940년부터 유한양행에 근무하며 광고 제작과 도안을 담당하는 미술부장(아트디렉터)의 역할을 맡았다. 이전까지의 신문광고와 비교했을 때 그가 작업한 유한양행의 광고는 사실적이고 회화적인 일러스트를 기반으로 과감한 화면 구도, 절제된 정보 전달을 통해 기존의 광고들과 차별화된 방향으로 전개되었다. 특히 광고에 등장하는 주요 인물이나 소재를 사선으로 배치하고 여백을 두어 화면 내 동적인 긴장감을 부여하고, 주목성을 높여야 하는 홍보 포스터의 기능을 강화한다.

한홍택, 〈유한양행 위적령 홍보 포스터〉, 1940년대, 종이에 오프셋 인쇄, 73 × 53.3 cm. 디자인코리아뮤지엄 소장.

한홍택, 〈닭표뿌란듸 위스키 광고를 위한 디자인〉, 1948, 종이에 채색, 73.4 × 52 cm. 국립현대미술관 미술연구센터 소장.

한홍택, 〈세루하_겐 염색약 광고를 위한 디자인〉, 1959, 종이에 오프셋 인쇄, 38.5 × 27 cm. 국립현대미술관 미술연구센터 소장.
한홍택, 〈하_모니 정 광고를 위한 디자인〉, 1960, 종이에 오프셋 인쇄, 27.5 × 32.4 cm. 국립현대미술관 미술연구센터 소장.

한홍택, 〈유한양행 린디올 2.5 피임약 광고를 위한 디자인〉, 1960, 종이에 채색, 51 × 35 cm. 국립현대미술관 미술연구센터 소장.

한홍택, 〈모자상〉, 1962, 보드지에 유채, 65 × 53 cm. 국립현대미술관 미술연구센터 소장.
한홍택, 〈유한양행 이드렌 광고를 위한 디자인〉, 1960년대, 캔버스에 유채, 64 × 50 cm. 국립현대미술관 미술연구센터 소장.

한홍택, 〈화장품 광고를 위한 디자인〉, 1972, 하드보드지에 유채, 포스터물감, 101.5 × 76 cm. 국립현대미술관 미술연구센터 소장.

sunday	monday	tuesday	wednesday	thursday	friday	saturday
			1	2	3	4
5	6	7	8	9	10	11
12	13	14	15	16	17	18
19	20	21	22	23	24	25
26	27	28	29	30	31	

한홍택, 〈1960년대 유한양행 달력을 위한 디자인〉, 1960년대, 종이에 유채, 포스터물감, 71.5 × 54 cm. 국립현대미술관 미술연구센터 소장.

한홍택, 〈1960년 달력을 위한 디자인〉, 1960, 캔버스에 유채, 53.5 × 40 cm. 국립현대미술관 미술연구센터 소장.

한홍택, 〈1958년 12월호 여성지 표지 디자인〉, 1958, 캔버스에 유채, 39 × 31 cm. 국립현대미술관 미술연구센터 소장.

『여원』제3권 제12호, 표지: 한홍택, 여원사, 1957, 국립한글박물관 소장.
『여원』제4권 제6호, 표지: 한홍택, 여원사, 1958, 국립한글박물관 소장.

한홍택의 작품에서 반복적으로 등장하는 이미지 중 하나는 서구적 미모를 가진 여성들이다. 1950년대 등장한 수많은 여성 잡지들은 새로운 문화를 받아들이는 데 보다 개방적인 주체로서 여대생, 취업 여성, 중산층 주부의 교양을 위한 대중지를 표방하며 여성문화를 선도했다. 〈가정생활 5월호 표지〉를 비롯해 유한양행 광고를 위한 디자인 등에서 볼 수 있는 여성들은 세련된 복장과 헤어스타일, 완벽한 메이크업으로 단장하고 당당한 시선으로 화면 밖을 응시하는, 시대가 지향했던 여성상을 담고 있다. 『가정생활』은 유한양행에서 1960년부터 1968년까지 발행했던 여성잡지로 의약품에 대한 상세한 설명과 정보 제공으로 신문, 라디오, TV에 한정된 광고 형태의 취약점을 보완한 잡지였다.

한홍택, 〈가정생활 5월호 표지〉, 1961, 천에 유채, 종이 콜라주, 40 × 31 cm. 국립현대미술관 소장.

『가정생활』제2권 제2호, 유한양행, 1962, 국립한글박물관 소장.
『가정생활』제2권 제10호, 유한양행, 1962, 국립한글박물관 소장.

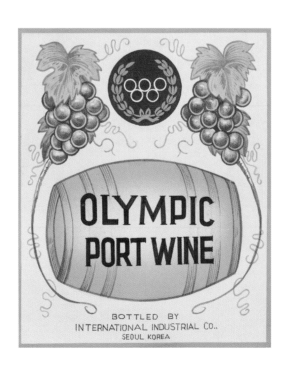

한홍택, 〈소사수밀도 캔 라벨을 위한 디자인〉, 1948, 종이에 채색, 10.7 × 23.8 cm. 국립현대미술관 미술연구센터 소장.
한홍택, 〈올림픽 포트 와인 라벨을 위한 디자인〉, 1948, 종이에 채색, 13 × 11 cm. 국립현대미술관 미술연구센터 소장.

한홍택, 〈포장 디자인〉, 1950년대, 종이에 채색, 30 × 23 cm. 국립현대미술관 미술연구센터 소장.
한홍택, 〈화장품 용기와 포장을 위한 디자인〉, 1950년대, 종이에 채색, 14.5 × 18 cm. 국립현대미술관 미술연구센터 소장.

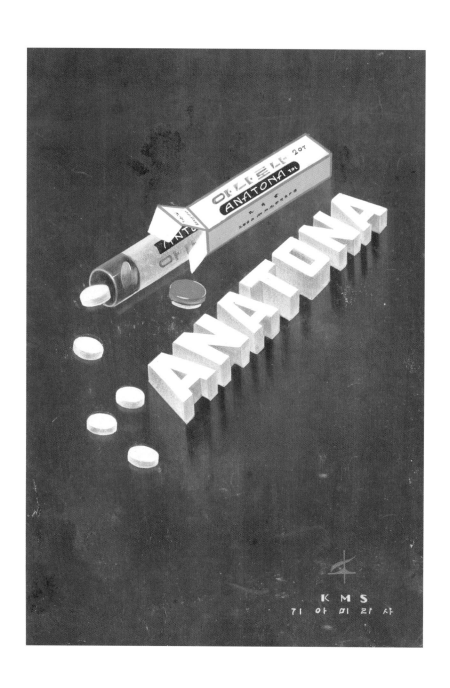

한홍택, 〈아나토나 알약 광고를 위한 디자인〉, 1958, 종이에 채색, 24.5 × 17cm. 국립현대미술관 미술연구센터 소장.

한홍택, 〈IL NYUN GAM 엑센스리 약 포장을 위한 디자인〉, 1962, 종이에 혼합 재료, 60 × 44 cm. 국립현대미술관 미술연구센터 소장.

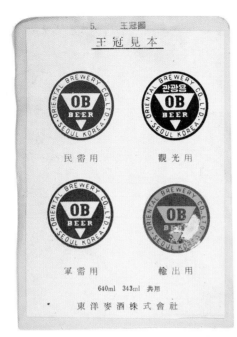

OB맥주 레이블 견본(왕관견본), 디자인: 한홍택, 동양맥주주식회사, 1953–1977, CDR 어소시에이츠 소장.
OB맥주 레이블 견본(민수용), 디자인: 한홍택, 동양맥주주식회사, 1953–1974, CDR 어소시에이츠 소장.
OB맥주 레이블 견본(외항용), 디자인: 한홍택, 동양맥주주식회사, 1953–1976, CDR 어소시에이츠 소장.
OB맥주 레이블 견본(군납용), 디자인: 한홍택, 동양맥주주식회사, 1953–1977, CDR 어소시에이츠 소장.

김한용, 〈OB 맥주 카렌다용 광고사진〉, 1964, 디지털프린트, 85 × 65 cm. 한미사진미술관 소장.

1950–1960년대는 주로 의약품, 화장품, 식품 등의 생필품을 취급하는 소비재 산업이 활성화되기 시작하는
시기였다. 디자이너의 직능은 광고나 상품의 포장 등을 필요로 하는 분야인 제약, 화장품, 제과, 식품 등
한정되어 있었고 도안실, 의장실 등 디자이너로서 활동할 수 있는 소규모 조직이 일부 생겨나거나 소수의 개인이
고용되는 정도였다. 1945년 태평양화학공업사로 시작해 현존하는 아모레퍼시픽의 아카이브를 통해 1950–
1960년대 기업 내 디자인실의 활동을 일부 살펴볼 수 있다. 당시 제품의 용기와 패키지를 촬영한 사진들은 인쇄
광고 및 『화장계』, 『난초』 등 사외보에 소개할 제품을 촬영한 것으로 부족한 장비와 열악한 환경에서도 제품을
돋보이게 하기 위한 여러 연출을 시도한 것이었다. 또한 내외부 현상 공모를 통해 기업의 로고나 선전을 위한
포스터를 채택, 사용하기도 했는데 기업의 광고와 포장 등을 위해 창작된 시각물은 도심의 풍경, 대중의 일상과
기호에 밀접한 관계를 맺고 있었다.

ABC 향수향유, 1962, 아모레퍼시픽 아카이브 소장.
오스카 스킨로숀, 1963, 아모레퍼시픽 아카이브 소장.

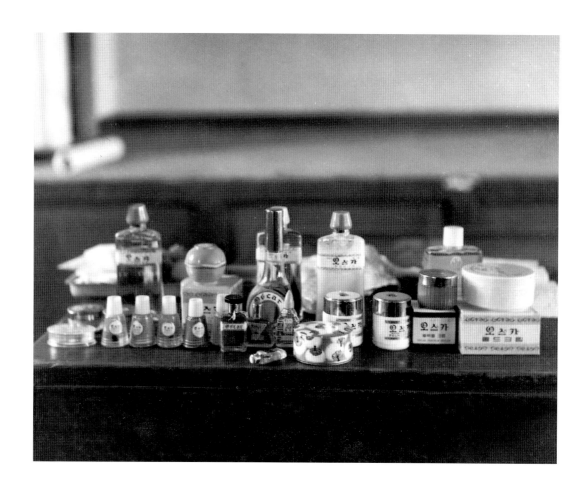

오스카 브랜드 제품군, 1963, 아모레퍼시픽 아카이브 소장.
ABC 파라솔 크림, 1959, 아모레퍼시픽 아카이브 소장.
ABC 인삼크림, 1966, 아모레퍼시픽 아카이브 소장.

김포공항 도로변 광고 간판, 1965, 아모레퍼시픽 아카이브 소장.
오스카 화장품, 코티분 지정판매소, 1958, 아모레퍼시픽 아카이브 소장.

선전포스터 현상 공모 심사(장소: 동방문화회관), 1958, 아모레퍼시픽 아카이브 소장.

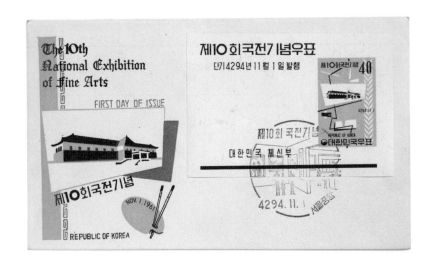

한홍택, 〈제10회 국전 기념우표 시안 스케치〉, 1961년, 종이에 채색, 12.3 × 8.9 cm. CDR 어소시에이츠 소장.
한홍택, 〈제10회 국전 기념우표 시안 스케치〉, 1961년, 종이에 채색, 12.3 × 8.8 cm. CDR 어소시에이츠 소장.
제10회 국전 기념우표 초일봉투, 원화 수정: 강춘환, 1961, CDR 어소시에이츠 소장.
크리스마스 씰 '한국인의 마음' 4종, 디자인: 한홍택, 1962, CDR 어소시에이츠 소장.

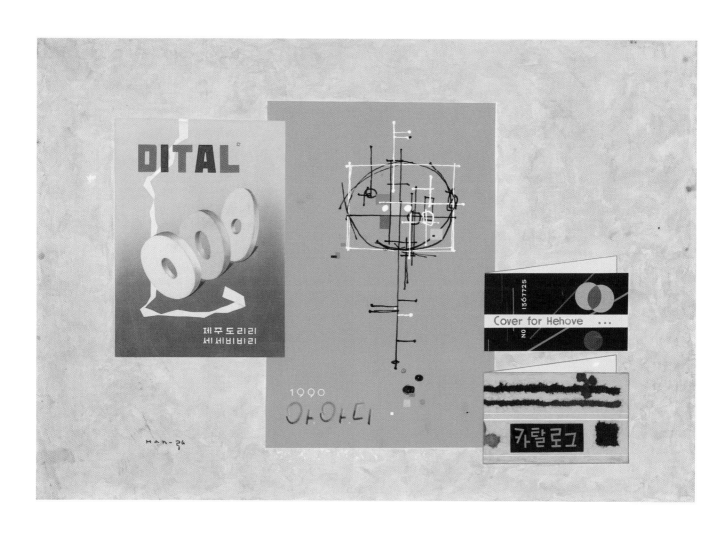

한홍택, 〈표지와 카탈로그를 위한 디자인〉, 1962, 종이에 포스터물감, 51.5 × 75 cm. 국립현대미술관 미술연구센터 소장.

한홍택, 〈레코드 재킷 디자인〉, 1954, 종이에 포스터물감, 30.5 × 30.5 cm. 국립현대미술관 미술연구센터 소장.
한홍택, 〈레코드 재킷 디자인〉, 1960년대, 종이에 포스터물감, 31.5 × 30 cm. 국립현대미술관 미술연구센터 소장.

한홍택, 〈레코드 재킷 디자인〉, 1959, 종이에 포스터물감, 27.5 × 27.5 cm. 국립현대미술관 미술연구센터 소장.
예그린악단민요집 제1집, 디자인: 한홍택, 1962, 국립현대미술관 미술연구센터 소장.

한홍택, 〈표지 디자인〉, 1950년대, 종이에 혼합 재료, 75.7 × 53 cm. 국립현대미술관 미술연구센터 소장.

한홍택, 〈표지 디자인〉, 1960년대, 종이에 혼합재료, 30 × 21 cm. 국립현대미술관 미술연구센터 소장.

한홍택, 〈표지 디자인〉, 1959, 종이에 채색, 21 × 14.5 cm. 국립현대미술관 미술연구센터 소장.

한홍택, 〈표지 디자인〉, 1959, 종이에 채색, 21 × 15 cm. 국립현대미술관 미술연구센터 소장.

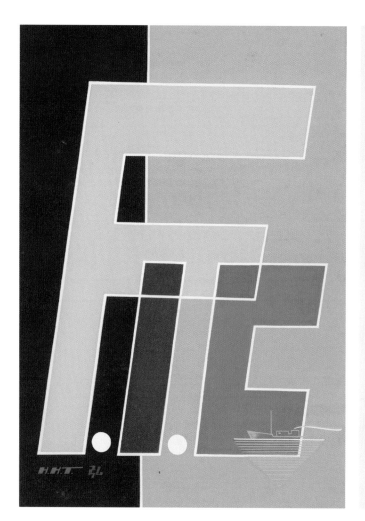

한홍택, 〈문자도안디자인〉, 1958, 종이에 포스터물감, 27 × 19 cm. 국립현대미술관 미술연구센터 소장.
한홍택, 〈문자도안디자인〉, 1950년대, 종이에 포스터물감, 32 × 21 cm. 국립현대미술관 미술연구센터 소장.

한홍택, 〈자개장식을 위한 디자인〉, 1961, 종이에 채색, 51 × 36 cm. 국립현대미술관 미술연구센터 소장.

한글 레터링 컬렉션

한글로 쓰여진 상표명이나 광고 문안, 잡지 제호 등을 일컫는 한글 레터링은 과거 어디서나 볼 수 있던 일상의 시각 기호였다. 한글 레터링은 도처의 상품 포장과 광고뿐만 아니라 간판 및 네온, 거리 곳곳의 선전탑, 영화 포스터 및 음반 타이틀 등 광범위한 영역에서 대중과 접촉했다.

〈한글 레터링 컬렉션〉은 1950–1960년대 한글 레터링의 풍경을 일별해 볼 수 있도록 연출한 소규모 컬렉션이다. 회사명과 상품명, 한국인의 생활을 변모시킨 각종 생활 소비재와 이를 위한 광고 문안, 음반 및 영화 등 대중문화 산업의 레터링을 포괄한다. 이들은 그 시절 신문과 잡지, 포장, 포스터, 음반 아카이브에서 추출한, 소비자에게 노출되었던 실제 글자들이다.

시대의 정서가 물씬 느껴지는 이 레터링들은 과거에만 머물지 않는다. 최근 십여 년간 서체 디자이너와 시각 작업자에게 과거의 레터링이 지속적으로 재발견되어 그들 작업에 영감을 준 사실은 시사하는 바 크다. 누가 썼는지도 알 수 없는 한글 레터링 작업들은 긴 세월을 넘어 신구 디자이너를 끈끈하게 이어주고 있는 것이다.

장우석, 〈한글 레터링 컬렉션〉, 2022, 그래픽 설치, 가변 크기, 국립현대미술관 제작 지원.

실크스크린: 미니프린트

1

위험! 건강의 교차로
광고 문안(보혈강장제 '네오톤'), 유한양행, 1955
보혈강장제 네오톤을 위한 광고 문안. "차도를
횡단할 때는 먼저 좌우를 보살펴야 되고 몸이
피로할 때, 식욕이 없을 때는 먼저 건강을
생각해야 한다."는 바디 카피에 조응하도록 3색
신호등 삽화를 곁들여 헤드라인을 표현했다. 획이
많은 한자로 썼지만 글자 굵기와 명도를 조절해
전체적으로 환한 분위기가 연출되었다.

2

음악발표회
광고 문안(음악회), 북한산예술학원, 1956
사립예술교육기관 북한산예술학원의 정기
음악발표회 문안. '음악발표회'란 글자를 그랜드
피아노 뚜껑 바탕에 글자를 반전시키는 방식으로
썼다. 신문 광고에 실린 문안이지만 공연 포스터에
어울리는 기하학적 레터링이라 할 수 있다.

2

3

코스모스 COSMOS
상표명(의약품), CCC(미국), 1956
남성을 위한 호르몬 정제 테스토스테론의 미국
제조사 이름. 제품의 공신력을 강조하기 위해
제조사 이름을 제품보다 크게 썼고 영문을
병기했다. '코스모스' 검정 글자에 백색의 사선이
투과하는 효과를 줬는데, 일종의 눈에 띄기
위한 장식 기법으로 영화 타이틀 등에 흔히 쓰인
방식이다.

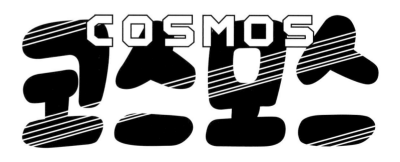

3

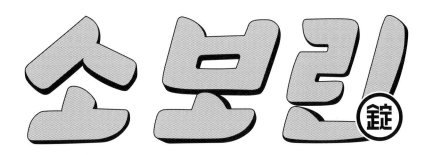

4

4

소보린정

상표명(진통제), 근화약품, 1956

두통, 감기, 치통, 신경통, 월경통을 위한
진통제. 한국전쟁 휴전 이후 지면 광고량이 점차
늘어나면서 광고 간섭이 심해지자 상표명을
돋보이게 하기 위해 글자를 경쟁적으로 키우는
경향이 나타났는데, 그런 풍조를 대표하는
케이스다. 입체 효과를 위해 글자의 농도를 약하게
한 것도 특징이다.

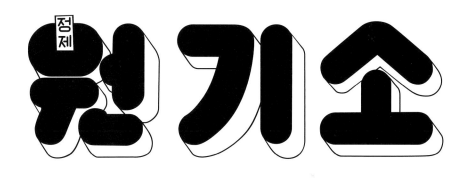

5

5

원기소

상표명(종합영양제), 서울약품, 1958

굵은 두께를 가졌지만 모서리를 둥글게 처리해
유아적인 느낌을 주는 한편 입체 효과를 부여해
눈에 잘 띄도록 한 레터링. 원기소는 1956년부터
생산된 한국 최초의 효소 기반 건강 기능 식품.
대량 광고와 점두 간판 등을 통해 1950년대
후반부터 1960년대에 걸쳐 한국에서 가장 많이
노출된 제약 상표 중 하나다.

6

격노

영화 타이틀, 제일영화사 배급, 1958

프리츠 랑(Fritz Lang) 감독의 1953년 영화
〈격노〉(The Big Heat) 타이틀. 1950년대 필름
누아르의 대표작 중 하나로 어느 경찰관의 죽음을
파헤치는 형사 이야기다. 광고에 쓰인 이 타이틀은
한국 개봉 제목 '격노'(激怒)의 어의('몹시 분하고
노여운 감정이 북받쳐 오름')에 충실하게 누아르적
고딕 글자의 모서리들이 뜯겨져 나간 모양으로
디자인되었다.

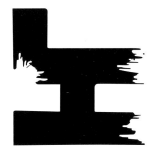

6

7

회충

광고 문안(구충제 '비페라'), 종근당제약사, 1959

종근당제약사가 연구 개발을 통해 출시한 구충제 비페라를 위한 광고 레터링. '회충'의 한자에 진액 같은 것이 뚝뚝 떨어지는 형상의, 혐오스러운 감정을 유도하기 위한 글자이며 광고 기법으로는 부정 소구에 해당한다. 특히 어린이들 사이에 광범위한 기생충 감염이 일상이었고 이에 따른 기생충 박멸이 과제였던 시절의 풍속화이기도 하다.

8

금성라듸오

상표명(가전), 금성사, 1959

한국 최초의 라디오 제품 모델인 A-501의 신제품 광고에 썼던 상표명 레터링. 길쭉한 모양을 띤 진공관 라디오이며 5인치 규격의 스피커를 장착한 모델이다. 장식 없는 고딕 계열의 자체(字體)는 소비자 신뢰 형성을 목적으로 하는 '최신' 전자 제품의 광고를 위한 헤드라인 서체로 현대적으로 디자인되었다.

8

9

9

남의 속도 모르고

영화 타이틀, 자유영화공사, 1959

베이스라인을 따라 확고하게 정렬되었고 육중한 체적이지만 둥글둥글한 형상을 연출해 전체적으로 경쾌한 미감을 보여 주는 레터링. 이는 영화의 내용, 여고 체육 교사인 진호(방수일)와 그 학교 교장(김승호)의 무남독녀인 설희(김지미) 등 등장인물 사이의 얽히고설킨 오해와 로맨스를 그린 청춘물인 것과 직접적으로 관련된다.

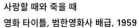

10

사랑할 때와 죽을 때
영화 타이틀, 범한영화사 배급, 1959
할리우드 유니버설 픽처스가 제작한 원제
'A Time To Love And A Time To Die'를 직역한
타이틀. 몇 가지 형태의 레터링을 포스터와 광고에
사용했는데, 위에서 아래로 향하는 이 레터링은
'사랑'과 '죽음'이란 상반된 키워드를 강조·
대립시키면서 소실점을 적용한 원근법을 채용,
전체적으로 무게감을 덜어내고 세련된 인상을
만들어 냈다.

11

이마루
상표명(위장약), 금화제약, 1960
'2천만의 위장약' 이마루 레터링. 광고 자체는
소화불량, 위산과다, 숙취, 위궤양, 복통 등
전반적인 위장 관련 증상을 나열한 후 따옴표
안에 상표명을 매우 굵게 처리한 단순명료한
형태다. '이마루' 개별 글자 왼쪽 부분에 흰 실선을
반복시켜 점증 효과를 줬다.

10

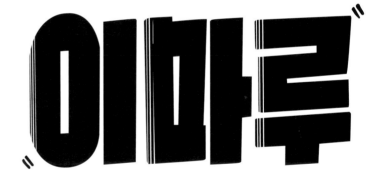

11

12

도라지 위스키
상표명(주류), 국제양조장, 1960
1960년에 출시된 신제품 위스키 상표명. 한국
위스키 수용사에서 중요하게 언급되는 브랜드다.
제품 성분과 도라지는 아무 관계가 없지만 광고
레터링만은 양 가장자리가 뾰족하고 대칭 곡선
형태인 도라지잎을 테마로 꽤 친근한 형상을
만들어 냈다.

12

서울의지붕밑

13

13
서울의 지붕 밑
영화 타이틀, 신필림, 1961
가볍고 명랑한 분위기를 자아내도록 연출된,
안쪽으로 말려 들어간 이응(ㅇ)의 획 처리가
특징적인 레터링이다. 세련된 코미디 문법을
따르는 영화에 조응하도록 디자인된 타이틀과
크레딧 화면은 흥겨운 음악을 배경으로 서울
도심과 북촌 주거지 등을 부감으로 잡은 화면 위에
띄워지면서 첫 장면부터 관객의 기대감을 한껏
불러일으킨다.

14
아리랑
상표 이름(담배), 전매청, 1961
전매청이 1958년 출시한 담배 '아리랑'의 1961년
리뉴얼 버전. 포장 디자인의 관점에서 기존의 것을
일신해 현대적으로 갱신했으며 서체 측면에서도
탈네모 형식의 기하학적 레터링을 선보였다.
민철홍 교수가 포장과 서체를 디자인했다.

15
쎄일즈맨의 죽음
연극 타이틀, 드라마센타, 1962
드라마센타에서 1962년 공연된, 미국 극작가
아서 밀러(Arthur Miller)의 희곡 '세일즈맨의
죽음'(Death of a Salesman)의 타이틀. 세로
지면에 맞춰 배치되었고 인간 비극을 다룬 사회
드라마다운 비장미를 풍긴다. '신예' 이기하가
연출한 이 연극에는 김동훈, 오현경, 여운계,
김성옥 등 나중에 한국 연극의 주류가 되는 '신인'
들이 대거 출연했다.

15

아리랑

14

16

16
사랑을 다시 하지 않으리
영화 타이틀, 한성영화사, 1962
사랑과 이별, 비극과 가족애 등을 다룬 통속극
〈사랑을 다시 하지 않으리〉 타이틀. 붓글씨를 쓸
때 획 끝부분을 휙 날려 버리는 듯한 효과를 줘서
신파 정서의 영화에 감정을 더했다. 당시 광고에
쓰인 여러 타이틀 중 하나이며 공식 포스터의
타이틀과는 다른 형태의 글자다.

17
럭키치약
상표명(치약), 럭키, 1962
LG생활건강의 전신 락희화학공업사
(樂喜化學工業社)가 한국전쟁 후 1955년 출시한
치약 제품. 초기부터 제품 옆에 '럭키치약' 상표명을
크게 사용했고 해를 거듭하면서 글자를 다듬어
1957년경 글자의 주요 특성이 확립되었다. 전국
방방곡곡에 보급된 제품, 대량 광고를 통해 국민
남녀노소에게 각인된 글자라고 할 수 있다.

18
당신의 생활을 즐겁게 하자면...
광고 문안(전력 소비 촉진 캠페인), 한국전력, 1964
문답을 물음표 형상으로 꾸민 광고 문안. 문장으로
뭔가를 조형화하는 예가 거의 없었던 시기의
특이한 레터링이라 할 수 있다. 전후 전력 사정이
점차 개선되어 1964년 4월 1일부터 모든 제한
송전이 해제되는 것을 넘어 일시적으로 넘치는
발전량을 걱정해야 했던 전력 당국의 고민이 담긴
문안이다.

17

18

왈순아지매

사랑은 주는것

캄파리

19
왈순아지매
영화 타이틀, 연아영화, 1963
만화가 정운경의 동명 연재만화를 원작으로
이성구 감독이 연출한 영화. 획의 끝을 동글하게
만들어 쾌활하고 명랑하게 보이도록 한 타이틀은
어려운 살림에 식모살이를 하는 왈순아지매
(도금봉)가 특유의 밝은 성격으로 괴팍한 집안
식구들을 아우르며 즐겁게 생활을 한다는 내용의
축도라고 할 만하다.

20
사랑은 주는 것
영화 타이틀, 이화영화, 1963
잡지사 여기자(엄앵란)와 건축 설계사(신영균)의
좌충우돌 러브스토리를 그린 코미디영화. "당신은
사랑받기를 원하십니까?"라고 묻고 "사랑은 주는
것"이라고 답하는 광고 형식은 공식 포스터와
동일하다. 전체적으로 60년대 영화계의 관습적
표현 안에 있는 레터링이다.

21
캄파리
상표명(철·인·칼슘제), 동아제약, 1965
동아제약의 빈혈, 허약체질, 발육촉진 제제(製劑)
'캄파리' 네이밍 레터링. 포장에 가로로 쓰였으나
세로형과 글자 형태는 동일하다. 비스듬히
기울어진 타원 모티프를 'ㅋ', 'ㅁ', 'ㄹ'에 적용해
레터링다운 짜임새를 만들어 냈다.

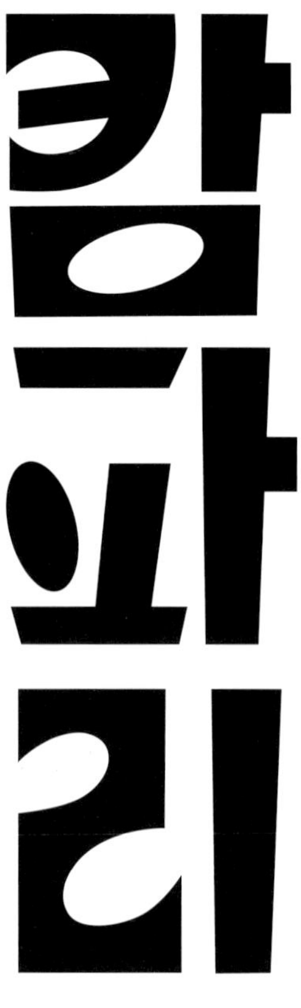

22

성난얼굴로돌아보라

23

22
비속의 여인
음반 타이틀(에드훠), 엘케엘레코드, 1964
신중현 음악의 시작이자 한국 최초의 창작 록
앨범으로 일컬어지는 에드훠(The Add 4)의 앨범
레터링. 타이틀 곡 '비속의 여인' 다섯 글자를
손으로 몇 번 쓱쓱 반복해 쓴 형태다. 글자를
이루고 있는 획들이 마치 비가 주룩주룩 내리는
듯한 효과를 주는 한편, 트로트 일색의 당시
가요계 음반 속에서 예외적으로 자유분방한
인상을 만들어 냈다.

23
성난 얼굴로 돌아보라
영화 타이틀, 대한연합영화, 1965
별다른 평가를 받지는 못한 영화지만 포스터와
광고에서 특대 고딕 유형의 글자로 갈겨쓴 타이틀
레터링만은 액션영화의 정서를 강렬하게 표현해
냈다. '성난 얼굴로 돌아보라'라는 타이틀은
1960년 극단 제작극회가 공연한 영국 작가 존
오스번(John Osborne)의 동명 희곡 제목(Look
Back in Anger)을 차용한 것이다.

24
신탄진
상표명(담배), 전매청, 1965
1965년 7월 전매청이 출시한 고급 담배. 신탄진은
대전시 인근의 지명으로 당시 동양 최대의 담배
공장 신탄진연초제조창을 이곳에 준공한 기념으로
내놓은 담배 상품명이다. 포장지에 '신탄진'
을 사선 방향으로 기울였고, 'ㅣ'의 세리프를 'ㄴ'
받침과 동일한 각도와 굵기로 디자인해 속도감을
표현했다.

24

25

로즈마리

영화 타이틀, 세기상사, 1966

'거장' 머빈 르로이(Mervyn LeRoy) 감독이
연출한 뮤지컬 애정물 〈로즈마리〉(Rose Marie,
1954) 타이틀. 사냥꾼의 딸로 태어나 고아가 된
야성녀(野性女) 로즈마리와 기병대 상사 마이크,
사냥꾼 짐 사이의 삼각 애정을 그린 영화다.
뮤지컬 영화의 감성과 운율을 흩날리는 리본으로
형상화한 듯한 타이틀로 살려 로맨틱한 분위기를
만들어 냈다.

26

까스명수

상표명(발포성 위장약), 삼성제약공업, 1966

1965년에 런칭한 '한국 최초의 발포성 위장약'
까스명수 상표 이름. 위장약이라기보다는 액상
소화제에 가까운 약품으로 아직도 현존할 만큼
성공한 제품이다. 제품 포장에 인쇄한 것과 달리
광고에서는 조금 더 장식적인 터치로 제품명을
강조했다.

25

26

27

새소년

잡지 제호(소년지), 새소년사, 1967

어린이 교양지 〈새소년〉 제호. 당시 아동기를 보낸
한국인에게 〈새소년〉은 흥미진진한 연재물과
책받침, 만화책 등으로 구성된 '호화' 별책
부록으로 기억된다. 한글 자소의 귀퉁이 일부를
동그랗게 깎아 인상을 만들었지만, 작도법에서
일관된 규칙이 느껴지지는 않는다.

27

피아트124

상표명(자동차), 아세아자동차공업, 1969

이탈리아 자동차 제조사 피아트의 124 모델
상표명. 회사는 초기 '견고하고 경제적인 승용차'
로 제품을 포지셔닝했는데, 구조적으로 짜임새
있고 밀도 높은 형태의 이 레터링도 같은 맥락에서
디자인된 것으로 짐작된다. 런칭 이후 1970년까지
똑같지는 않지만 형태적 특성을 유지하면서 광고
등에 노출되었다.

28

29

39

새것은 좋은 것이다!

광고 문안('롯데껌'), 롯데제과, 1969

멕시코산 천연 치클, 알루미늄 특수 은박지
포장 등 원료와 기술 측면에서 기세를 올리던
롯데껌의 슬로건. 모든 소비 영역에서 신제품이
쏟아져 나오면서 한국인의 생활을 격변시키던
시기의 시대정신처럼 보이는 문장이다. 각진
획과 사선으로 기울인 글줄에서 속도감과 운율이
느껴지도록 디자인되었다.

30

왔다껌

상표명(껌), 롯데, 1970

아이들에게 지명도 높은 캐릭터를 포장에
등장시키고, 판박이 그림을 넣어 주는 등의
대대적인 판촉전을 벌인 어린이를 위한 껌.
제품명 레터링도 그 연장선상에서 '번쩍' 문양
안에 명랑한 느낌의 뾰족한 자체로 그려 포장에
삽입시켰다. 상표 이름에서 오는 재미있고 웃긴
연상을 형상화한 레터링이다.

30

로고 아카이브 50–60s, 기업 로고의 탄생과 성장

한국 기업 시각 전략의 연대기적 여정에서 1950–1960년대는 회사 로고의 '태동기'에 해당한다. 전후 복구와 정부 주도 경제 개발이 이루어진 1960년대 기업이 폭발적으로 증가, 확장하는 과정에서 로고의 필요성이 강력히 대두되었다. 당시 기업의 로고는 회사 이념을 알리고 경쟁사와 차별화하기 위해, 구성원의 단합과 자부심 고취를 위해 만들어졌다.

이 시기 로고는 한국 1세대 로고의 특징인 직설적이고 단순하며, 회사명으로부터 연유한 조형을 여실히 보여 준다. 간혹 산업미술가에게 의뢰된 것을 제외하면, 이 로고들은 수많은 익명 도안가와 현상 공모에 응한 불특정 시민 디자이너의 작품이라는 '시대적 산물'이라는 성격도 뚜렷하다. 이들은 1980–1990년대 한국 기업이 대형화되면서 국제적 양식의 로고로 전면 대체되었다.

초창기 기업 로고는 한국 산업의 성장과 기업의 이념과 밀접하게 연결된 시각 기호라는 측면에서 적지 않은 의미가 있지만, 체계적으로 정리되지 못한 미답의 분야다. 원천 자료의 미비에도 불구하고 순차적으로 로고들을 수집·분류하고 그 형태를 구체화할 필요는 충분하다. 이런 관점을 바탕으로 1950–1960년대 기업 디자인 현장과 산업미술가들의 활동상을 암묵적으로 증언하는 1차 자료이자 임의적 아카이브 형태로 당시 로고 중 일부를 선별·복원해 제시한다.

김광철, 〈로고 아카이브 50–60s, 기업 로고의 탄생과 성장〉, 2022, 그래픽 설치, 가변 크기, 국립현대미술관 제작 지원.

웹사이트 개발: 오예슬

1

2

3

4

5

6

1

OB맥주, 1946

삼각형 바탕에 상표를 박아 넣은 동양맥주의 사장(社章). 삼각형은 각각 '품질', '봉사', '신용'을 나타내며 또한 무(無)에서 출발해 위로 퍼지는 모양은 회사의 무궁한 발전을 뜻한다. 회사는 1933년 창립했지만 로고는 해방 후 1946년 제정했다. 1974년 새로운 심벌로 교체될 때까지 28년 동안 존속했다.

2

국도극장, 1949

1946년 개관한 국도극장(國都劇場)의 심벌. '국'자의 자소를 분리해 상단에 배치하고 '도'를 원형과 결합시켜 전체를 아우른 형태로 50년대 이니셜형 로고의 일반적 형식을 취했다. 극장은 1999년 폐관했다.

3

고려개발, 1965

원을 이루는 톱니바퀴 안에 한반도 지도를 위치시킨 모양의 마크. '건설의 붐을 타고 약진하자'는 회사 슬로건을 표현한 것으로 1965년 회사를 창립할 때 제정했다. 마크의 컬러는 녹색 바탕에 톱니바퀴와 지도는 은색 선으로 표현하고 지도와 톱니바퀴의 여백은 황금색이다. 이로써 젊음과 패기, 나아가 발전을 지향하는 회사의 지향점을 표현한 것이 된다.

4

고려원양어업, 1963

가운데 우뚝 서 있는 형상은 이 회사의 주력 어획 어종인 참치를, 밑에서 갈라진 원형 선은 낚시를 의미해 먼바다에서 낚시에 걸려 올라오는 물고기를 형상화한 것이다. 오대양 어느 해역에서든 그물만 내리면 높은 어획고를 성취하려는 의욕에 찬 뜻이 담겨 있다. 1963년 회사 창설 당시 현상 모집을 통해 제정했다.

5

광주고속, 1960년대

호남 광주를 기반으로 한 광주고속의 심벌. 고속버스 사업과 느리게 움직이는 거북이가 부조화한 듯하지만 오히려 그 점이 어필해 큰 사랑을 받은 심벌이다. '토끼와 거북이' 우화에서 보듯 거북이는 우직함과 성실을 상징하고 나아가 '안전'이란 의미까지 포괄할 수 있다. 1970년대 초 회사는 '거북이의 우정을 당신께...'라는 슬로건을 내세우기도 했다.

6

금화제약, 1960년대 초

'금화'의 초성 'ㄱ' 3개가 톱니바퀴처럼 결합되어 삼각형 구조체를 형성한 마크. 1962년부터 자사 의약품 이마루(위장약), 비라본(구충제) 등의 광고를 통해 노출시켰다. 금화제약은 60년대 초에 활발히 활동해, 보혈제 에나지, 간장약 메타민, 복통약 BDG, 감기약 코푸민 등을 출시한 중견 제약업체였다.

7

8

9

10

11

12

7

기아산업, 1967

회사명 기아에서 '기'의 첫 자소 '기역'(ㄱ)을 '아'의 '이응'(ㅇ)과 결합시킨 이니셜형 로고. 60년대 한국 기업 로고의 조형에서 벗어나지 못한 형태이나 간결하고 의미가 쉬운 장점이 있어 1986년 새로운 로고로 대체될 때까지 20여 년 존속했다. 기아산업은 1944년 설립, 삼천리자전거를 시작으로 종합 자동차 메이커로 성장해 기아 마스타, 봉고, 프라이드, 캐피탈, 콩코드 등의 자동차를 출시한 회사.

8

농업협동조합, 1961

머리의 'V'는 '농' 자의 'ㄴ'을 변형한 것으로 싹과 벼를 의미하며 농협의 무한한 발전을 나타낸다. 그 외 형상은 '업' 자의 'ㅇ'을 변형한 것으로 원만함과 돈을 의미하고 협동 단결을 상징한다. 마크 전체는 '협'자의 'ㅎ'처럼 보이며 크게 보아 항아리에 쌀이 가득 담겨 있는 형상이다. 1961년 舊 농협이 농업은행과 통합해 종합농협이 발족한 이래 현재까지 이 심벌을 사용하고 있다.

9

닭표, 1964

당시 조미료계를 대표하던 신한제분의 상표. 1964년 조미료 '닭표맛나니'를 출시하면서 탄생했다. 닭을 상표로 채택한 이유로 회사는 '닭이란 원래 부지런하고 시간관념이 가장 강한 것을 높이 평가한 것'이라 설명했다.

10

대림산업, 1960년대

토목, 건축, 교량 건설 등을 업종으로 하는 대림산업의 초기 마크. 원 속에 탑이 우뚝 서 있는 모양은 한자로 '대'(大), 탑의 두 다리는 한자의 '림'(林)을 나타내는 회사명 기반의 심벌이다. 큰(大) 숲(林)을 뜻하는 회사명에 걸맞게 이를 컬러로 표현할 때는 초록을 썼는데, 이에 대해 회사는 "젊음과 패기, 안전을 상징하는 한편 회사의 무한한 발전을 나타내는 상징"이라고 밝힌바 있다.

11

대성목재, 1964

60년대 수출 실적에서 국내 수위를 차지하던 목질 전문회사 대성목재의 마크. 1964년부터 사용했으며 한자 '나무 목'(木)을 형상화한 것으로 보인다. 굵은 두께와 둥글게 조형된 모습에서 상승하는 기운과 패기가 느껴진다.

12

대영제약, 1962

기존 사용하던 벤젠 구조 화학식으로 된 마크를 대체해 1962년 봄부터 광고에 사용한 로고. 회사명 '대영'의 이니셜 자소로 조립한 것으로 아래 반원은 '디귿'(ㄷ)을 세워 놓은 것. 대영제약은 1950년대 후반부터 1960년대에 걸쳐 활동한 제약 회사다.

13

14

15

16

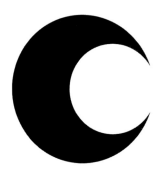

17

18

대왕코너, 1968

청량리역 광장에 자리하던 복합상가 대왕코너의 마크. 한자 '대'(大)를 원형으로 연결시켜 왕관 모양을 만들고 가운데 '왕'의 'ㅇ'을 위치시켰다. 대왕코너는 1974년 11월 3일 88 명이 사망한 화재 참사로 기억되는 비운의 상가.

14

대한교육보험, 1958

자녀들의 대학 진학금, 결혼, 주택, 자립을 보장하는 보험으로 특화해 출범한 대한교육보험의 심벌. '교육'의 자소인 'ㄱ'과 'ㅇ'으로 구성한 이니셜형 로고. 교육 보험은 한국 사회의 교육열에 보험 원리를 적용한 한국 보험 산업의 최대 히트 상품 중 하나로 회자된다. 대한교육보험의 후신인 교보생명은 '교육보험'을 축약한 이름으로 교육보험 회사로 출범한 회사의 정체성을 보여준다.

15

대한재보험공사, 1960년대

상단의 KRIC는 회사의 영문(Korean Reinsurance Corporation)의 약자. 지구본 중앙에 박힌 형상은 우선 한반도를 상징하지만 또한 햇불을 닮아 '화재보험'을 연상시킨다. 위도와 경도를 간략하게 표시한 지구는 회사가 세계 각국의 보험회사와 맺는 재보험 계약을 맺고 있음을 상징하는 표상이다. 현상 모집을 통해 선정한 도안을 다듬은 것으로 1960년대 후반부터 사용되었다.

16

대한주택공사, 1964

일제 강점기 말에 출범한 조선주택영단(朝鮮住宅營團) 을 전신으로 하는 대한주택공사가 창사 이후 1964년 현상 공모에 의해 제정한 심벌. 가운데 구조물은 빌딩을, 빌딩 하단은 건물의 입구이면서 '대한'의 'ㄷ'을, 이를 둘러싸고 있는 원은 울타리이면서 영속성을 상징함과 동시에 빌딩 부분과 어울려 대한의 'ㅎ'을 상징한다. 1978년 새로운 사장 (社章)이 도입될 때까지 시용되었다.

17

대한통운, 1957

1930년 설립된 조선미곡창고를 전신으로 하는 한국미곡창고가 1957년 상표 등록한 마크. 한국미곡창고는 1963년 대한통운으로 상호를 변경했고, 현재 종합물류회사 CJ대한통운으로 이어지고 있다. 심벌의 의미는 밝혀진 것이 없으나 한국미곡창고 시절 제정된 것으로 보아 가운데 마름모는 '미'(米)의 'ㅁ'일 것으로 추정해 볼 수 있다.

18

동광약품, 1960

감기약 노바킹, 영양제 비타이스트 등을 출시한 동광약품의 로고. 1960년 말 광고를 통해 선보인 로고는 두 개의 원으로 되어 있는데, '동광'의 '이응'(ㅇ) 받침, 또 '동쪽의 빛'을 뜻하는 회사 이름 '동광'(東光)을 태양으로 형상화한 것으로 추정된다. 1970년 새로운 상표로 리뉴얼될 때까지 10여 년간 사용되었다.

19

20

21

22

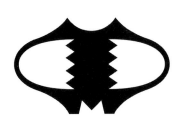

23

24

19

동륭물산, 1967

수출입무역업체 동륭물산의 로고. 마름모 형상은 전 직원이 합심하여 회사를 이끌어 나가자는 의미이며, 가운데 DRM 은 동륭물산의 영문 이니셜. 1967년 3월 회사를 창설하면서 사장 임창익이 스스로 만든 것이다. (디자인: 임창익)

20

동아건설, 1966

둥근 원에 볼드한 형상의 'ㄷ'이 파고 들어간 마크. 'ㄷ'은 동아건설의 첫 글자 '동'의 첫 자소이며 원은 공간과 토목 (土木)을 상징한다. 형태에서는 원대한 발전과 어떠한 역경이라도 이를 뚫고 나가는 기세와 패기를 나타낸다. 1966년 현상 모집을 통해 채택된 마크.

21

동아제약, 1959

작은 원이 큰 원 상단에 붙어 있으며 작은 원 하단에 '제약'(製藥)을 상징하는 육각형 벤젠 구조가 파고든 모양의 심벌. 1959년부터 광고 및 포장에 사용하기 시작해 1973년 초 다른 것으로 교체될 때까지 존속했다. 동아제약은 1960– 1970년대 제약 광고비의 수위를 달린 회사인 만큼 1960 년대 전체와 1970년대 초까지 매체 광고와 POP, 포장 등을 통해 한국의 대중에게 가장 많이 보여진 심벌 중 하나다.

22

동양어업회사, 1960년대

원 외곽에 삼각형이 자리하고 그 안에 'Y'가 위치한 형태의 상표로 기본적으로는 회사명 '동양'을 나타낸다. 아울러 'Y' 는 식물의 건강한 성장을, 삼각형은 안전을, 원은 황금을 상징하여, 종합하면 어업회사로서 안전 속에서 무한한 자본의 축적을 통한 번영과 성장의 포부를 의미하는 심벌이라 할 수 있다. (디자인: 차동일)

23

미도파백화점, 1954

미도파의 첫 글자인 '미'(美)를 원으로 둘러싸 원만과 영원, 굳건한 단결을 상징하고자 했다. '미' 자는 동양미를 살려 선의 아름다움을 살리는 한편, 소매업에서는 무엇보다 계산이 빨라야 한다고 해서 글자 몸통에는 모든 셈의 근본인 주판(珠板)알의 형상을 넣었다.

24

미미제과, 1953

미미제과는 1953년 10월 고급 인삼캐러멜을 출시하면서 출범한 회사. 한자 '미'(美)를 기하학적으로 작도해 대칭의 원형 안에 표현한 심벌이다. 경쟁 업체 해태제과, 오리온제과와 비슷한 시기에 출발했지만 성공하지 못하고 1954년 이후 업계에서 물러났다.

25

26

27

28

29

30

25

백두산(동일방직), 1962

동일방직이 출시했던 광목 브랜드. 알파벳 A를 넣은 정삼각형 세 개가 나란히 이어진 모양이다. 삼각형 세 개는 상품의 3대 요소인 신용, 품질, 가격을 보증하려는 것이고, 삼각형에서 각 변이 서로 넘어지지 않게 이를 물고 있는 것은 상품의 3대 요소가 서로 맞물려 무너지지 않게 한다는 뜻이다. 임직원 대상 현상 모집을 통해 제정했다.

26

삼성, 1965

1965년 제일제당, 제일모직, 삼성물산을 모태로 한국비료를 인수했을 때 공모를 통해 제정한 삼성의 종합사장 (綜合社章). 3개의 날카로운 봉우리가 환상(環狀)을 이룬 모습은 별처럼 빛나는 삼성 그룹을 상징하며 외곽의 원(圓)은 그룹 소속 회사 사이의 결속과 유대를 의미한다. 가운데 알파벳은 사용처에 따라 달라지는데 가령 삼성(S), 제일제당(B), 제일모직(W), 한국비료(H) 등이다.

27

삼성제약, 1961

까스명수로 유명한 삼성제약의 심벌. 회사의 모토는 '삼성'(三省) 즉 하루에 3번 반성하여 잘못된 것을 개선하자는 것. 상표의 원은 인화 단결을, 백색 바탕은 백의민족의 결백함을 그대로 옮겨 놓은 것이며 영문 SSP는 회사의 영문 이니셜이다. 숫자 3의 평행선은 영원한 발전과 약진을 의미한다.

28

삼익피아노, 1960년대

1958년 창업한 악기 메이커 삼익피아노의 1대 심벌 마크. 사명 삼익피아노의 영문 이니셜형 심벌로, '삼'의 'S'가 비스듬히 'I'와 겹치는 가운데 'P'(피아노)가 나타나는 형식이다. 초창기 히트상품 호루겔 피아노를 판촉하면서 1960년대 중반 이후 대중에게 본격적으로 노출되었다.

29

삼일제약, 1966

1947년 '창의와 연구와 봉사'라는 창립 이념 아래 국민 보건에 기여해 온 삼일제약이 1966년 발표한 신상표 (횃불표) 마크. 삼일제약의 '삼'(三) 자와 '일'(一) 자를 바로 세워 영문 이름(SAMIL)의 이니셜인 'S' 자로 구도를 잡아 셋의 힘이 뭉쳐 하나의 토대를 이룩하였고, 다시 하나의 뿌리에서 셋의 힘이 무한대로 뻗어 올라간다는 뜻을 나타냈다.

30

삼표연탄, 1960년대

한자 '삼'(三)이 가운데 육중하게 자리한 상표. '삼표연탄' 이라는 이름을 채택한 이유는 다른 연탄보다 점화가 잘 되고 화력이 강하며, 소진한 후에도 깨지지 않으며, 연소 시간이 길다는 3가지 특징을 나타내기 위한 것이다. 이것은 또한 회사가 소비자에게 제시하는 약속으로 이때 심벌은 품질을 보증한다는 증표에 가깝다.

31

32

33

34

35

36

31

서울사이다, 1950년대

50년대 중반 출시되어 칠성사이다와 경쟁했던 발포성
청량음료. 서울사이다(Seoul Cider)의 영문 이니셜을
사용한 로고로 청량음료라는 기호식품의 로고다운 경쾌한
느낌을 준다. 서울사이다는 1970년대 중반까지 존속하고
퇴장한 회사.

32

서울증권, 1960년대

도안의 외곽에서 마주 보고 있는 '〈' 기호는 서울증권의
'서'를 뜻하며, 내부의 마름모 도형은 증권의 모양이면서
언뜻 증권시장 장내를 연상케 하는 형상이다. 가운데 'S'
는 증권 혹은 주식을 뜻하는 영어 'security'의 첫음절을
딴 것. 1954년 설립해 2008년 대주주 변경으로 상호가
바뀌기까지 54년간 존속한 서울증권의 초창기 마크.

33

신세계백화점, 1964

지구(세계)를 뜻하는 원형 안의 타원은 각각 왼쪽 하현달과
오른쪽 상현달을 뜻한다. 전체적으로는 신세계의 '신'
자가 숨어 있다. 지구는 항상 새롭게 회전하며 매일매일의
향상을 표시하고 상표의 바탕색(녹색)은 늘 푸른 생생함을
불러일으켜 안심과 만족감을 자아낸다는 뜻이다. 현상
모집을 통해 제정했다.
(디자인: 김성은)

34

신신백화점, 1955

상호 '신신'의 이니셜 자소 'ㅅ' 두 개를 뉘어 겹친 모양의
마크. 신신백화점은 사명 '신신(新新)' 사이에 이 마크를
박아 넣은 간판이 인상적이었던 쇼핑 명소로 기억된다.
화신백화점 창업주인 박흥식이 종로 1가에 1955년 개점한
2층 아케이드 형식의 상가였던 신신신백화점은 80년대
초 모기업 화신그룹의 경영난과 함께 매각되어 1983년
철거되었다. (디자인: 김교만)

35

신진자동차, 1965

타원형 안에 사선으로 기울인 영문 철자 Shinjin을
넣은 형태로 '스피드'와 '중단 없는 전진'을 상징하는
마크. 타원은 또한 성곽처럼 보이는데 이는 신진자동차,
한국기계, 경향신문으로 이뤄진 신진 그룹을 뜻하기도
한다. 신진자동차는 1965–1970년대 초반에 전성기를 보낸
회사로 일본 도요타 자동차와 제휴해 코로나, 크라운 등의
자동차를 출시했다. (디자인: 유상린)

36

애경유지, 1962

원 속에 두 줄기 파상 무늬를 넣고 그 위에 '애경'을 배치한
상표. 둥근 원은 맑고 깨끗한 물방울을 상징한 것이며
하단의 파상은 호수에 이는 잔잔한 파도를 형상화한 것.
결국 이 상표는 세제, 비누 등 이 회사 제품의 이상(理想)
이랄 수 있는 청결과 순수를 뜻하는 것으로 볼 수 있다.

37

38

39

40

41

42

37

역도표(서울약품), 1950년대

역도 선수가 바벨을 머리끝까지 들어 올린 형상의 상표. 건강의 이상(理想)이자 힘과 정력의 상징으로 역도하는 남성을 배치시키고 세계를 뒤흔드는 한국인으로 국민 체질을 바꾸겠다는 포부를 포괄적으로 나타낸다. 처음에는 서울약품의 소화 및 체질 개선제 '원기소'의 심벌이었으나 이후 서울약품 전체 제품에 쓰였다. (디자인: 서울약품 학술부)

38

영진약품, 1962

동그라미 위에 양쪽 방향 화살표로 된 심벌. 동그라미는 '영진약품'의 첫 자소 'ㅇ'을, 화살표와 원의 결합 형상은 '진'의 'ㅈ'을 의미한다. 그 외 원은 만인의 건강을 의미하며 아울러 인화단결을 뜻하고, 화살표는 모든 질병을 과감하게 물리쳐 모든 이들의 건강을, 동시에 회사의 영원한 발전을 나타낸다. 공모를 통해 제정했다.

39

유니온백양회공업, 1960년대 후반

흰색 바탕에 검정 선이 우측으로 돌아 나가 화살표를 가진 원형을 이루는 형상이다. 전체 모양은 복주머니를 상징하며 선이 우회전할 때 비대해지는 것은 회사의 번영을 기원한다는 뜻. 원형 모양은 부분적으로 '유니온백양회'의 첫 글자인 '유'의 첫 자소 'ㅇ'을, 화살표 모양은 '시멘트'의 'ㅅ'을 표현한 것이다. '백양회'(白洋灰)란 백시멘트를 말하는데, 마크의 바탕이 흰색인 것과 관련이 있다.

40

유유산업, 1959

제약회사 유유산업의 로고. 영문 이니셜 Y를 아래위로 반전하여 중복시킨 형태로, 회사는 "쉼 없이 망망대해로 유유히 흐르는 물처럼 계속 진취적으로 발전하고 번영하다"는 의미를 담고 있다고 밝혔다. 사명 이니셜을 취한 1950-1960년대 회사 로고의 전형적인 형태에 속한다. 1959년 준공된 유유산업의 안양 공장(현 김중업박물관) 현관 입구에 조형물 형태로 남아 있다.

41

일동제약, 1961

기존에 사용하던, 좌대에 비둘기가 날개를 펼치고 자리한 조상(鳥像) 심벌을 대체한 것으로 태양을 배경으로 비행하는 비둘기를 형상화한 마크. 회사는 당시 '건강과 평화의 상징'이란 슬로건을 사용했고, 상표를 '비둘기표'라 칭했다. 일동제약의 아로나민, 비오비타 등은 1960년대 한국 제약 산업의 최대 히트 상품의 하나다.

42

일양약품, 1959

한자로 일양(一洋)은 '큰 바다'라는 뜻이나 또한 인류 전체를 포괄하는 것으로 이해할 수 있다. 일양약품은 제약회사로서 특히 위장약 전문 메이커로 노루모 등을 시판하는 기업. 상표의 원은 '일양'의 'ㅇ'이자 세계를 의미하며, 물결 모양의 선은 곧 푸른 바다를 뜻한다. (디자인: 어재한)

43

44

43

전남방직, 1962

면사 및 광목을 대량생산하는 전남방직의 상표. 실을 감은 실뭉치 형태에 별을 넣은 모양이며, 하단 양쪽으로 갈라진 돌출부는 '전남'의 첫 자소인 'ㅈ'을 나타낸다. 별은 전국의 수요자에게 빛을 준다는 의미다.

44

제동산업, 1965년

원형은 오대양 지구 어느 해양이라도 제패하겠다는 의지를 나타낸다. 원은 남반구, 북반구로 나누어져 있고 물고기들이 서로 꼬리를 물고 있는데, 이는 국내 원양어업의 개척자를 자임하는 회사의 위상과 관계된다. 물고기 형상은 또한 회사의 이니셜인 'Z', 한자 '동'(東)을 연상시킨다. 이는 동서양 어느 곳이든 사세를 떨치겠다는 비전과 연결된다. 사내 공모를 통해 제정했다.

45

46

45

제비표시멘트, 1957

시멘트 회사 대한양회공업의 상표. 단결을 의미하는 원 안에 비상하는 제비를 형상화해 회사의 비약적인 발전을 기원한 심벌이다. 원 안에 제비 형상은 한자로 '대'(大)처럼 보이며 양 날개는 영문자 'M'을 연상시킨다. 이는 회사의 공장 소재지가 경북 문경인 것을 말해 준다. 제비의 하단 꼬리가 한글 자소 'ㅅ'처럼 보이는데, 이는 '시멘트'를 나타낸다. 1957년 공모에 의해 제정했다. (디자인: 박원)

46

조광, 1950년대

와이셔츠 등을 생산, 판매하는 봉제기업 조광의 로고. '조광'(朝光)은 '아침 해'란 뜻으로 상표에서도 아침 해가 기상하는 모습을 형상화했다. 다이아몬드의 굳은 반석 위에 아침 해가 찬란히 떠올라 사방에 비치고 있는 광경으로 이 회사의 사장(윤선희)이 1945년 8월 15일, 일제로부터 해방된 기쁨을 직접 도안한 것으로 알려져 있다.

47

48

47

조선신약, 1964

간질 치료제와 유아 전문 의약품을 출시하던 조선신약의 상표. 원형 속에 제비 모양의 형상이자 반달에 명중한 로켓 모양 같기도 한 형상이 이색적인데, 제비는 빠른 약효를, 달에 명중한 로켓은 약효의 정확성을, 원형은 의약품 모양, 즉 정제를 뜻한다. 1964년 현상 모집을 통해 제정했다.

48

종근당, 1960

종근당의 '종'(鐘) 자를 형상화한 레터링 심벌. 종근당에게 종은 인류의 평화와 자유를 상징하며 인류 생명의 공헌을 내걸고 종소리를 더욱 크게 내겠다는 사력(社歷)과 비전을 의미한다. 한자 '종'은 '쇠북 종'(鐘)으로 새벽을 깨우는 종소리처럼 새로운 시작을 다짐한다는 슬로건으로 표현된다.

49

50

51

52

53

54

49

철도청, 1963

1963년 교통부 외청으로 창설한 철도청의 마크. 1963년 12월 31일 제정되었고, 대중매체엔 1965년 즈음 처음 선보였다. 원 안 소실점 방향으로 기차 궤도가 놓여진, 단순하지만 당당한 형상이다. 1996년 2월 교체될 때까지 33년 간 사용되었다.

50

크라운맥주(조선맥주), 1966

1966년 12월 새로운 라벨을 도입하면서 리뉴얼한 왕관(크라운) 모양의 마크. 크라운은 조선맥주의 상표로 그 이전부터 일련의 왕관을 상표에 등장시켰는데, 이 마크는 1986년 다이아몬드 모양으로 상징화한 왕관으로 교체될 때까지 30년 동안 존속했다.

51

태평양화학, 1962

화장품 메이커 태평양화학이 1962년 제정한 심벌마크. 형태는 로마자 알파벳 'ABC'를 유려하게 연결한 것으로 이는 당시 회사의 상표가 'ABC화장품'이었던 것과 연결된다. 커스터마이즈된 형태로 여전히 사용되고 있으며, 현 지점에서 회사는 'ABC'에 대해 'Asian Beauty Creator' 라는 슬로건의 축약어로 의미를 확장해 사용하고 있다.
(디자인: 서희석)

52

필동사, 1961

의류(점퍼) 메이커 필동사의 상표. 사철 푸른 침엽수 형태에 양쪽에 각각 7개의 가지가 뻗어 있는 모양이다. 총 14개의 나뭇가지는 14년이라는 회사 이력, 왼쪽 7개의 가지는 새로운 스타일의 상품으로 히트를 기록한 횟수를 뜻한다. 나무를 상표로 삼은 것은 신용을 본위로 한 무궁한 발전과 구성원 사이의 변함없는 이해와 협조를 구한다는 뜻이다.
(디자인: 이상률)

53

한국나이롱, 1960년대

실패 모양의 도형 안에 콜론(KOLON)을 넣은 워드 마크 형식의 로고. '콜론'은 '코리아 나이론'의 준말이다. 파란색 실패는 희망과 번영을, 백색 글씨는 백사(白絲)의 표본율을 상징한다. 1977년 회사명을 코오롱주식회사로 변경했으나 심벌마크는 주요 모티브를 살리는 형태로 리뉴얼을 거듭하면서 1983년 새로운 로고를 제정할 때까지 사용했다.

54

한국전력, 1961

1961년 영업 중이던 전업 3사가 통합하여 한국전력이 발족할 때 현상 모집으로 제정한 것. 형태는 사시(社是) 인 인화(人和)를 의미하는 청색 바탕에 번개 치는 형상을 배치한 모양이다. 3개 번개는 3사를 통합했다는 의미를 담고 있으며 한자 '천'(川)이 보이는 동시에 '번개'이기도 하여 수력발전과 화력발전을 통합하는 전력회사의 대표격임을 표현한다.

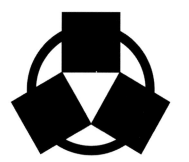

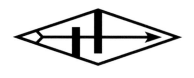

55   56

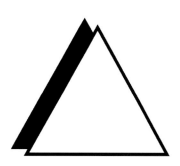

57   58

59   60

55
한국유리, 1957

3개의 정사각형이 원형에 걸쳐 있는 형상의 심벌로, 3개 정사각형은 1957년 설립 당시 3개 기간산업으로 꼽히던 비료, 시멘트, 유리 공업의 일익을 담당한다는 자부심과 사명감을 나타내고 있으며 또 그 자체로 판유리처럼 보인다. 사각형을 묶는 원은 영원무궁한 발전을 상징하는 동시에 회사의 사시인 인화, 진실, 성실, 근면, 창의의 표징이다.

56
한일공업, 1965

면도날 '도루코' 제조회사 한일공업의 상표. 예리하고 날카로움의 대명사 다이아몬드 형태 안에 상하로 막대를 내리고 화살표를 옆으로 그린 형상이다. 상하로 내려진 막대는 '한일'의 영문 이니셜 'H'를, 화살표는 '일'(一)을 나타내는 동시에 화살처럼 빠른 회사의 발전을 기원하는 상징이다.

57
한일약품, 1964

영어 '한일'(HANIL)을 검은 바탕에 심어 넣은 워드마크형 심벌. 두 팔을 벌려 손을 맞잡은 듯한 형상은 인류와 겨레를 질병으로부터 보호한다는 뜻이며 상하 두 개의 원은 건곤(乾坤: 하늘과 땅, 즉 온 세상)의 조화, 즉 영원을 상징한다. 1960년대 의약품 광고 전성시대에 대중매체 광고를 통해 무수히 노출된 로고 중 하나.

58
현대건설, 1957

1957년경 제정된 심벌로 두 개의 삼각형을 나란히 배치한 형태로 인류 최대의 역사 건축물인 피라미드를 상징하면서 건설회사의 정체성을 드러낸다. 또한 삼각형은 건축과 건설에 있어 가장 중요한 가치인 안전(安全)의 의미를 일깨운다.

59
현대자동차, 1969

1967년 미국 포드자동차와 기술제휴로 자동차 산업에 진입한 이후 1969년 초 제정한 마크. 무한한 회사의 발전을 뜻하는 정원(正圓) 안에 자동차 형상을 띤 도형과 '현대'(Hyundai)의 이니셜을 나타냈다. 회사는 이 마크를 두고 근면, 성실, 검소라는 현대자동차의 사시의 참뜻을 집약시킨 것이라고 설명했다. 1978년까지 사용되었다. (디자인: 한창교)

60
해태제과, 1953

한국 제과 업계의 대표 기업이었던 해태제과의 심벌. 창업자들이 해태를 회사의 상징으로 삼은 이유는 먼저 화재를 막는 수호신이라는 전설이 있고, 또한 선악을 분별할 줄 아는 지혜가 있다고 하며, 상상의 동물로 영생한다는 점에서라고 한다. 상표 등록은 1945년 이뤄졌고 1950년대 초부터 본격적으로 광고 등에 등장하면서 친숙해진 이래 맛동산, 부라보콘, 홈런볼, 오예스 등 숱한 히트 상품과 함께 전 국민이 아는 심벌마크로 일세를 풍미했다.

정체성과 주체성: 미술가와 디자이너

「정체성과 주체성: 미술가와 디자이너」에서는 두 가지 정체성을 동시에 지니고 활동했던 작가와 작품을
재조명하여 미술과 디자인 사이의 영역에서 그간 놓치거나 혹은 누락되었던 부분을 새롭게 들여다보고자 한다.
한홍택은 《한홍택 산미 개인전》(1952)을 시작으로 꾸준히 개인전을 열어 디자인 분야에 대한 사회적 인식을
확장하고자 노력했다. 그가 매 전시마다 '데자인', '디자인', '그라픽 아트', '시각언어'와 같은 새로운 명칭을
도입했던 것은 희미했던 분야의 정체성을 공적으로 명명하려는 시도이기도 했다. 동시에 그는 다양한 미술
단체의 참여와 작품을 통해 디자이너이자 회화가로서의 활동을 병행했다. 한편, 문우식은 회화가로 일찍이
주목받다 제14회 산미협회 회원전(1964)의 참여를 계기로 산업미술가로서 입지를 확장하게 된 인물이다. 그는
1962년 신상회의 창립 회원으로 활동하며 작품을 출품하는 동시에 단체의 로고와 리플릿, 현수막, 포스터를
디자인하기도 했으며 이후 여러 기관이나 협회의 로고 디자인, 실내장식, 가구 디자인 등 다양한 영역에서
활동을 이어갔다. 분야의 제도화 이전, 장르의 경계를 자유로이 넘나들었던 이들의 작업으로부터 어쩌면 보다
자유롭고 포용적인 예술의 가능성을 살펴볼 수 있다.

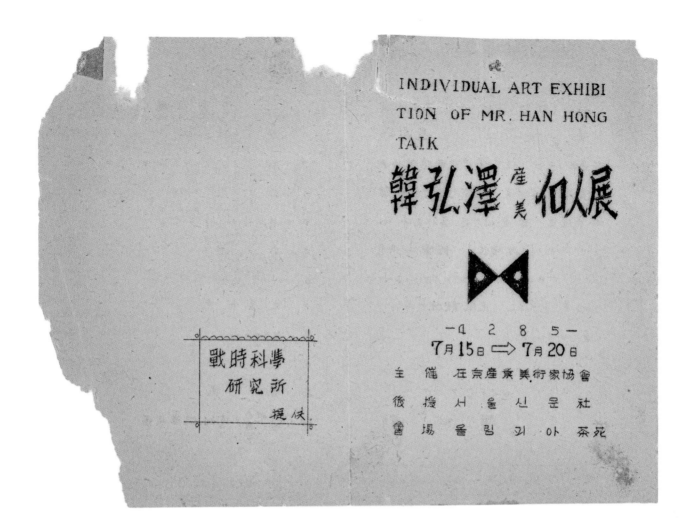

《한홍택 산미개인전》 브로슈어, 1952, 국립현대미술관 미술연구센터 소장.

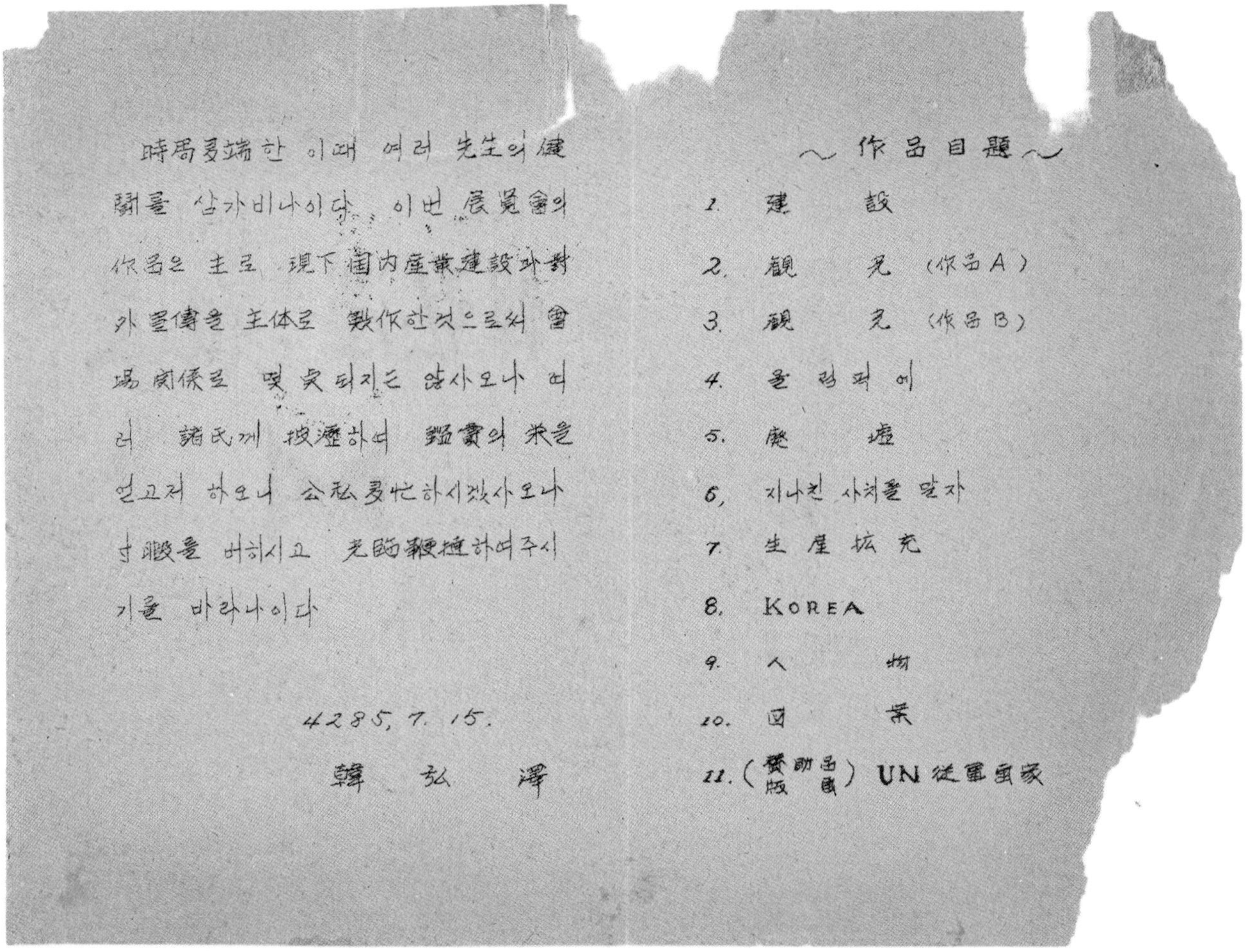

時局多端한 이때 여러 先生의 健
鬪를 삼가비나이다. 이번 展覽會의
作品은 主로 現下 國內産業建設과 對
外宣傳을 主体로 製作한 것으로서 會
場關係로 몇 못 되지는 않사오나 여
러 諸氏께 披瀝하여 鑑賞의 榮을
얻고저 하오나 公私多忙하시겠사오나
寸暇를 어하시고 光臨鞭撻하여주시
기를 바라나이다

4285. 7. 15.

韓 弘 澤

~ 作品目題 ~

1. 建   設
2. 觀   兒 (作品 A)
3. 觀   兒 (作品 B)
4. 들 러 리 어
5. 廢   墟
6. 지나친 사치를 말자
7. 生産擴充
8. KOREA
9. 人   物
10. 國   旗
11. (賛助出品) UN 從軍国家

"'산업미술'은 다른 회서나 조각예술과 같이 하나의 전문적 미술 분야로서 국민생활과 직접적인 연관성을 가졌을 뿐만 아니라 그 국가나 사회를 상징하는, 산업의 동맥적 역할을 하는 다시 말하자면 생활하는 미술이요 산업하는 미술이며, 나아가서는 외교하는 미술이기도 한 것입니다."

산업미술가협회 동인 일동, 「소개와 안내의 말씀」, 《한홍택 작품전》 브로슈어, 1955년 10월 9일.

《한홍택 작품전》 브로슈어, 1955, 국립현대미술관 미술연구센터 소장.

《한홍택 작품전》 포스터, 1955, 국립현대미술관 미술연구센터 소장.

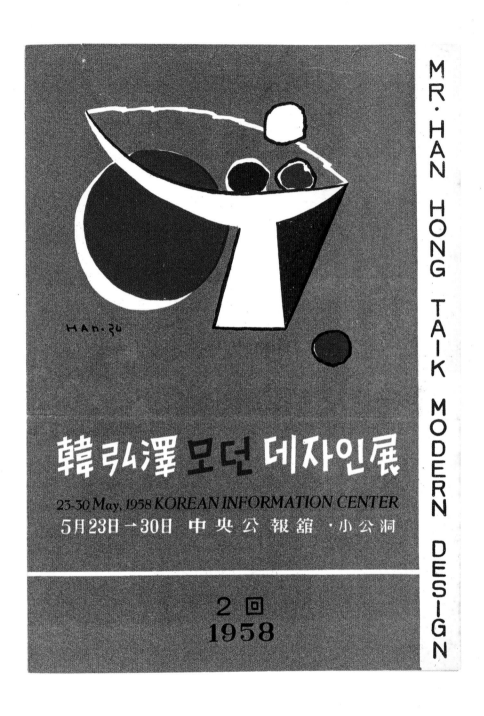

《제2회 한홍택 모던 데자인전》 브로슈어, 1958, 국립현대미술관 미술연구센터 소장.

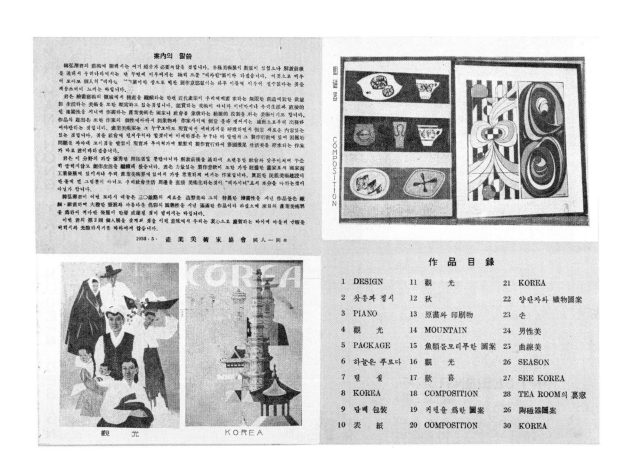

"... 회화예술의 영역에서 정진을 계속하는 한편 근대산업이 우리에게 요구하는 무한한 창조에 대한 욕망 즉 생활하는 미술을 또한 탐색하고 있는 것입니다. 감상하는 미술이 아니라 어디까지나 우리 생활과 직접적인 연관성을 지니며 작화하는 산업미술은 국가나 사회를 상징하는 동맥적 역할을 하는 미술이기도 합니다."

《제2회 한홍택 모던 데자인전》 전시 서문, 1958년 5월.

"여기 여러분은, 여러분의 기업 이메에지를 창조하는 예술이 있으며, 여러분의 생활 주변에 명랑하고 즐거운 무우드를 조성하는 미술을 볼 것입니다. 인더스트리알·아-트 또는 캄마샬·아-트가 바로 그것입니다. 생활하는 미술이라 일컫는 까닭도 여기 있습니다."

《제3회 한홍택 그라픽 디자인전》전시 서문, 1961년 10월.

《제3회 한홍택 그라픽 디자인전》 브로슈어, 1961, 국립현대미술관 미술연구센터 소장.

여기 여러분은, 여러분의 金屬 이베에지를 創造하는 藝術이 있으며, 여러분의 生活周邊에 明朗하고 즐거운 무우드를 造成하는 美術을 볼 것입니다. 인더스트리알·아-트 또는 칼마샬·아-트가 바로 그것입니다. 生活하는 美術이라고 일컫는 까닭도 여기 있읍니다. 이 分野의 創作課程에는 實로 許多한 難題가 있으니, 純粹繪畫의 境遇와 같이 個人展을 隨時로 發表한다는 것은 거의 不可能에 가까운 일임을 생각할 때, 벌써 3回展을 거듭하게 되었다는 것은 또한번 驚嘆치 않을 수 없는 事事라 하겠읍니다. 周知하시다시피, 그라픽·디자인은 主體性을 어떻게 다루느냐하는 問題에만 그치는 것이 아니며, 또하나의 心理學的인 要素인 프로닥트·이메에지의 表現이라든가, 企業 이메에지의 創造도 아울러 計算에 넣고 나아야 되는 것입니다. 그저 보고 아름다우면 되는 것이 아니며, 어디까지나企業 또는 生活과 結符이 있어야 되는 것입니다. 多幸히 韓弘澤畵伯은 產業美術이 갖추고 나가야할 이러한 一連의 理論的, 前提的 要素를 함께 지니고 있는 唯一한 아-티스트로서, 그 不屈의 精力과 學究的 態度, 創作意慾에 對하여는 敬意를 表하여 마지 않읍니다. 여기 새삼 紹介해드릴 必要도 없이 韓畵伯은 그라픽·디자이너界의 第一人者이며, 繪畫藝術의 방루에서도 또한 一家를 이루고 있는 多才多能한 人物입니다. 作品 하나하나마다 풍기는 特異한 造型美와 繪畫性은 現代的 PR要素와 새로운 感覺이 渾然 一體가 되어 感嘆할만큼 完璧을 이루고 있읍니다. 孤軍奮鬪하는 韓畵伯의 이 血鬪와 努力이 이나라 產業美術界와 企業界에, 가까운 將來 반드시 利益과 繁榮을 주게 될 것임을 믿어 마지 않읍니다.

1961年 10月

弘益大學美術學部 韓國PR研究所 產業美術家同人一同

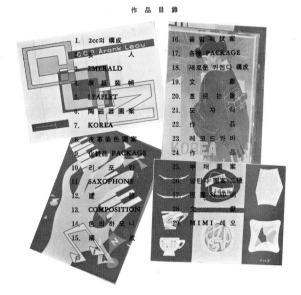

作 品 目 錄

1. 2cc의 構成
2. C.C.웅 Arank Leou 人
3. EMERALD
4. 表紙裝幀
5. LEAFLET
6. 陶磁器 圖案
7. KOREA
8. 皮革染色圖案
9. 化粧品 PACKAGE
10. 리·포·탈
11. SAXOPHONE
12. 建築
13. COMPOSITION
14. 色의 하모니
15. 構成
16. 올림픽試案
17. 各種 PACKAGE
18. 새로운 카렌다 構成
19. 文獻
20. 흐르는 물
21. 모 자 의
22. 作 品
23. 레코드카바
24. 作品
25. 부채圖案
26. 일탄지 圖案一種
27. 四寶의 印刷
28. 文獻
29. MIMI 레오

《제1회 한홍택문하생 그래픽 디자인전》 포스터, 1964, 국립현대미술관 미술연구센터 소장

AN EXHIBITION OF GRAPHIC DESIGN ART BY MR. HAN HONG TAIK'S STUDENTS.
6-13 APRIL, 1964 YMCA GALLERY.

서울圖案專門研究所
市內樂園洞139 (74) 1619

GDAE
1回
韓弘澤門下生그라픽디자인展
1964 4月 6日-13日 鍾路YMCA畫廊

紹介의 말씀

아직도 未熟한 學生들의 作品들이오나 本研究所가 開設된지 七年以來 처음으로 本所 第1回 研究生展을 開催하게 되었습니다. 이번 第1回展은 主로 그라픽 디자인에 對한 作品들로서 各自의 진지한 努力으로 이룩된 作品들이라고 생각됩니다. 디자인은 모든 造型美術의 母體이며 基礎인것입니다. 그 表現方法에 있어서도 無限한 多樣性을 갖이고있으며 生活하는 美術, 産業하며 나아가서는 外交하는 美術이기도 한 것입니다. 이미 外國의 그것은 다른 分野와 더부러 그야말로 눈부신 發展相을 보이며 商工業發展과 함께 活發한 樣相을 보이고있음은 周知의 事實입니다. 디자인은 彫塑나 彫刻藝術과 같이 하나의 專門的인 장루로서 國民生活과는 特히 直接的인 連關性을 가져올뿐아니라 그 國家 그 社會를 象徵하는 産業의 動脈의 役割을 하고있습니다. 그따로 디자인은 主體性을 어떻게 다루느냐하는 問題에만 그치는 것이아니라 또하나의 心理的인 要素인 프로덕트 이에게의 表裁이라든가 纖細·緻密하며 大膽한 뒷받침 부드럽고 아름다운 色感 그리고 새로운 生活美術의 分野를 開拓해 나가야 한다는것과 素材나 材料를 通해 個性과 創意性을 發揮하는 作品이래야 한다는 것은 再論드릴바도 없읍니다.
1964.4

서울圖案專門研究所
主幹 韓弘澤

作品目錄

崔京仙
JACK SHOES (洋靴宣傳 POSTER)
레코드 카바
담배 包裝紙

韓智媛
옷 감무늬
커튼圖案
COMOSITION
化粧品 PACKAGE
뉴시大會 POSTER
PACKAGE

李仁子
BIRTHDAY CARD
팜푸렡
商品 POSTER
讀書週刊 POSTER
PACKAGE
코리아 POSTER

安應玉
카렌더
커튼圖案
올림픽 POSTER
料理講座 POSTER
PACKAGE

韓仁晟
IDEA 55 (作品)
일리아드. 오딧세이 (書籍 POSTER)
IDEA 5 (作品)
리차드 三世 (演劇 POSTER)
産兒制限 POSTER
오셀로 (演劇 POSTER)

申東熙
커튼圖案
貯蓄 POSTER
包裝紙

崔濠
新聞廣告
프로그램 裝幀
IFOAWP (建築 POSTER)
빠이올린 콘서트 (作品)

李炳吾
커피셀
카렌더
룸탑 POSTER
팜푸렡
일사귀 COMPOSITION
化粧品 POSTER
코리아 POSTER

LABEL
商標圖案
化粧品 PACKAGE
裝幀圖案

金京植
치약 PACKAGE
FAN DESIGN
FAN DESIGN
流動 (作品)
발레 POSTER
寫眞展 POSTER
피아노 獨奏會 POSTER
그라픽 디자인展 POSTER
레코드 카바
레코드 카바
化粧品 PACKAGE
四角 COMPOSITION

1964

《제1회 한홍택문하생 그라픽 디자인전》 브로슈어, 1964, 국립현대미술관 미술연구센터 소장.

AN EXHIBITION OF GRAPHIC ART BY HAN HONG TAIK
Y.M.C.A. GALLERY, CHONG NO ON, 1-8 MAY 1964

디자인 이란 말이 內包하고 있는 意味가 近來에 와서 急速度로 그 幅을 넓히고 있읍니다. 10有年前만해도 一部專門家들의 用語로만 사용되었으며 그전에는 한마디로 말해서 圖案이라던 것이 이제는 그라픽디자인・인더스트리알 디자인・그라프트 디자인等의 專攻分野로서 社會生活의 모든 領域에 浸透되어 그 機能을 發揮하기 시작한 것은 周知의 事實입니다.

따라서 視覺言語로서의 그라픽 아트그라픽디자인이란 딴 藝術分野와 마찬가지로 獨步的인 한 장르를 마련하게 되었음은 또한 不可避한 現代的要請이라 하겠읍니다.

이번 저의 第5回展은 그의 一部로서 新作을 한자리에 모아본 것입니다.

1964. 5. 1.   韓 弘 澤

《제5회 한홍택 그라픽 아트전》 브로슈어, 1964, 국립현대미술관 미술연구센터 소장.

서울圖案專門硏究所
市內樂園洞139 (74) 1619

韓弘澤 그라픽아트展
1964年5月1日—5月8日 鍾路 YMCA 畫廊

《제5회 한홍택 그라픽 아트전》 포스터, 1964, 국립현대미술관 미술연구센터 소장.

"디자인이란 말이 내포하고 있는 의미가 근래에 와서 급속도로 그 폭을 넓히고 있습니다. 10년 전 만해도 일부 전문가들의 용어로만 사용되었으며 그전에는 한마디로 말해서 도안이라던 것이 이제는 그라픽 디자인·인더스트리알 디자인·크라프트 디자인 등의 전공 분야로서 사회생활의 모든 영역에 침투되어 그 기능을 발휘하기 시작한 것은 주지의 사실입니다."

《제5회 한홍택 그라픽 아트전》 전시 서문, 1964년 6월.

"산업디자인에 대한 세계적인 요청은 공업 세계의 인간화다. 또한 예술과 기교 그리고 경제의 조형적인 조직화를 지향한다. 바로 여기에 프로덕트·디자인과 그래픽·아트의 본질적인 사명이 있다."

《제6회 한홍택 그라픽 아트전》 전시 서문, 1966년 11월.

"현대는 감각 반응의 시대라고 한다. 산업 디자인은 시각이나 시각언어로서 타(他)를 설득하는 반응 정착 없이는 무의미한 것이다. 산업디자인은 인간 생활에 신선한 관념 세계를 확장하고 합리적인 실서를 조성하는 미술작업이래야 할 것이다."

《제7회 한홍택 시각언어전》 전시 서문, 1969년 5월.

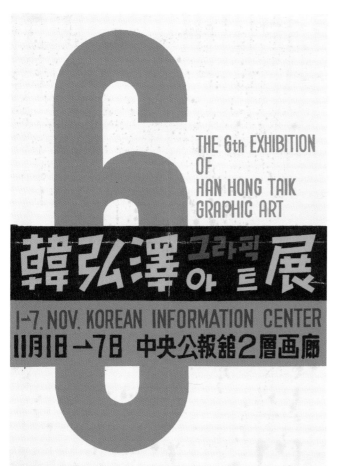

《제6회 한홍택 그라픽 아트전》 포스터, 1966, 국립현대미술관 미술연구센터 소장.
《제7회 한홍택 시각언어전》 포스터, 1969, 국립현대미술관 미술연구센터 소장.

1966
1-7, NOV.
KOREAN IMFORMATION CENTER
THE 6ᵀᴴ EXHIBITION OF GRAPHIC ART
BY HAN HONG-TAIK

韓弘澤 그라픽 아트 展
第 6 回 中央公報舘 2 層画廊
1966. 11월 1일~7일

産業디자인에 對한 世界的인 要請은 工業世界의 人間化다. 또한 芸術과 技巧 그리고 經濟의 造型的인 組織化를 志向한다. 바로 여기에 프로먹트 · 디자인과 그라픽 아트의 本質的 使命이 있다. 要컨대 近代的 造型美術로서의 廣義의 인더스트리얼 · 디자인은 企業이미지의 보다 훌룽한 創造이며 積極的인 芸術活動으로서. 보다 나은 生活에의 슴理化에 寄與하자는데 次元과 目的을 둔다.

what a wonderful country

KOREA

110×80 韓 弘 澤

Author's History
1937 Graduated Tokyo Commercial Arts college, Japan; major: Applied Art.
1939 Completed post-graduate course, Deikogu School of Fine Arts, Japan.
1940 Art Director, YuHan Corporation.
1947 Elected chairman of Industrial Artist's Association.
1950 Commissioned, Presidential Eblem of the Republic of Korea.
1956 Founded Seoul Art Design Research Centre.
1959 Professor of Hong Ik college.
1965 Member of World crafts council.
1966 Member of judging committee, Commerce Ministry, Commercial and Industrial Art Exhibition.

《제6회 한홍택 그라픽 아트전》 브로슈어, 1966, 국립현대미술관 미술연구센터 소장.

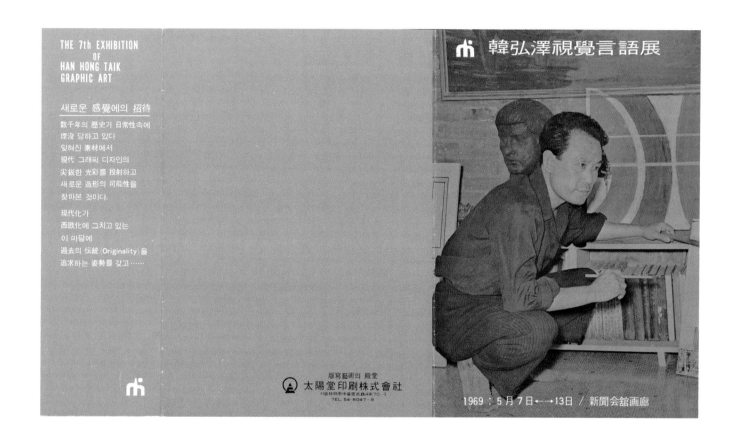

《제7회 한홍택 시각언어전》 브로슈어, 1969, 국립현대미술관 미술연구센터 소장.

한홍택, 〈다리아꽃〉, 1955, 캔버스에 유채, 45.2 × 37.7 cm. 국립현대미술관 미술연구센터 소장.

한홍택, 〈비오는 날〉, 1955, 캔버스에 유채, 72.5 × 53 cm. 국립현대미술관 미술연구센터 소장.

한홍택, 〈항아리〉, 1955, 캔버스에 유채, 88.5 × 71.5 cm. 국립현대미술관 미술연구센터 소장.

한홍택, 〈새〉, 1958, 종이에 혼합재료, 75.5 × 103 cm. 국립현대미술관 미술연구센터 소장.

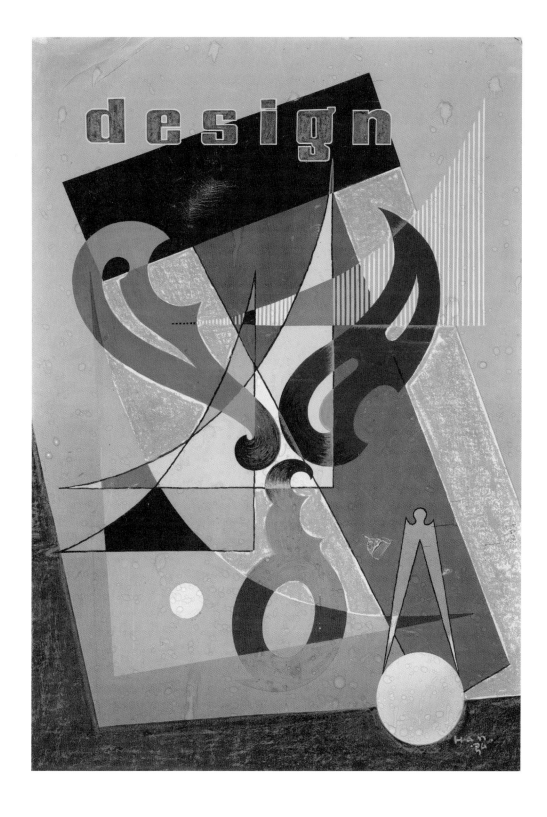

1958년 중앙공보관에서 열린 《제2회 한홍택 모던 데자인전》을 위해 제작된 〈디자인〉은 그간 한홍택의 작업과는 완전히 구분되는 새로운
조형의 시도를 보여준다. 모험 자와 컴퍼스, 원과 사각형 등 단순화되고 평면적인 조형 요소들이 교차된 화면은 주로 회화적인 일러스트레이션
기법을 중심으로 작업해온 앞선 작업과 차별화된 것이었다. 또한 손글씨 기반의 레터링이 아닌 작도법에 의해 그려진 'design'이라는 글자
역시 현대적인 감각을 더하며 화면 안에서 조화를 이룬다.

한홍택, 〈디자인〉, 1958, 종이에 포스터물감, 76 × 52 cm. 국립현대미술관 소장.

한홍택을 비롯한 산업미술가들은 산미협회 전을 통해 '올림픽'을 주제로 한 포스터 작업을 여러 차례 선보였다. 1946년 개최된 제2회 조선산업미술가협회 회원전 《올림픽에 관한 디자인전》은 제14회 런던올림픽(1948)에 관한 홍보와 사회적 인식의 확산을 고려했던 것으로 당시 런던올림픽은 대한민국 정부수립 전 태극기를 앞세워 주권국가로 참가했던 첫 대회였다. 1946년 4월 올림픽대책위원회가 마련되어 참가 준비를 시작했으며 대표단의 경비 마련을 목적으로 1947년 12월 최초의 복권인 "올림픽후원권"을 발행하기도 했다. 이후 산미협회 전에는 올림픽을 주제로 한 다수의 포스터가 출품되었는데 국민의 관심과 경제적 지원, 지역 개발을 위한 올림픽 유치의 노력을 지속했던 시대 상황을 유추해 볼 수 있다.

한홍택, 〈서울올림픽〉, 1958, 종이에 채색, 23 × 16.8 cm. 국립현대미술관 미술연구센터 소장.

한홍택, 〈청춘의 환희 올림픽에〉, 1958, 종이에 채색, 105 × 74 cm. 국립현대미술관 미술연구센터 소장.

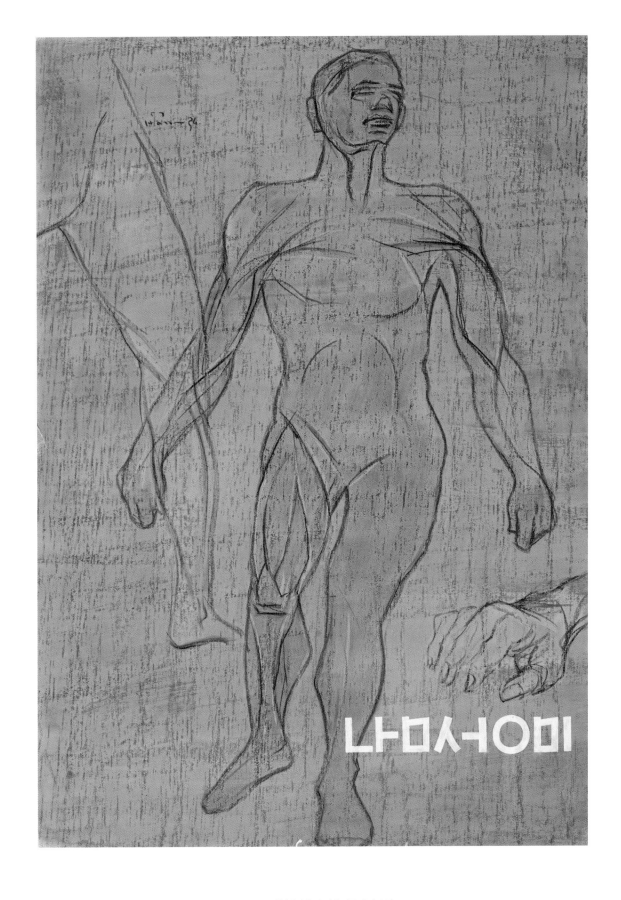

한홍택, 〈남성미〉, 1957, 종이에 포스터물감과 오일 파스텔, 103 × 72 cm. 국립현대미술관 미술연구센터 소장.

한홍택, 〈도안〉, 1958, 종이에 채색, 23.5 × 18.5 cm. 국립현대미술관 소장.

한홍택, 〈도안〉, 1958, 종이에 채색, 24 × 19 cm. 국립현대미술관 미술연구센터 소장.

한홍택, 〈찻잔이 있는 구성〉, 1950년대, 종이에 혼합재료, 52 × 75.5 cm. 국립현대미술관 미술연구센터 소장.

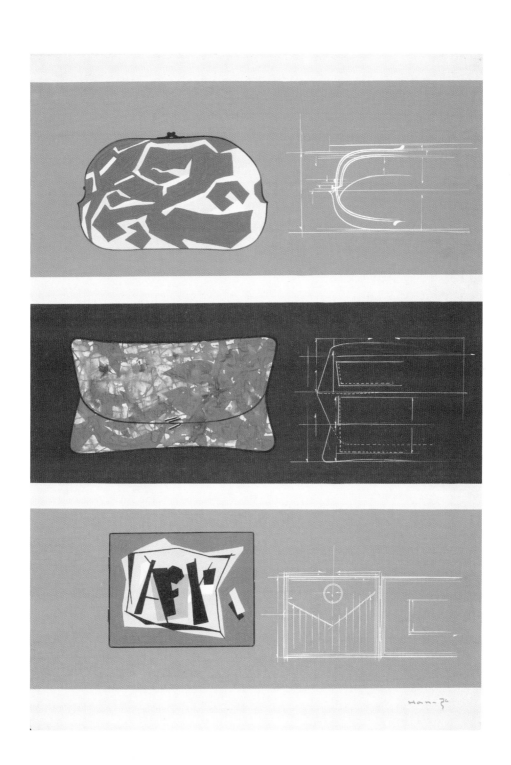

한홍택, 〈핸드백을 위한 디자인〉, 1958, 종이에 포스터물감, 75 × 52 cm. 국립현대미술관 미술연구센터 소장.

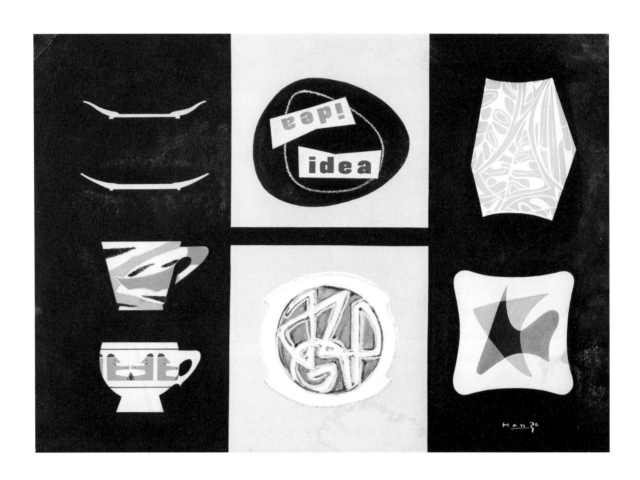

《제3회 한홍택 그래픽 디자인전》(1961)에 출품된 작품으로 찻잔을 위한 도안이다. 화면을 크게 세 부분으로 나누어 좌측에는 찻잔과
받침의 측면도를, 중앙과 우측에는 찻잔과 받침의 전면을 형태와 문양으로 나누어 그리고 있는데, 이는 기능을 중시한 용도를 가지고 있으며
미적 성취도 이루어 낸 것이었다. 도회적이고 현대적인 색채, 과감한 화면 구성 등으로 당시의 회화와는 또 다른 측면의 시각적 발견을 주는
작품으로 작가의 앞선 조형 감각을 확인할 수 있다.

한홍택, 〈도자기 도안〉, 1961, 종이에 채색, 52 × 75 cm. 국립현대미술관 소장.

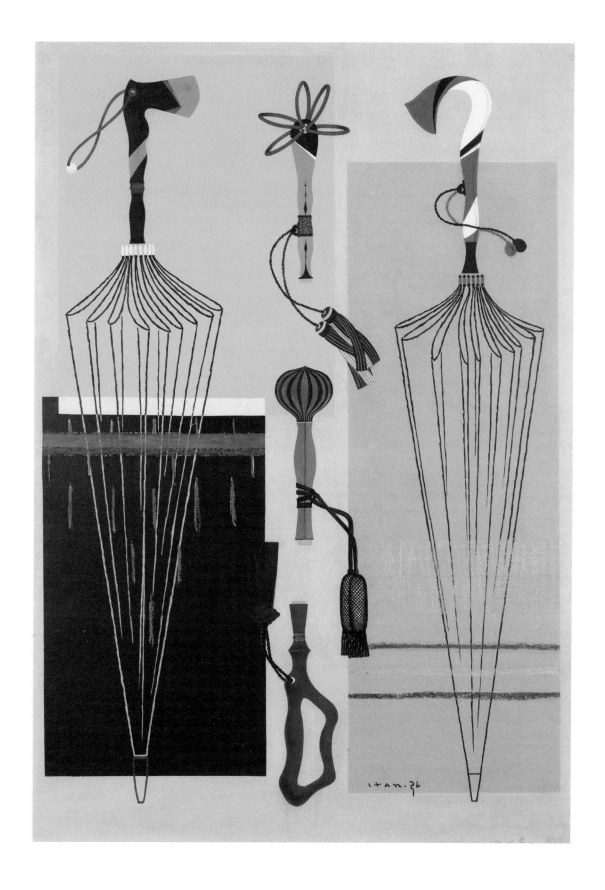

한홍택, 〈우산손잡이 디자인〉, 1961, 종이에 채색, 75 × 52 cm. 국립현대미술관 소장.

한홍택, 〈산업미술전〉, 1961, 종이에 포스터물감, 74 × 51.5 cm. 국립현대미술관 소장.

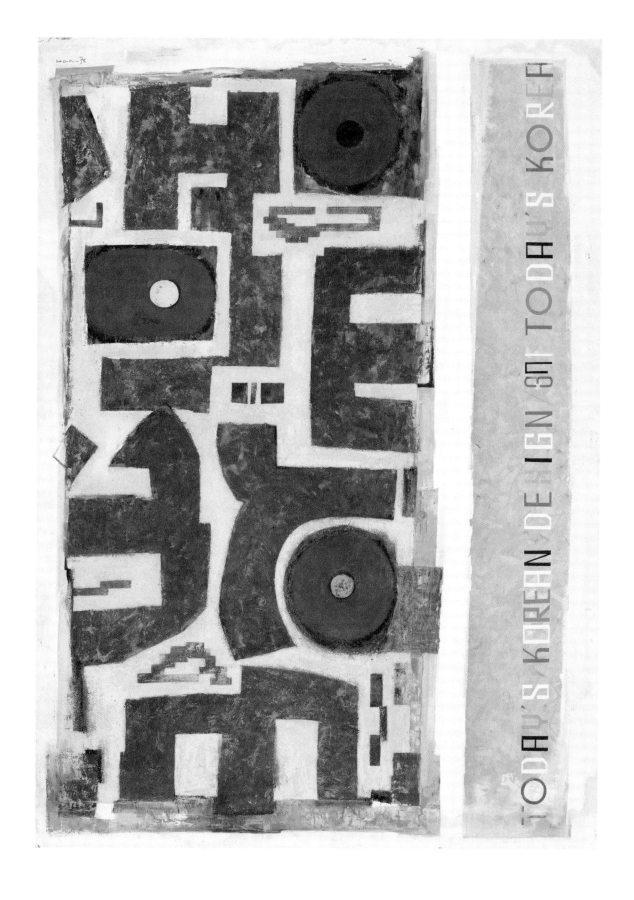

한홍택, 〈TODAY'S KOREAN DESIGN/371 TODAY'S KOREA〉, 1964, 종이에 혼합재료, 104 × 75 cm. 국립현대미술관 미술연구센터 소장.

한홍택, 〈LETTERING FOR ARCHITECTS AND DESIGNERS〉, 1961, 종이에 포스터물감, 101.5 × 76 cm. 국립현대미술관 소장.

1960년대 이후 한홍택은 사실적이고 회화적인 기법을 주로 사용했던 초기 포스터 작업과는 대비되는 추상화된 이미지들을 적극적으로
활용했는데 이는 같은 시기 미술계 전반이 추구했던 조형적 흐름과도 교차하는 것이었다.

한홍택, 〈'99 annual of advertising art〉, 1961, 종이에 포스터물감, 101 × 74 cm. 국립현대미술관 미술연구센터 소장.

한홍택, 〈LETTERING FOR ARCHITECTS AND DESIGNERS〉, 1966, 종이에 포스터물감, 102 × 76.5 cm. 국립현대미술관 미술연구센터 소장.

한홍택, 〈석옹〉, 1960년대, 종이에 포스터물감, 99 × 70 cm. 국립현대미술관 미술연구센터 소장.

문우식, 〈성당 가는 길〉, 1957, 캔버스에 유채, 129.5 × 97 cm. 유족 소장.

다소곳이 손을 모으고 앉아 있는 소녀가 먼저 시선을 끄는 화면의 뒤쪽으로 작가 자신과 모델인 소녀가 함께 그려진 작품이 이젤 위에 놓여있다.
공방의 탁자 위엔 도자기와 술병, 마른 연꽃대와 같은 정물들이 다채롭게 배치되어 있고 소녀의 의상과 커튼의 문양이 장식적이면서도
아름답게 조화를 이룬다. 맑고 투명한 수채 기법과 따뜻하고 채도 낮은 단색조의 색감이 잘 어우러져 화면 전반에서 세련된 느낌을 전하고
있으며 문우식만의 독특한 표현 기법은 이후 그의 여러 포스터 작업에도 고스란히 이어진다.

문우식, 〈소녀가 있는 공방〉, 1957, 종이에 수채, 76 × 55 cm. 유족 소장.

문우식, 〈소녀 있는 공방〉, 1957, 캔버스에 유채, 106 × 160.5 cm. 유족 소장.

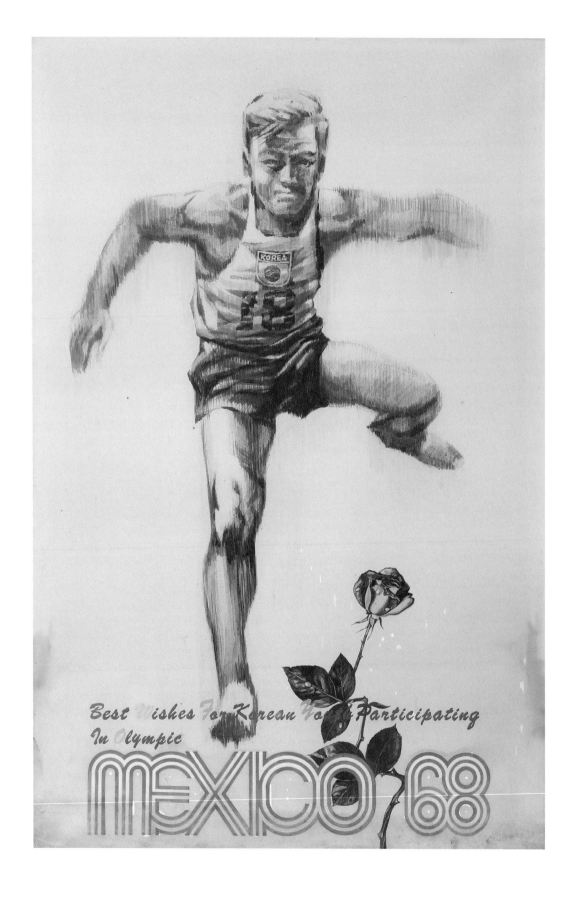

문우식, 〈멕시코 68〉, 1968, 종이에 수채, 97 × 63 cm. 유족 소장.

문우식, 〈대관령 스키장〉, 1964, 종이에 오프셋 인쇄, 68 × 54 cm. 유족 소장.

관광과 여가: 비일상의 공간으로

「관광과 여가: 비일상의 공간으로」에서는 '경주', '제주도', '강원도' 등 지역을 주제로 한 관광포스터 전시에 출품되었던 당시 산업미술가들의 다양한 포스터 작품을 소개한다. 한국의 전통을 대표하는 고건축과 유적지 등을 소재로 전통적, 한국적인 인상과 고적한 풍경들을 담은 관광포스터는 관광산업진흥이 주요 경제 정책이던 시대상을 반영하고 있다. 관광은 일상을 벗어나 즐기는 여가의 행위이자 경제 발전을 꾀할 수 있는 산업활동으로 기능했으며 정부는 1961년을 '한국방문의 해'로 정하고 관광산업의 활성화를 위해 적극적인 노력을 기울였다. 또한 1960년대 후반 여가문화의 확산으로 고궁, 공원, 강변으로 나들이를 가거나 아름다운 산과 바다, 명승고적이 자리한 지역 명소로의 여행이 일상이 되면서 관광을 위한 홍보가 활발하게 진행되었다.

　　　한편, 국가 간 교류의 장이자 한 국가의 이미지를 보여주는 중요한 기제로, 문화와 예술을 매개하는 상징 공간으로 존재했던 이 시기 호텔을 탐색해본다. 반도호텔, 조선호텔, 영빈관 등에 구축된 비일상적 공간은 한국의 정체성을 드러냄과 동시에 발전된 국가로서의 모습을 선보이고자 했던 시대의 요청에 대응한 것이었고, 이는 같은 시기 산업미술가에게 주어진 중요한 과제이기도 했다.

한국 풍속 엽서 세트는 반도화랑에서 외국인 관광객을 대상으로 판매했던 것으로, 물동이를 나르는 여인, 색동 한복을 입은 아이, 황소를 끄는 농부 등 한국의 풍속 이미지와 장구춤을 추고 있는 무용수(최승희), 동대문, 경회루, 조선호텔, 석굴암 같은 남한의 명소뿐만 아니라 평양의 명소, 금강산 등을 소개하고 있다. 근대 시기부터 백화점, 잡화점, 기차역 등에서 쉽게 구할 수 있었던 관광엽서는 한국의 주요 명소와 풍속적 이미지를 담고 있는데, 이는 외국인을 대상으로 한국적 정취를 연출한 것이었다.

한홍택, 한국 풍속 엽서 세트, 1950년대 초, 국립현대미술관 미술연구센터 소장.

FAMOUS PLACE AT PYOUNG YANG

KYONG HOI-RU (BANQUET HALL)

DIAMOND MOUNTAEN IN NORTH KOREA

CHOSUN HOTEL (SEOUL)

ENGRAVED IMAGES

KOREA

KOREAN DANCE

한홍택, 한국 풍속 엽서 세트, 1950년대 초, 국립현대미술관 미술연구센터 소장.

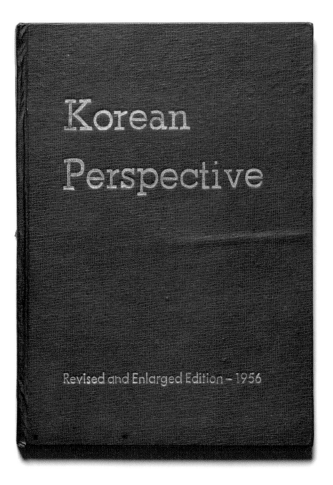

『KOREA』, 공보처, 1953, 사진아카이브연구소 소장.
『Korean Perspective』, 공보처, 1958, 사진아카이브연구소 소장.

1950년대 정부는 전후 한국의 대외이미지 쇄신을 위한 해외 홍보의 중요성을 인식했고 공보실을 통해 1955년부터 한국의 미와 전통을
홍보하는 관광홍보사진집을 기획했다. 한국사진작가단은 성두경, 이경모, 정도선, 정희섭, 조명원, 최계복이 결성한 전문 사진 단체로 1950
년대 국가적, 사회적 요구 속에서 한국의 이미지 쇄신, 관광산업 육성, 전통문화의 시각화를 위한 정부 프로젝트를 수행했다. 1957년 발간한
영문 화보집 『Korea Old and New』는 한국의 전통을 대표하는 고건축과 유적지 등을 기록한 프로젝트로 이경모가 찍은 창덕궁 연경당,
정도선의 법주사, 이건중의 수원성, 최계복과 이경모가 찍은 조선호텔 등 전통적, 한국적인 인상을 담은 고적한 풍경들을 담고 있다.

『Korea Old and New』, 공보처, 1957, 사진아카이브연구소 소장.

이완석, 드로잉, 1960년대, 종이에 연필, 21 × 10.5 cm. 예화랑 소장.

한홍택, 〈설악 신흥사〉, 1965, 종이에 펜, 25.1 × 36.6 cm. 국립현대미술관 미술연구센터 소장.
한홍택, 〈의상대〉, 1960년대, 종이에 매직펜, 38.5 × 52.5 cm. 국립현대미술관 미술연구센터 소장.
한홍택, 〈백록담〉, 1960년대, 종이에 매직펜, 43 × 32.5 cm. 국립현대미술관 미술연구센터 소장.

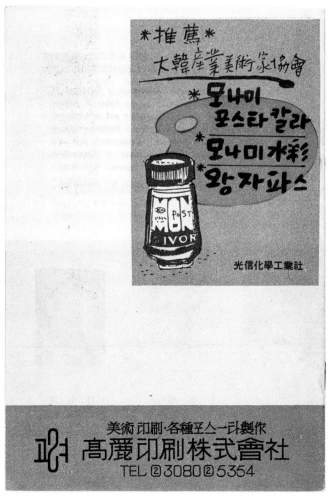

《제14회 산미 강원도 관광전》 브로슈어, 1964, 국립현대미술관 미술연구센터 소장.

朴 敬遠
(江原道 知事)

우리道에서 오래前부터 試圖하여 오던 觀光展을 大韓産業美術協會와 共同으로 開催하게 되었음을 大端히 意義 깊게 생각하는 바입니다. 이미 널리 알려진바 있습니다 마는 江原道의 雪岳山과 東海岸一帶의 神秘에 싸인 風致는 정말 말과 글 또는 形容하기 어려운 絶勝인 것입니다. 이번에 이 名勝地一帶를 大韓産業美協會 여러분의 現地스켓取를

通해서 하나의 藝術作品으로 널리 世上에 紹介하게 되었음을 全道民과 함께 致賀하여 마지 않습니다. 江原道는 이 秀麗한 山水와 결들여 날로 産業道로서의 前進을 거급하여 많은 地下資源開發을 爲始한 基幹産業施設이 해마다 建設되어가고 있습니다. 特히 電力資源開發을 爲한 春川·衣岩땜 建設은 우리에게 새로운 問

題를 提起하여 놓았습니다. 春川·衣岩땜 完工後의 春川市를 中心으로한 貯水池는 가장 理想的인 觀光地가 될 것이기 때문에 道에서는 春川市를 中心으로 이 貯水池周邊에 觀光施設을 할 計劃을 推進하고 이번에 그 基本設計를 完成하고 아울러 이 展示會에 紹介하게 될것입니다.

바야흐로 觀光이 國際間에 붐을 이르키고 있는 이때 이와같은 우리의 所望이 達成되기를 빌며 끝으로 이 觀光展을 마련하는데 온갖 努力과 精誠을 기우려주신 大韓産業美協會員 여러분과 衣岩땜 貯水池周邊 觀光施設計劃 基本設計를 完成 出品하여 주신 李光魯氏 그리고 이 行事를 끝까지 위에서 밀어주신 後援機關에 깊은 感謝를 드립니다.

● 江原道廳 앞에서 朴敬遠知事와 함께!

協賛出品·李光魯·崔九鉉·金瑢甲圖

權寧麻　　　　金寬鉉　　　　金昌根
Kwon Nyung Hyu　Kim Kwan Hyun　Kim chang Kun

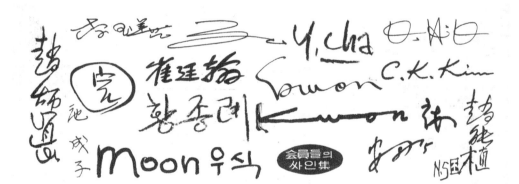

會員들의 싸인集

文友植　　白順元　　安榮勳　　李玉善　　李完錫　　趙能植
Moon U-Sik　Paik Soon Won　An Young Fun　Lee Ok Sun　Lee Wan Suk　Cho Neung Sik

한홍택의 〈경주〉는 불국사의 다보탑을 소재로 한 관광포스터이다. 다보탑을 사선으로 배치해 탑의 상부 구조와 형태를 전면에 부각시키고,
이와 대비되도록 배경을 생략해 주목성을 높였다. 경주를 비롯해 설악산, 석굴암, 수원화성 등 국내 유적지와 명승지가 새로운 관광지로
개발, 부상함과 동시에 이를 홍보하기 위한 포스터의 중요성이 높아졌고, 특히 한국의 이미지를 세계에 선보이기 위해 제작된 관광포스터는
당시로서는 가장 강력한 홍보물로 기능했던 매체였다.

한홍택, 〈경주〉, 1950, 종이에 포스터물감, 106 × 76 cm. 국립현대미술관 미술연구센터 소장.

경복궁 향원정과 경회루를 산책하는 관광객들을 배경으로 정면에 한복을 입고 서 있는 여인의 모습을 그리고 있다. 화면 상단 'KOREA'의
영문 레터링은 붓으로 힘있게 한 획 한 획을 나누어 그은 형태를 하고 있는데, 동적인 붓의 움직임이 담긴 듯한 글자에서 단순하지만 독특한
조형감각을 드러낸다. 전반적인 배경을 과감하게 생략하되 하늘을 표현하는 위쪽에만 선명한 푸른 색상을 그러데이션 기법으로 채워 평면적인
작업이지만 공간감을 더하고 주목도를 높였다.

한홍택, 〈KOREA〉, 1949, 종이에 오프셋 인쇄, 100 × 72 cm. 국립현대미술관 미술연구센터 소장.

한홍택, 〈KOREA〉, 1959, 종이에 오프셋 인쇄, 79 × 53.5 cm. 국립현대미술관 미술연구센터 소장.

한홍택, 〈KOREA〉, 1965, 종이에 포스터물감, 104 × 76 cm. 국립현대미술관 미술연구센터 소장.

이완석, 〈서귀포〉, 1963, 종이에 채색, 107.5 × 77.6 cm. 예화랑 소장.

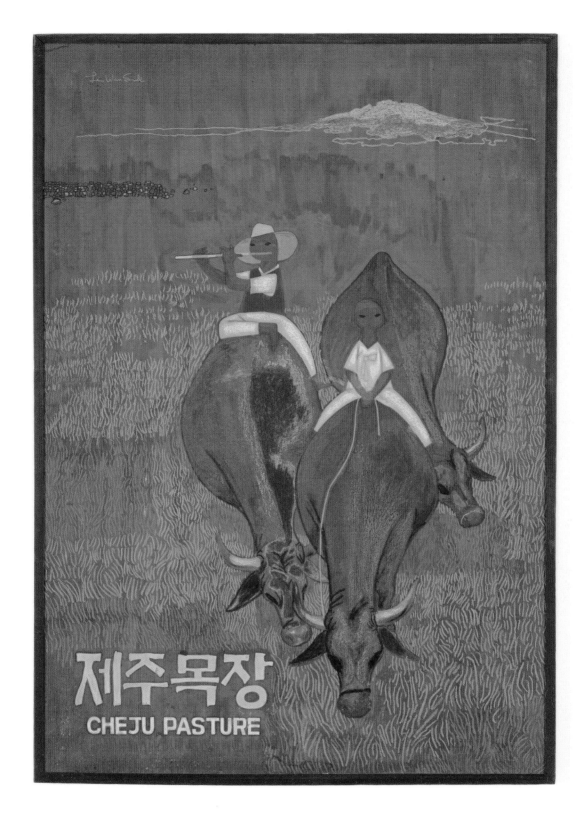

1962년 산미협회는 제주도 당국의 초청으로 스케치 여행을 떠나기도 했는데, 이때의 여정을 바탕으로 제작한 관광포스터를
다음 해 1963년 3월 중앙공보관에서 개최한 제13회 산미협회 회원전《관광을 위한 제주도 스케치전》에서 선보였다. 한라산을 배경으로
드넓은 초원 위에서 한가로이 소를 몰고 있는 목동들의 목가적인 풍경을 담고 있는 이완석의〈제주목장〉은 작가의 따뜻하고 정감 있는
색채와 안정된 구도가 돋보인다.

이완석,〈제주목장〉, 1963, 종이에 채색, 107.5 × 77.6 cm. 예화랑 소장.

1947년 개최된 제3회 조선산업미술가협회 회원전 《관광을 위한 경주/단양 스케치전》의 출품을 위해 제작된 작품이다. 금관을 화면 중앙에 큼직하게 배치해 마치 깊숙한 수장고에 놓인 유물을 가까이에서 들여다보는 것 같은 장면을 연출하고 있다. 세리프가 있는 우아하고 섬세한 영문 서체로 'KYONGJU'를, 단단한 느낌의 고딕체로 'SHILLA MONUMENT'라는 글자를 하단에 함께 배치해 안정적인 구도를 보여준다. 해방 후 신라 금관은 한국 문화를 소개하는 많은 매체의 표지를 장식하며 대표적인 문화재로 인식되었던 유물이자 민족의 기원을 상징하는 모티브로 활용되었다.

이완석, 〈경주〉, 1947, 종이에 채색, 86 × 61.5 cm. 예화랑 소장.

이완석, 〈경주〉, 1965, 종이에 채색, 107 × 77.8 cm. 예화랑 소장.

이완석, 〈옛 신라의 회상〉, 1959, 종이에 채색, 107 × 76.5 cm. 예화랑 소장.

이완석, 〈국보〉, 1965, 종이에 채색, 108 × 77.5 cm. 예화랑 소장.

한홍택, 〈KOREA〉, 1960년대, 하드보드지에 포스터물감, 102 × 76.5 cm. 국립현대미술관 소장.

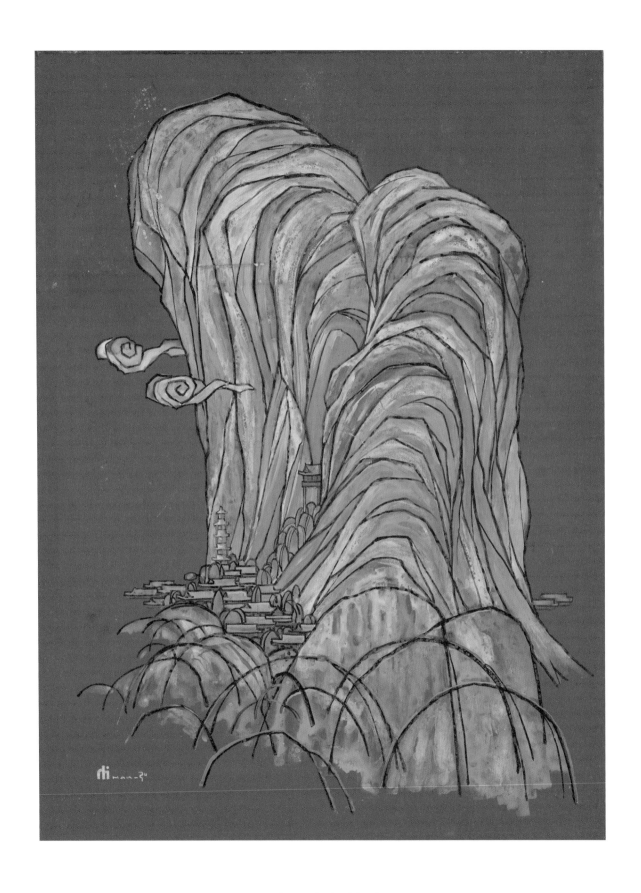

한홍택, 〈산〉, 1960년대, 하드보드지에 포스터물감, 102 × 76.5 cm. 국립현대미술관 미술연구센터 소장.

한홍택, 〈산과 학〉, 1970년대, 종이에 포스터물감, 102×75cm. 국립현대미술관 소장.

한홍택, 〈광탄석불: KOREA〉, 1966년경, 하드보드지에 포스터물감, 102 × 76 cm. 국립현대미술관 미술연구센터 소장.

김관현, 〈제일강산〉, 1964, 종이에 채색, 102.1 × 73 cm. 예화랑 소장.

권영휴, 〈설악웅도〉, 1964, 종이에 채색, 123.6 × 86.2 cm. 예화랑 소장.

〈서울〉은 제15회 산미협회 회원전(1965) 출품작으로 문우식이 1960년대 중후반 수채화로 그린 여러 관광포스터 원화 중 한 점이다. 화면에는
서울에서 방문할 수 있는 여러 관광명소들이 서로 중첩하며 새로운 풍경을 구성하고 있는데, 좌측 상단부터 성곽길을 따라 도봉산에서
북한산으로 이어지는 능선과 북악스카이웨이, 팔각정, 김수근이 설계한 워커힐의 힐탑과 더글라스하우스 등이 등장한다. 또한 도심을 연결하던
전차와 관광버스, 자동차, 전봇대 등 거리의 풍경과 서로 다른 방향으로 띄워진 한강 위 네 척의 배가 여백을 만든다. 수채를 이용한 맑은
색감과 작가의 독특한 색면 표현이 돋보이며 1965년 서울의 다채로운 풍경과 건축물, 도심 속 소재들을 흥미롭게 제시하고 있다.

문우식, 〈서울〉, 1965, 종이에 수채, 102 × 60 cm. 유족 소장.

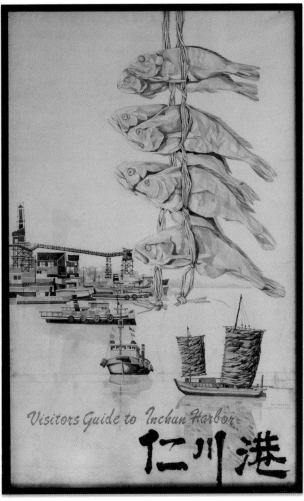

문우식, 〈부산〉, 1966, 종이에 수채, 99 × 63 cm. 유족 소장.
문우식, 〈인천항〉, 1966, 종이에 수채, 99 × 63 cm. 유족 소장.

문우식, 〈강원의 설악산〉, 1964, 종이에 채색, 106 × 72.6 cm. 예화랑 소장.

문우식, 〈강원도〉, 1971, 종이에 수채, 포스터물감, 103 × 63 cm. 유족 소장.

문우식, 〈72' 삿뽀로 동계올림픽〉, 1971, 종이에 수채, 포스터물감, 97 × 65 cm. 유족 소장.
문우식, 〈백령의 초대〉, 1965, 종이에 수채, 102 × 60 cm. 유족 소장.

문우식, 〈산장〉, 1967, 종이에 수채, 97 × 63 cm. 유족 소장.

輸送力의革新車新登場

한홍택, ⟨금강 160⟩, 1965, 종이에 포스터물감, 103.5 × 74.5 cm. 국립현대미술관 미술연구센터 소장.

한홍택, 〈스키 365일의 낭만〉, 1974, 종이에 유채, 포스터물감, 104 × 75 cm. 국립현대미술관 미술연구센터 소장.
한홍택, 〈스키 월드컵〉, 1969, 종이에 포스터물감, 105.5 × 75 cm. 국립현대미술관 미술연구센터 소장.

한홍택, 〈바다와 레저의 페스티벌〉, 1970년대, 종이에 포스터물감, 104 × 74 cm. 국립현대미술관 미술연구센터 소장.
한홍택, 〈대관령 스키 제전! 스키월드컵〉, 1979, 종이에 포스터물감, 103.5 × 74.5 cm. 국립현대미술관 미술연구센터 소장.

한홍택, 〈고요한 아침의 나라〉, 1973, 종이에 포스터물감, 105 × 74.5 cm. 국립현대미술관 미술연구센터 소장.
한홍택, 〈산〉, 1970년대, 종이에 포스터물감, 105 × 75cm. 국립현대미술관 미술연구센터 소장.

한홍택, 〈JUMBO JET 747〉, 1969, 종이에 포스터물감, 105 × 74.5 cm. 국립현대미술관 미술연구센터 소장.

한홍택, 〈고요한 태양의 섬: 제주도〉, 1979, 종이에 포스터물감, 104 × 74 cm. 국립현대미술관 미술연구센터 소장.

한홍택의 〈반도호텔 벽화 습작〉은 실제로 공간에 구현되지는 않았으나 일반적이지 않은 비례와 규모의 작품을 시도한 것에서 유추해 볼 수 있듯 호텔에 관련된 프로젝트는 당시 소수의 미술가, 디자이너, 건축가가 참여할 수 있는 특별한 기회와 자본을 제공하는 것이기도 했다. 반도호텔은 해방 후 미군 사령관 사무실과 고급 장교들의 숙소로, 정부 수립 후엔 미국대사관으로 이용되었으며 한국전쟁 이후 1954년 미국인 실내디자이너 노먼 디한(Norman R. DeHaan)의 설계로 개보수 공사를 거쳐 영업을 이어갔다. 박수근의 작품이 인기리에 팔리던 반도화랑과 최초의 여행사였던 대한여행사가 입점해 있었고 1956년 패션디자이너 '노라노'의 첫 패션쇼가 열리는 등 당시 관광, 문화, 예술의 매개 공간이었다.

한홍택, 〈반도호텔 벽화 습작〉, 1959, 종이에 혼합 재료, 46.5 × 139 cm. 국립현대미술관 미술연구센터 소장.

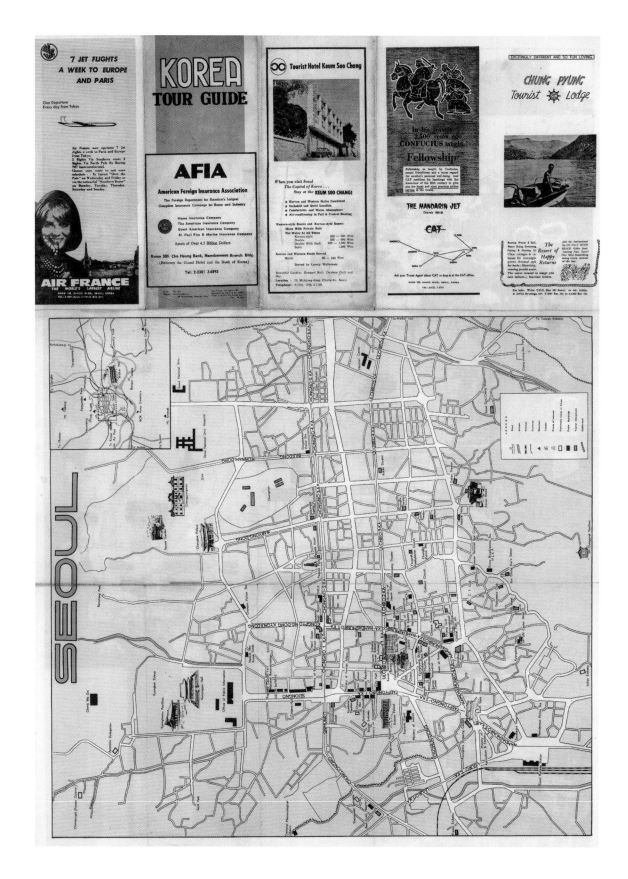

한국관광지도(Pictorial Guide to Korea), 1963, 서울역사박물관 소장.

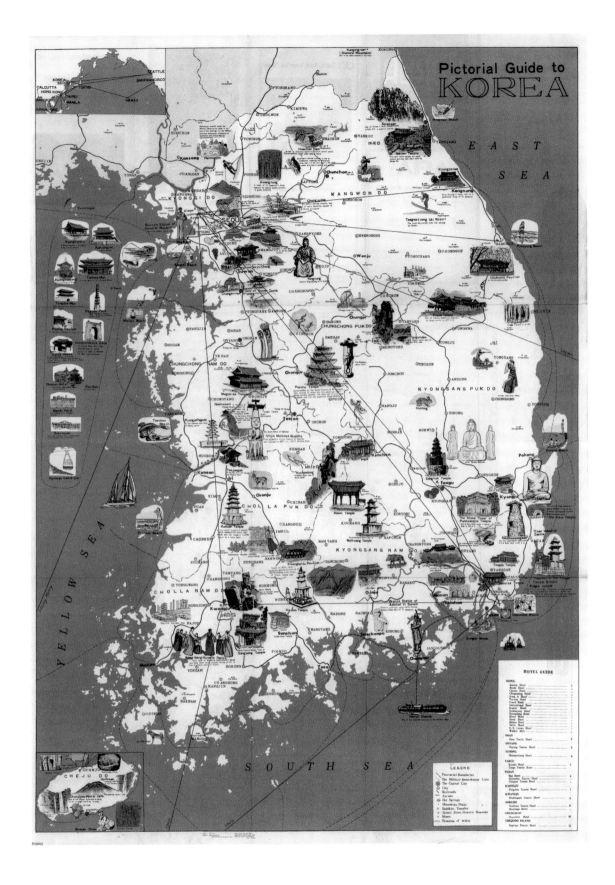

Pictorial Guide to KOREA

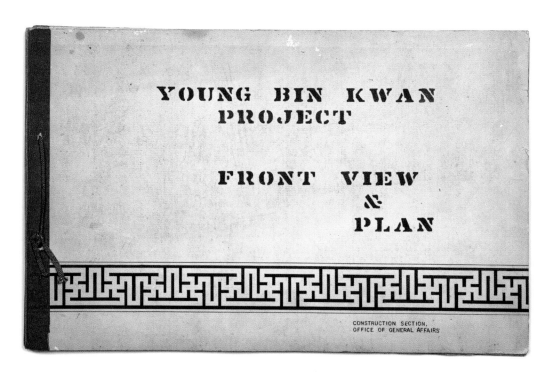

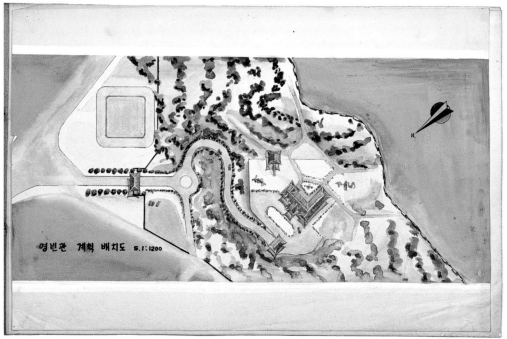

영빈관 건립 계획 정면도 및 평면도, 대한민국 총무처, 1960년대, 대한민국역사박물관 소장.

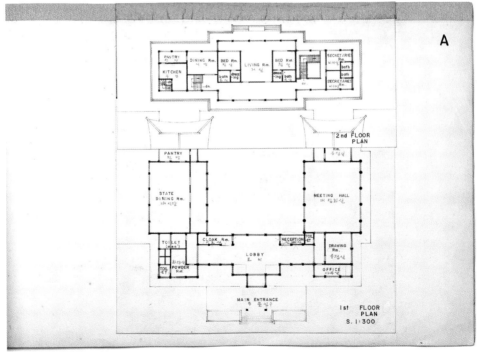

영빈관 건립 계획 부지계획도와 평면도, 대한민국 총무처, 1960년대, 대한민국역사박물관 소장.

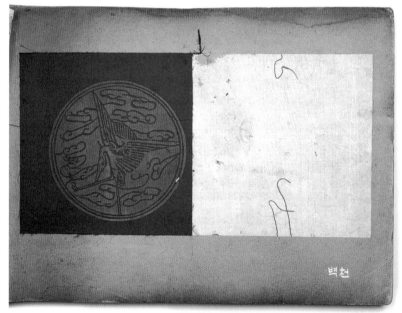

영빈관은 국빈 방문에 대비해 마련되는 외교를 위한 공간이다. 해방 후 조선호텔과 반도호텔이 이러한 기능을 수행했지만 호텔이라는 명칭이
주는 상업적 성격 때문에 공식적인 국가 영빈관 시설이 별도로 필요했고, 영빈관은 당시 국가의 전통적 이미지와 문화를 표현하는 건축 방식을
지향해 설계되었다. 『영빈관실내장식 디자인』은 총 3권으로 이루어진 실내장식 및 가구 디자인 제안서로 반도화랑을 운영했던 이대원과
문우식의 작업이다. 여기엔 전통적인 목가구 디자인과 전통 문양 등을 응용해 '한국적'인 조형 요소를 적용한 객실, 커튼, 조명 등의 디자인
도면과 설계도가 포함되어 있다. 이들의 제안은 민족적 정체성을 나타냄과 동시에 발전된 국가로서의 모습을 선보일 공간을 구상했던 시대의
요청에 대응한 것이었고, 이는 같은 시기 산업미술가에게 주요한 과업의 하나이기도 했다.

『영빈관실내장식 디자인』, 반도화랑, 디자인: 이대원, 문우식, 1960년대. 대한민국역사박물관 소장.

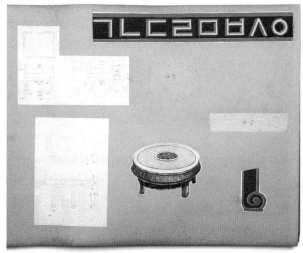

성두경, 〈김수근이 설계한 워커힐 힐탑바와 그 주변 풍경〉, 1950–1960년대(2015 인화), 디지털 잉크젯 프린트, 42 × 49.5 cm. 서울사진미술관 소장.

성두경, 〈조선호텔 전경〉, 1950–1960년대(2015 인화), 디지털 잉크젯 프린트, 42 × 54.3 cm. 서울사진미술관 소장.

성두경은 1945년 해방 이후 서울시 공보실에서 촉탁 사진가로, 1950년대 한국전쟁 시기 종군 사진가로 활동하며 서울의 경관과 사건을
기록했다. 그는 1955년 반도호텔 내 '반도사진문화사'라는 초상사진관을 개업해 19년간 운영했는데, 1950–1960년대 외교와 문화, 예술을
매개하는 공간으로 기능했던 반도호텔 내외부의 모습을 기록한 그의 사진을 통해 우리는 사라진 공간의 장소성과 역사적 장면들을 상상해 볼
수 있다.

성두경, 〈반도호텔 전경〉, 1950–1960년대(2015 인화), 디지털 잉크젯 프린트, 83.5 × 83.5 cm. 서울사진미술관 소장.

성두경, 〈입구〉, 1950–1960년대(2015 인화), 디지털 잉크젯 프린트, 20.5 × 14 cm. 서울사진미술관 소장.
성두경, 〈아리랑 매점〉, 1950–1960년대(2015 인화), 디지털 잉크젯 프린트, 20.5 × 14 cm. 서울사진미술관 소장.
성두경, 〈반도화랑〉, 1950–1960년대(2015 인화), 디지털 잉크젯 프린트, 20.3 × 30.4 cm. 서울사진미술관 소장.
성두경, 〈커피숍〉, 1950–1960년대(2015 인화), 디지털 잉크젯 프린트, 20.3 × 30.4 cm. 서울사진미술관 소장.

성두경, 〈반도사진문화사의 내부〉, 1950-1960년대(2015 인화), 디지털 잉크젯 프린트, 22.2 × 33.4 cm. 서울사진미술관 소장.

성두경, 〈반도사진문화사〉, 1950-1960년대(2015 인화), 디지털 잉크젯 프린트, 20.3 × 30.4 cm. 서울사진미술관 소장.

성두경, 〈대한여행사〉, 1950-1960년대(2015 인화), 디지털 잉크젯 프린트, 20.3 × 30.4 cm. 서울사진미술관 소장.

성두경, 〈객실 내부〉, 1950-1960년대(2015 인화), 디지털 잉크젯 프린트, 20.3 × 30.4 cm. 서울사진미술관 소장.

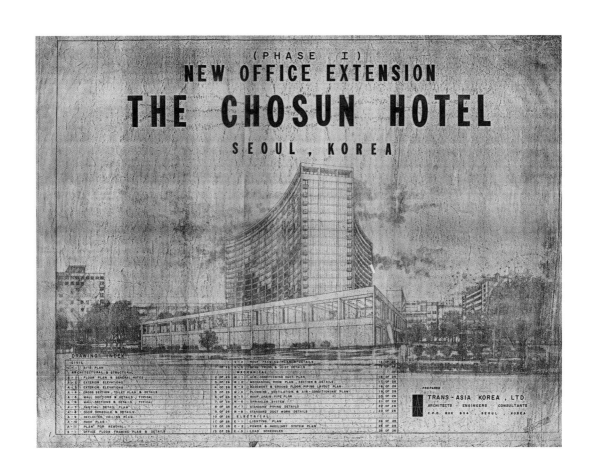

조선호텔 증축 공사도면, 신세계 조선호텔, 1967, 서울역사박물관 제공.

골목 안 풍경

더 도슨트의 〈골목 안 풍경〉은 한국전쟁 직후부터 1970년대 초반까지의 한국 사회를 입체적인 시선에서
바라본다. 영화 〈골목 안 풍경〉(1962)에서 이름을 빌려온 이 프로젝트는 전쟁의 상흔이 남아 있는
경직되고 궁핍한 시대, 이른바 잿빛 도시로 묘사되어 왔던 해당 시기에 영상 아카이브라는 렌즈를 투사해
다양한 색채를 더하려는 시도이다. 영화, 뉴스, 국가 홍보 영상 등 선전을 위해 다듬어진 화면 속 풍경들
틈새로 발견되는 역동적인 삶의 모습은 그 안에 실재하는 사람들의 시간을 비추고, 하나의 이미지로
굳어진 시대의 심상을 풍부하게 만든다.

더 도슨트(백윤석), 〈골목 안 풍경 1, 2, 3〉, 2022, 다채널 비디오, 사운드, 국립현대미술관 제작 지원.
〈골목 안 풍경〉(1962) 등 영화 17편 한국영상자료원 제공, 〈창경원의 꽃노래〉(1959) 등 국정홍보영상 및 영화 KTV 제공.

서울의 휴일(1956)

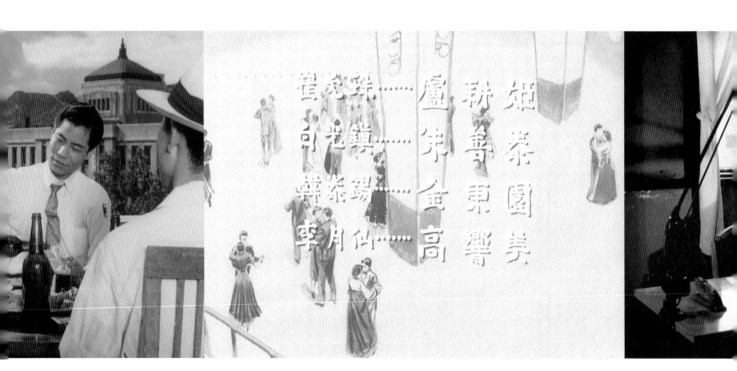

자유부인(1956)

여사장(1959)

자매의 화원(1959)

박서방(1960)

마부(1961)

서울의 지붕밑(1961) 복원본

353

김승호 · 허장강 · 김희갑

오발탄(1961) 복원본

골목안 풍경(1962)

데자인 시대의 표어들

해방 이후 한홍택 등 초창기 산업미술가들이 활동하던 1950–1960년대는 디자인의 사회적 기능,
디자이너라는 새로운 직능의 출현과 역할, 근대화라는 흐름 속에서 디자이너에게 요청되었던 시대적
과업 등 디자인에 대한 다양한 차원의 사회적 논의가 촉발되던, 거대한 계몽의 시기였다.
　　　당시 매체에 실린 산업미술가들의 기고·회견·발표문에서, 디자인 정책 당국자의 언술에서, 기자 및
논평가들이 남긴 다종의 기사를 통해 우리는 그들이 가졌던 디자인에 대한 의식의 일단을 비교적 소상히
파악할 수 있다. 입장이 한결같지는 않지만 디자인 주체들의 인식론적 입장이라는 측면에서,
1950–1960년대 한국 디자인의 '시대정신'에 속한다고 볼 수 있다.
　　　'데자인 시대의 표어'은 그 시절 디자인 테제를 동시대 현업 디자이너 10인/팀이 각자 자신의
해석하에 레터링 형식으로 시각화한 설치 프로젝트다. 현대의 미감을 담아 표현된 이 표어들은 시간의
간극을 넘어 표어의 의미를 반추하고, '데자인' 시대 디자이너들이 맞닥뜨렸던 사회적 조건을 조망하는
매개가 될 수 있다. 이 표어들과 오늘의 디자인 실천을 관련지어 성찰하는 것은 지금 여기 우리의 몫이다.

김기조, 김진희, 김태현, 김현진, 박신우, 박철희, 워크스, 장수영, 함민주, 현승재, 〈데자인 시대의 표어들〉, 2022,
그래픽 설치, 300 × 700 cm (10). 국립현대미술관 제작 지원.

인쇄 미술로!
— 정현웅(미술가), 1948

레터링
장수영(서체 디자이너)

표어 출처
"틀을 깨고 인민 속으로 뛰어드는 가장 새로웁고 가장
강력한 미술양식에 인쇄미술이 있다. 인쇄미술의
그 광범위한 전반성(傳搬性)과 신속성 그리고 친근성은
미술과 인민을 연결하는 위력을 지니고 있다… 각국의
진보적인 예술가들은 이 새로운 형식의 미술에
그 시대성과 공리성의 위력에 착안하고, 판화로, 만화로,
포스터로, 삽화로, 우수한 작품을 제작, 발표하였고
대중의 광범위한 지지를 획득하였던 것이다"
— 정현웅, 「틀을 돌파하는 미술: 새로운 시대의 두 가지
양식」, 『주간 서울』, 1948년 12월 20일 자.

작업 메모
이 표어의 출처는 "인민 속으로 뛰어드는 가장
새로웁고 가장 강력한 미술양식에 인쇄미술이 있다"
라는 어느 미술가의 말이다. '인민'이라는 단어가
당당하게 등장했던 한국전쟁 이전 시기의 '인쇄미술'
을 상상하며 글자를 그렸다. 말하자면, 인쇄미술이 첨단
예술로서의 가치를 부여받았던 그 시절의 한글, 한글이
라틴 알파벳보다는 한자와 훨씬 더 긴밀했던 시절의
디자인이다. 한자 획의 장식적 요소를 기울임 구조의
한글과 합성하는 방식을 통해 간결하면서도 시각적인
힘이 느껴지는 질감의 글자가 되도록 했다.

장수영
단국대학교에서 시각디자인을 전공했고,
산돌커뮤니케이션 서체 디자이너로 재직했다. 현재 타입
디자인 스튜디오 '양장점'에서 한글 디자인을 담당하고
있다. '격동고딕', '격동굴림', '펜바탕', '펜돋움' 등을
제작했으며, 다음카카오, 무신사, 본고딕, 빈폴, 삼성,
세종문화회관, 현대백화점 등 30여 개 전용서체 개발
프로젝트에 참여했다.

데자인은 행동이다
— 조능식(미술가), 1958

레터링
김기조(그래픽 디자이너)

데자인은 行動이다

표어 출처
동양화나 서양화의 본질이 감상하는 회화라면 생활하는 미술, 즉 데자인의 생명은 행동하는데 있다고 보겠다. 미술을 통해서 느껴지는 생활의욕 감정, 혹은 이 말을 바꾸어 생활의욕을 북돋아주는 행동미술. 이렇게 우리 생활 주변에서 가장 가까이 매만질 수 있고 보고 들을 수 있는 미술이 크게 요청되는 때도 드물었다고 하겠다.
— 조능식, 「정열의 개화: 한홍택개인전평」, 『동아일보』, 1958년 5월 31일 자.

작업 메모
어디에나 있지만 인식하기 힘든 것. 행위가 있으면서도 정의하기 힘든 것. 산업에 복무하지만 스스로 예술적 가치를 지니(고자 하)는 뭔가 경계적인 것. 즉 '데자인'은 오랫동안 모호하고 생소한 개념으로서 존재해왔다. 그만큼 설명의 노력과 이해의 강박이 누적된 역사이다. 다소 공허한 인상의 표어 속에서 나름 진지한 당대의 고민을 발견한다. 이것들은 현재적 맥락과 충돌하는 동시에 지금의 밑바탕이 되기도 한다. 오늘날에도 질문을 던지게끔 만드는 이 표어의 풍미를 표현해 보았다.

김기조
미술대학에서 시각디자인을 전공하던 재학 시절, 독립음반사 '붕가붕가 레코드'(BGBG Records.)의 설립에 동참한 일을 계기로 디자이너로서 경험을 쌓기 시작했다. 음반 공연 등 초기 작업을 진행하던 중 디자인에 반영된 비규범적이고 과감한 한글 조형으로 주목을 받았다. 현재는 개인 스튜디오 '기조측면'(Kijoside)을 기반으로 브랜딩, 방송, 광고 등 다양한 영역에서 레터링을 비롯한 디자인 작업을 전개하고 있다.

우리는 현실 속에서 차원 높은 자기의 의사를 통해서 창작하고
그것을 타에 전달하는 인간이 되어야 한다
— 한홍택(디자이너), 1969

레터링
김태헌(서체 디자이너)

우리는 現實 속에 차원 높은
자기의 意思를 통해서
創作하고 그것을 他에 傳達하는
인간이 되어야 한다

표어 출처

"우리는 현실 속에서 시간과 공간에서 그리고 차원
높은 자기의 의사를 통해서 창작하고 그것을 타(他)
에 전달하는 인간이 되어야 한다. 그래픽 디자인은
매스콤뮤니케이션이란 매체를 통해서 인쇄나 전파를
거쳐 우리들에게 널리 전달되며 신문 잡지 각양의
출판물도 이용하는 가장 광범위한 스테지를 가지고
있다. 콤머셜 아트 즉 산업디자인은 현재 기업주보다도
일보 앞서고 있을 정도의 위치에 처해있고 기업주는
본의건 아니건 간에 산업디자인을 이해할 수 있을
정도의 교양과 양식의 자세가 필요한 현황에 처해 있는
것이다"

— 한홍택, 「현대산업과 그래픽」, 『공간』, 1969년 2월.

작업 메모

표어는 과거 문체 속에 지적인 의지를 품고 있다.
타이포그래피 속에 남아 있는 지적인 복고(혹은 레트로)
란 역사적으로 획 대비를 말한다고 보면 된다. 다시 말해
가로획과 세로획의 굵기 차이가 부각되면 보는 이에게
차갑고 이지적인 인상을 주게 되는데, 20세기 중후반에
주로 사용하던 방식이다. 작업에 임해, 표어 문장의
분량에 걸맞게 획 대비를 사용해 디자인했고, 과거
한글의 구조적 특징인 네모난 형태의 틀을 가로로 변형·
과장해 활용했다. 당시 산업미술가들의 직업적 사명을
담은 이 고백적 언술은 언뜻 결기로 가득 차 보이지만,
한편으로 당시의 낭만이 물씬 느껴지는 측면도 있다.
그 정서를 담는 수단으로 부드러운 곡선을 활용해 글자가
일면 우아해 보이도록 마감했다

김태헌

단국대학교에서 시각디자인을 전공하여 그래픽
디자이너, 타이포그래퍼로 활동했다. 2013년 5종의
굵기를 가진 한글 상용 서체인 '공간 Gongan' 패밀리를
발표하며 본격적으로 타이포그래퍼로 작업하고
있다. 2017–2019년 건국대 앞 서점 '인덱스(index)'
아트디렉터로 일했고, 2019년 두 번째 한글 서체
'평균 Pyounggyun' 패밀리를 발표했다. 현재 한글
타이포그래피와 아이덴티티 디자이너로 활동하고
있으며 타이포그래피 연구소 '글자연구소'(GulzaLab)를
운영 중이다.

생활하는 미술, 산업하는 미술, 외교하는 미술
— 산업미술가협회 동인, 1955

레터링
김진희(서체 디자이너)

표어 출처
"산업미술은 다른 회서나 조각예술과 같이 하나의
전문적 미술 분야로서 국민생활과 직접적인 연관성을
가졌을 뿐만 아니라 그 국가나 사회를 상징하는, 산업의
동맥적 역할을 하는 다시 말하자면 생활하는 미술이요
산업하는 미술이며, 나아가서는 외교하는 미술이기도 한
것입니다"
— 산업미술가협회 동인 일동, 「소개와 안내의 말씀」,
《한홍택 작품전》 브로슈어, 1955년 10월 9일.

작업 메모
사회 내에서 특정 무언가가 다른 역할로 기능하고 있을
때, 우리는 역할의 정의에 대해 다시금 이야기한다.
이 표어는 산업미술을 액자 속에 머무는 역할 정도로
인식하는 사회 분위기 속에서, 디자인의 역할이
확장되어야 함을 호소한다. 현 상황에 대한 날카로운
분석과 굳은 심지가 느껴지는 이 발화를, 60년대 영화
〈사랑과 죽음의 해협〉(노필 감독, 1962) 포스터의
표현, 날카로운 부리와 두꺼운 획 처리 방식을 참고하여
표현했다.

김진희
2016년 단국대학교 시각디자인과를 졸업하고, 산돌에
타입 디자이너로 입사하여 글자를 그리고 있다. 산돌의
'둥굴림, 곧은부리, 눈솔, 온고딕'를 디자인했으며,
'시대의 거울' 시리즈를 기획하고 '청류, 노도'를
디자인했다. 커스텀 폰트로는 '한나 air, 티비스켓, IBM
Plex Sans JP '를 디자인했다.

미술수출
— 박정희(대통령), 1967

레터링
워크스(이연정, 이하림)

표어 출처
박정희 대통령이 1967년 9월 1일
한국공예디자인연구소를 방문해 남긴 휘호.

작업 메모
후대 디자인 평론가들에게 '수출품의 포장을 위한
국가의 디자이너 동원령을 위한 표어'로 평가 받는 말로,
1967년 박정희 대통령의 휘호에서 유래한 표현이다.
한자로 쓴 것을 한글로 '번역'하면서 우린 최고 권력자의
힘과 의지를 나타내는 굵은 획과 망설임 없는 필속, 획
끝을 간결한 삐침으로 결속해 수출보국(輸出報國),
즉 우리 상품을 외국에 내다 팔아 나라에 충성해야만
한다는 이념이 느껴지도록 했다. '미술수출'에는 또한
'근대화를 위한 국가의 부름'이라는 정부 주도의
일방통행식 관념도 스며들어 있다. 글자의 위압적인
풍모로 그런 정서의 일단을 그려보았다.

워크스
이연정과 이하림으로 이루어진 서울을 기반으로
활동하는 그래픽 디자이너 듀오. 1987년 각자 서울과
광주에서 출생하였으며, 국민대학교 공업디자인학과를
졸업했다. 《과자전》(2012–2019), 《퍼폼》(2016–2019),
제13회 광주비엔날레(2021), 《워치앤칠》(2021–2022)
등을 디자인했으며, 2015 타이포잔치(2015), 《SeMA
Blue 서울바벨》(2016), 《하이파이브》(2017),
《W–쇼》(2018), 《Open recent graphic design》
(2018, 2019), 서울미디어시티 비엔날레 2021(2021),
《나의 잠》(2022), 《MMCA 아시아 프로젝트, 서울
그리고 카셀—우정에 관하여》(2022) 단체전에
참여했다. 《WOO, ORGD 2019》를 기획하고 진행했다.

산업미술은 그 나라 풍경입니다
— 백영수(미술가), 1955

레터링
현승재(서체 디자이너)

산업미술은 그 나라 풍경입니다

표어 출처

"산업미술은 그 나라 풍경입니다. 사진으로 보아 미국이나 불란서 그 외 다른 나라를 잘 알 수 있습니다. 거리의 풍경 사람이 거닐고 있는 모습, 그리고 입고 있는 의상으로 그나라 「데사인」의 좋은 점과 생활양식까지 잘 알 수 있습니다. 물론 건물 내부나 미끈한 자동차도 산업미술에서 정해진 것입니다. 그러기에 얼마나 산업미술이 중요성을 가지고 있는가를 알 수 있습니다"
— 백영수, 「좋은 풍경 만들자」, 『조선일보』, 1955년 5월 17일 자.

작업 메모

1950–1960년대 각 산업 분야에서 나타난 다양한 한글 레터링 중 네모꼴을 가득 채우는 두꺼운 획의 반듯한 글자가 특히 두드러지는데, 내게는 당시 모든 부문에서 변화·성장하던 한국 산업의 자신감과 의지로 읽힌다. 현대 한글 레터링에 비해 형태가 단조롭고 투박하지만, 이것도 그 시대의 풍경 중 하나일 것이다. 네모꼴 안에 들어찬 고밀도 한글로 표어를 썼다. 현대의 미감을 담아 당대의 정서를 재현한 글자라 할 수 있다.

현승재

자형설계사 '제스타이프'를 운영하며, '검은고딕', '흑단', '티빙전용서체', '삼립호빵'과 애플TV 로컬 타이틀 등의 활자와 글자를 디자인했다. 한글타이포그라피학교와 계원예술대학교에서 한글 레터링을 가르쳤다. 한글 글자 조형을 기반으로 교육과 문화 예술 전시, 브랜드 협업 등 분야에서 활동한다.

현대는 감각 반응의 시대이다.
— 한홍택(디자이너), 1969

레터링
함민주(그래픽 디자이너)

표어 출처
"현대는 감각 반응의 시대이다. 현대사회의 특이성이라
할까, 현대의 시대 전체가 표정적 감각적인 것이 하나의
특징이라고 생각한다. 즉 감각적인 측면이 크로즈엎
된다는 것은 그 배경이 인공적으로 감각자격이 되었다는
것이다. 따라서 일반은 여기에 반응되며 비정이
충동적이고 심리적인 현상으로 되는 것이다. 소위
순수공예 또는 산업적인 공예나 산업디자인은 시각이나
시각언어로서 타(他)를 설득하는 반응 정착 없이는
무의미한 것이다"
— 한홍택, 「전통의 처리간제 전통의 처리문제」, 『공간』,
1969년 1월.

작업 메모
디자이너는 시각이나 시각언어로 다양한 매체를 통해
대중과 의사소통을 돕는 역할을 한다. 정보의 전달과
반응에 가속도가 붙는 현대에 디자이너에게 가장 중요한
것은 무엇일까? 화려하고 이목을 혼란시키는 인위적인
표면에 대한 집착을 버리고 더욱더 대중의 표정과
반응에 귀기울여 소통해야한다. 1960–1970년대 많이
사용되던 굵은 손글씨의 제목 글자체에서 영감을 받아
표어를 그렸고 획에 곡선을 적절히 사용하여 손 느낌을
더했다.

함민주
베를린을 기반으로 활동하고 있는 글꼴디자이너이다.
마르크 프륌베르크와 함께 스튜디오 하이퍼타입
(HyperType) 파운드리를 운영하고 있다. 2015년
네덜란드 헤이그 왕립예술학교(KABK)에서 타입미디어
(Type and Media) 석사과정을 이수했다. 대표작으로
설 산스(2017), 둥켈산스(2018), 블레이즈페이스 한글
(2019), 뉴트로닉 한글(2020), 함렡(2021)이 있다.

응용미술은 생활미술
—『경향신문』, 1958

레터링
박신우(그래픽 디자이너)

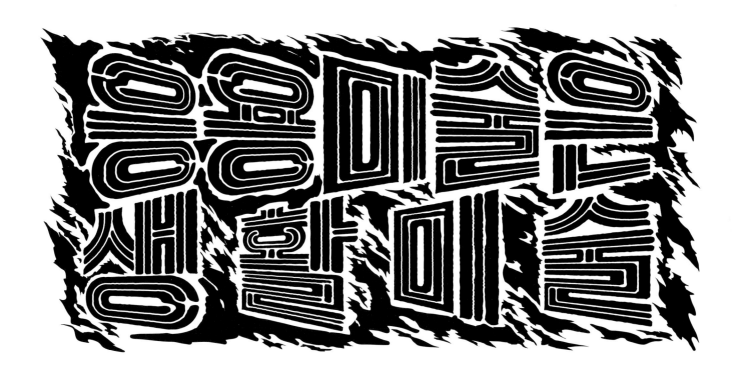

표어 출처
"생활의 미화(美化)라고 하는 것은 생활이 향상되고 문화가 발달할수록 더욱 절실히 요구되는 일이라고 하겠습니다. 그러므로 응용미술이란 우리 실생활에 불가결한 것이며 즉 생활미술이라 할 수 있는 것입니다"
—「데자인: 능력에 따라선 최고의 수입」,『경향신문』, 1958년 9월 19일 자.

작업 메모
디자인과 디자이너의 역할에 대한 그 모든 논쟁을 뒤로하고, 단호하게 '응용미술은 생활미술'을 외치는 문장은 일면 통쾌한 기분까지 들게 한다. 탁상공론 따위는 절대 용납하지 않겠다는 어떤 결연한 의지까지 느껴지는 구호라고 생각했다. 결코 뒤는 돌아보지 않고 미래로 전진만 수행하는 시대의 일꾼으로서 디자이너의 모습을 상상하게 만든다.

박신우
서울 출생으로, 이화여자대학교 시각디자인학과를 졸업하고 서울 성수동에서 그래픽 디자인 스튜디오 페이퍼프레스를 운영하고 있다. 문화예술 분야에서부터 다양한 브랜드와의 협업까지, 그래픽이 개입할 수 있는 모든 가능성들을 수행하고자 한다.

약은 약사에게, 병은 의사에게, 디자인은 산업미술가에게
— 한홍택(디자이너), 1970

레터링
박철희(그래픽 디자이너)

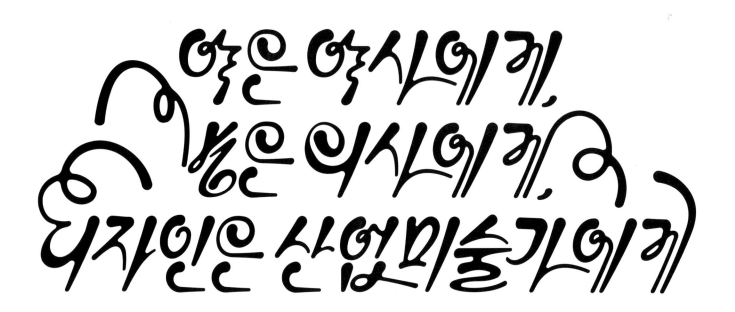

표어 출처
"유능한 산업미술 전문가의 작품과 저질 작품 간의
옥석(흑백)을 분간할 수 있을 정도의 이해력이나 역량
있는 분들이 행정이나 기업의 장(長)이 되는 게 가장
이상적이 아니겠는가. 속담에 배에 사공이 많으면 배는
수평선 아닌 산으로 오른다고 하였다. 약은 약사에게
병은 의사에게, 디자인은 유능한 산업미술가에게라는
스로건으로 각자는 자기 전문 위치에 충실해야 할
것이며, 기업의 장이나 디자인을 행정 하는 분은 이러한
점에 다 같이 반성해볼 문제라고 생각한다"
— 한홍택, 「이해력 아쉬운 디자인 정책과 직권
(職權)」(대한상공회의소 연구대회 발표 논문,
1970년 11월 26일).

작업 메모
50년 전 디자인 정책을 이끄는 사람, 디자이너에게 일을
시키는 의뢰인의 무지를 꾸짖는 말이고, 지금도 현실이
그다지 달라지지 않았기에 울림이 크다. 한편으론 이
말에는 전문 직업인으로서 디자이너 역할을 강조하는
측면도 있다고 느낀다. 개인적으론 의뢰받은 디자인을
수행하며 이따금 되뇌는 개념이고 그래픽 디자이너로서
나를 되돌아볼 때 떠올리는 말이기도 하다. 환자들의
아픈 곳을 치료해주는 의사처럼 여러 제약조건에 대한
해결책을 제시하는 유능한 디자이너가 되고 싶다는
마음을 담아 글자를 썼다.

박철희
1988년 광주광역시에서 태어났다. 2014년 국민대학교
시각디자인학과를 졸업한 후 2015년 07학번 동기
박지성과 햇빛스튜디오를 설립해 주로 브랜딩, 광고,
패키지 영역에서 활동하고 있다. 최근 작업으로는 세탁
서비스 런드리고 광고 캠페인과 경기도 미술관의 전시
'소장품으로 움직이기' 전시 아이덴티티 등이 있다.

새로운 각성으로 명랑한 「아이디어」를!!
— 김훈(미술가), 1959

레터링
김현진(서체 디자이너)

표어 출처
"책의 성질과 내용에 의거하지 않은 것은 고사하고 그
미적 표현이 유치하고 낡은 표현 형식을 버젓이 인쇄해
놓기 때문에 외국 간행물보다 뒤떨어진 느낌을 받게
되는 것이다… 우리나라가 모든 면에서 문명국이
되려면 문화사업이 더욱 발전해야 하고 여기에
종사하는 사람들의 새로운 각성이 절실히 필요하다…
출판업자들이 대중에 아부하는 정도의 그림 또는 업자
자신의 미적 수준을 가지고 가지가지의 요구 조건을
내세우는 경우가 많다. 그렇게 되면 사람은 모든 요구
조건에 구애되어 자유스럽고 명랑한 아이디어가
떠오르기 힘들다"
— 김훈, 「인쇄문화와 장정미술」, 『동아일보』,
1959년 1월 30일 자.

작업 메모
'새로운 각성'은 어떻게 해야 얻을 수 있는 것일까? 또
'명랑한' 아이디어란 과연 어떤 것일까? 많은 고민을
안겨준 문구였다. 현시대 작업자 시선에서 '새로운
각성'/'명랑한 아이디어' 두 단어가 주는 대비감이
흥미로웠다. 쉽게 투박한 이미지를 만들어내는 것을
경계하자는 의미에서 '맥락 없이 레트로한 글자를 그리지
않는다.'라는 규칙을 스스로에게 부여하고 있는데, 이번
작업에서는 현대적인 마감과 치밀하게 계산된 공간을
가진 글자도 1950–1970년대의 뉘앙스를 전달할 수
있을 지 실험해 보고자 했다.

김현진
홍익대학교에서 시각디자인을 공부한 서울 기반의 글꼴
디자이너이자 그래픽 디자이너이다. 낯설지만 아름다운
조형의 글자 탐험을 즐기며 늘 새로운 인상의 한글꼴을
찾고자 한다. 글꼴 외에도 다양한 분야의 디자인 작업을
병행하며 1인 스튜디오 '팟'을 운영 중이다.

1945–1960년대 한국 근현대디자인사 연표

	1945	1946	1947	1948
산업미술계 동향	조선산업미술가협회 창립 한홍택, 이완석, 권영휴, 조능식, 조병덕, 엄도만, 유윤상, 이병현, 홍남극, 홍순문 등 조선미술건설본부 공예부 신설 위원장 이순석, 김봉룡, 김정수, 김영주, 김재석 장선희, 정인호, 한홍택 등	조선조형예술동맹 공예부 신설 조선미술동맹 선전부, 공예부 신설 조선공예가협회 창립 회장 김재섭, 강창원, 백태원, 이완석, 김봉룡, 박철주, 음진갑 등 조선상업미술가협회 창립 김중현, 양재헌, 오주환, 양귀희, 조봉현, 김진태 등	《조선미술문화협회 창립전》 한홍택, 엄도만 등	조선산업미술가협회를 대한산업미술가협회로 개칭
조선산업미술가협회 現 대한산업미술가협회 주요 활동		제1회 조선산업미술가협회 발표전 《조국광복과 산업부흥전》 동화백화점 화랑, 5.21.–5.31. 제2회 조선산업미술가협회 회원전 《올림픽에 관한 디자인전》 동화백화점 화랑, 12.25.–1.5.	제3회 조선산업미술가협회 회원전 《관광을 위한 경주/단양 스케치전》 동화백화점 화랑, 5.21.–5.29. 제4회 조선산업미술가협회 회원전 《관광을 위한 남해안 스케치전》 동화백화점 화랑, 9.16–9.23.	제5회 조선산업미술가협회 회원전 《산업건설 포스터전》 동화백화점 화랑, 4.20.–4.30. 제6회 조선산업미술가협회 회원전 《산업건설 포스터전》 동화백화점 화랑, 10.1.–10.8.
사회적 사건 및 제도	○ 조선건국위원회 발족 ○ 국제연합(UN) 출범 ○ 해방(8.15.) ○ 미군정, 야간 통행금지 시행 ○ 이화여자대학교, 예림원 　미술과 신설	○ 미군정 '부녀국 설치령' 　(미군정 법령 107호) ○ 대구 10월 민중항쟁 ○ 서울대학교, 예술대학 미술학부 신설 　(제1회화과[동양화], 　제2회화과[서양화], 조각과, 도안과)	○ 한글 가로쓰기 채택 ○ 이화여자대학교, 예림원 　미술학부에 4개 전공학과 신설 　(동양화과, 서양화과, 자수과, 　도안과)	○ 제주 4.3 민주항쟁 ○ 대한민국 정부 수립(8.15.) ○ 제헌국회개회, 헌법제정공포 ○ 숙명여자대학교 미술과 신설
산업 및 기업, 조직 동향	○ 태평양화학공업사 설립 　(現 아모레퍼시픽) ○ 해태제과합명회사 설립 　(現 해태제과) ○ 동아프린트 설립(現 동아출판사) ○ 조선제지공업협회 창립 　(現 대한제지공업협회) ○ 미쓰코시백화점, 동화백화점으로 　사명 변경 ○ 국내 최초 담배 '승리' 발매	○ 현대자동차공업사 　설립(現 현대자동차)	○ 락희화학공업사 설립 　(現 LG화학), '럭키크림' 생산	
출판 및 대중문화 매체환경	○ 『조선일보』 복간 ○ 『동아일보』 복간 ○ 을유문화사 설립 ○ 잡지 『국제보도』 창간	○ 『가정 글씨 체첩』 출간 ○ 잡지 『소학생』 창간		○ 잡지 『어린이』 복간

제1회 국전, 공예부 개설	한홍택, 대한민국 대통령 휘장 디자인	제1회 수출공예품 전람회	한홍택, 《한홍택 산미 개인전》	제2회 국전
이순석, 제2회 개인전 《장식도안전》		심사: 김환기, 최순우, 유강열 등	올림피아 다원	문교부 장관상: 유강열, 특선: 권순형, 박철주, 이준례
		유강열, 경상남도 나전칠기 기술원 강습소 설립, 강의		

	제7회 산업미술가협회 회원전 《수복건설 포스터전》 동화백화점 화랑, 4.25.–4.30.			

○ 부녀국 산하 생활개선과 신설	○ 이승만 대통령, 신생활운동 전개 성명 발표	○ 한일통상협상 체결	○ 한미경제조정협정 체결	○ 한미상호방위조약 서명
○ 홍익대학교 미술과 신설	○ 한국전쟁 발발(6.25.)	○ 서울대학교, 예술대학 미술학부 도안과를 응용미술과로 개칭	○ 문교부에서 '전시문교', '건국문교', '독립문교' 방침 천명	○ 정전협정(7.27.)
		○ 이화여자대학교, 예술대학 미술과에 8개 전공 신설 (동양화, 서양화, 조각, 자수, 도안, 사진, 실내장식, 염색)		

○ 20본 들이 담배 포장 시작	○ 칠성사이다 출시		○ 동양맥주 주식회사 설립(現 오비맥주)	○ 제일제당공업주식회사 설립 (現 CJ제일제당)
○ 공병우, 고성능 한글타자기 개발			○ 기아자전거 '삼천리호' 생산	
			○ 락희화학, 국내 최초 플라스틱 제품 생산	
○ 최경자, 국제양장전문학원 개원			○ 장봉선, 사진식자기 자판 고안	
○ 노라노, 신당동 의상실 개업			○ 노라노, '노라노의 집' 개업	

			○ 학원사 학생교양지『학원』창간	○ 잡지『현대여성』창간
			○ 여성교양 대중지 월간『여성계』 창간	○ 혜화동 동양서림 개점
				○ 종로서적 증개축

	1954	1955	1956	1957
산업미술계 동향	제3회 국전 공예부를 응용미술부로 개칭 국무총리상: 유강열, 문교부장관상: 백태호, 특선: 남용우, 백태원	한홍택, 《한홍택 작품전》 동화백화점 화랑 제4회 국전 (응용미술부를 공예부로 환원) 문교부장관상: 최선영, 특선: 조정호, 김옥석 광복 10주년 기념 산업박람회 개최 시발자동차 대통령상 수상 한국미술가협회 창립 이순석, 한홍택, 김정환, 김진갑, 백태원 등 참여	제5회 국전 문교부장관상: 이신자, 특선: 한도룡, 유윤진, 홍승표, 박성삼, 민철홍 노라노, 국내 최초 패션쇼 개최 10월, 반도호텔	백태원, 《제1회 공예작품전》 동화화랑 《벨기에 만국박람회 출품작 귀국전》 이순석, 김교만, 권순형 제6회 국전 문교부장관상: 백태호, 특선: 이분남, 이준례, 김태원, 조영제, 유윤진, 이신자 최경자, 패션쇼 개최 10월, 반도호텔
조선산업미술가협회 現 대한산업미술가협회 주요 활동	제8회 대한산업미술가협회 회원전 《직물디자인전》 동화백화점 화랑, 4.10.–4.19.	제9회 대한산업미술가협회 회원전 《관광포스터전》 동화백화점 화랑, 5.3.–5.12. 제10회 대한산업미술가협회 회원전 *자료 유실, 세부 정보 미상		
사회적 사건 및 제도	○ 2차 개헌 ○ 야간 통행금지 전국 시행 ○ 여의도 국제공항 정식 개항 ○ 수도여자사범대학(現 세종대학교) 　미술과 신설 ○ 국립박물관 부설 한국조형문화연구소 　설립(록펠러재단 후원, 초대 기예부 　연구원 유강열, 정규) ○ 홍익대학교, 미술학부에 3개 학과 　신설(회화과, 조각과, 건축미술과)	○ 광복 10주년 기념 산업박람회 ○ 용산 미8군 사령부 주둔		○ 저작권법 공포 ○ 한국공예시범소(KHDC) 설립 　(디렉터: 노먼 디한) ○ 한국수출포장공사 설립(골판지 　원지 및 상자 생산)
산업 및 기업, 조직 동향	○ 애경유지공업 설립 　(現 애경산업) ○ 한글/한문 혼용 사진식자기 　국내 최초도입 ○ 사진식자체 국정교과서 사용 ○ 최경자, 명동에 국제양장사 　(최경자양재연구소) 개소 ○ 이완석, 천일화랑 경영	○ 하동환자동차제작소 설립 ○ 시발자동차주식회사, 최초 국산 　조립자동차 '시발자동차' 생산 ○ 락희화학, 국내 최초 치약 '럭키치약' 생산 ○ 삼화인쇄소, 국내 최초 원색 동판인쇄 　시작 ○ 성두경, 반도사진문화사 개업 ○ 배만실, 춘추양재전문학원 개원	○ 동아출판사, 　벤톤자모조각기 도입 ○ 한홍택, 한홍택도안연구소 개소 ○ 권순형, 김교만 K.K.디자인연구소 　개소	○ 동아출판사, 국내 최초로 　활자 자개각에 성공 (최정호 서체) ○ 백태원, 신성공예사 개업
출판 및 대중문화 매체환경	○ 『서울신문』에 정비석의 소설 　「자유부인」 연재 ○ 국내 최초 민간 라디오방송국 　CBS 개국 ○ 국내 최초 TV 수상기 도입 ○ 미도파백화점 개점	○ 잡지 『여원』 창간 ○ 영화 〈미망인〉 (감독: 박남옥) ○ 동화백화점 개점	○ 잡지 『신여성』 창간 ○ 잡지 『신미술』 창간 ○ 잡지 『주부생활』 창간 ○ 영화 〈자유부인〉(감독: 한형모) ○ 국내 최초 TV 방송국 　HLKZ–TV 개국 ○ 국내 최초 TV 광고 등장 ○ 국제극장 개관	○ 『우리말 큰사전』 출간 ○ 주한미군방송 AFKN 개국 ○ 명보극장 개관(설계: 김중업)

1958	1959	1960	1961	1962
한홍택, 《제2회 한홍택 모던 데자인전》 중앙공보관 제7회 국전 문교부장관상: 이신자, 특선: 김태원, 한도룡, 김인숙, 백태호, 유윤진	제8회 국전 문교부장관상: 민철홍, 특선: 김태숙, 한도룡, 백태호, 이신자, 김태원 민철홍, 한국공예시범소 수석 디자이너, 체신부 발행 우표 디자인 한도룡, 공예시범소 근무 박용귀, 금성사 근무 조영제, 화신산업 근무	노먼 디한, 《공업미술전》 권순형, 《귀국 작품전》	한홍택, 《제3회 한홍택 그래픽 디자인전》 중앙공보관 한국응용미술가협회 창립 백태원, 권순형, 박대순, 이신자 등 대한복식디자이너협회 창립 회장 최경자	한홍택, 《제4회 한홍택 그래픽 디자인전》 중앙공보관 앙드레 김, 패션쇼 개최 반도호텔 조영제, 조흥은행 업무추진부 근무
	제11회 대한산업미술가협회 회원전《건국 10주년 기념전》 중앙공보관 화랑, 4.20.–4.30.	제12회 대한산업미술가협회 회원전 중앙공보관 화랑, 10.17.–10.23.		
○ 문교부 주관 '우수국산영화상' 　(現 대종상) 제정 ○ 홍익대학교 공예학과 신설(도자, 　목공, 금속, 섬유, 도안 세부전공) ○ 한국공예시범소, 서울대학교 　및 홍익대학교 학생 대상 교육 　프로그램 시행, 민철홍과 김정숙 　해외연수 파견	○ 한국공예시범소, 　권순형, 배만실, 김익영 　해외연수 파견	○ 제2공화국 출범 ○ 4.19 혁명 ○ 한국공예시범소 폐소(1월) ○ 유강열 홍익대학교 　미술대학 공예학과장 취임 ○ 이화여자대학교 미술대학 　인가, 4개 학과 신설 　(회화과, 생활미술과, 　조각과, 자수과)	○ 관광사업진흥법 제정 ○ 공보부 조사국 창설 　(문화정책 입안) ○ 5.16 군사정변 ○ 서울여자대학교 　공예학과 신설	○ 제1차 경제개발 5개년 계획 착수 ○ 문화재보호법 제정 ○ 국제관광공사 설립 　(現 한국관광공사) ○ 해외이주법 제정 ○ 대한주택공사 설립 ○ 농어촌 라디오 보내기 운동 ○ 숙명여자대학교 문리과대학 　생활미술과 신설 ○ 동덕여자대학교 응용미술과 신설
○ 금성사 설립(現 LG전자) ○ 금성사, 산업디자이너 공채 　(박용귀, 최병태) ○ 국내 최초 필터 담배 '아리랑' 　발매 ○ 해남초자, 맥주병 생산 ○ 삼화인쇄, 원색분해 시작	○ 금성사 의장실 개설 ○ 금성사, 최초 국산라디오 'A-501' 출시 　(박용귀 디자인) ○ 진로, 국내 최초 CM송 광고 ○ 국제연합한국재건단(UNKRA), 　크라프트지 생산기계 도입 협정 체결 ○ 김한용, 김한용사진연구소 설립	○ 신흥제지, 크라프트지 　생산 ○ 조선일보, 국내 최초 　신문용 납작꼴 활자 　개발	○ 삼진알미늄, 알루미늄박 생산 ○ 최경자, 국제복장학원 　스타일화과 개설	○ 경성정공, 기아자동차로 상호 　변경 및 오토바이 생산 ○ 성안기계공업사, 그라비아 　인쇄기(1도 인쇄) 개발 ○ 금성사, 전자제품 첫 수출 ○ 새나라자동차 설립, '새나라' 　조립 생산(일본 닛산 제휴) ○ 담배 '상록수' 발매
○ 태평양화학, 사보『화장계』 　창간 ○ 잡지『장업계』창간 ○ 잡지『공예』창간 ○ 학원사, 국내 최초 　『세계백과사전』간행 ○ 대한극장 개관 ○ 영화〈지옥화〉(감독: 신상옥) ○ 영화〈돈〉(감독: 김소동)		○ 한국광고사, 　『새광고』창간 ○ 유한양행, 사보『가정생활』 　창간 ○ 동양맥주, 사보『OB뉴스』 　창간	○ 국영 KBS TV 개국 ○ 문화방송(MBC) 개국 ○ 영화〈오발탄〉(감독: 유현목) ○ 영화〈상록수〉(감독: 신상옥) ○ 컬러 시네마스코프〈춘향전〉 　개봉	○ 이어령,『흙 속의 저 바람 　속에서』인기 ○ 12인치 LP 포맷 정착

	1963	1964	
산업미술계 동향	**제12회 국전** 대통령상: 공예부 박한유 **최경자, 한·일 친선 패션쇼 개최** 도쿄, 서울 **한국상업미술가협회 창립** **그래픽아트회 창립**	**한홍택,《제5회 한홍택 그래픽 아트전》** 종로 YMCA 화랑 **한홍택,《제1회 한홍택문하생 그래픽 디자인전》** 종로 YMCA 화랑 **민철홍, 크리스마스 씰 디자인** **부수언, 한일약품공업주식회사 근무**	**1960년대 산미협회 회원 현황** 고려포스터사 도안실(최정한) 국제보도연맹(조능식) 극동제약 주식회사(윤병교) 동아제약(유우영) 동신화학 공업주식회사(김관중) 대건염직 공업주식회사 도안실(박근지) 대한잉크 CO.(이근배, 김영무) 대한항공(차억) 롯데제과 도안실(김중호) 미국공보원 USIS(안영배) 미국공보원 USIS 미술과(최병훈) 미도파백화점 기획관리실(박승철) 빠고다가구공예점(지성자) 삼성물산 광고선전실(정대길) 삼익피아노(김관중) 오공화학(윤병교) 유한양행 도안실(윤병규, 정대길, 한홍택, 조능식, 윤병교) 주식회사 마진상사(이근배) 중앙제약 선전부(배영조) 제일모직(안영훈) 제일모직 광고선전과(정대길) 충주비료 주식회사(최규창) 태아실업 기술과(한인성) 태평양화학공업주식회사 선전부(한광수) 한일은행(권명광, 박상자) 호남전기 공업주식회사(박종운) 해태제과 공업주식회사(장윤호)
조선산업미술가협회 現 대한산업미술가협회 주요 활동	**제13회 대한산업미술가협회 회원전 《관광을 위한 제주도 스케치전》** 중앙공보관 화랑, 3.11.–3.17.	**제14회 대한산업미술가협회 회원전 《관광을 위한 강원도 스케치전》** 종로 YMCA 화랑, 8.20.–8.27. 춘천 강원도공보관, 9.2.–9.8.	
사회적 사건 및 제도	○ 제3공화국 출범 ○ 한국 ISO(국제표준화기구) 가입 ○ 워커힐호텔 개관 ○ 한국노동청과 독일탄광협회 　협정(파독 광부 400명) ○ 수도여자사범대학(現 세종대학교) 　생활미술과 신설 ○ 덕성여자대학교 생활미술과 신설	○ 수출산업 공업단지 조성법 시행 ○ 6.3 시위(한일회담반대), 비상계엄 ○ 한국군 베트남 파병 ○ 도쿄 하계올림픽 개막 ○ 홍익대학교 미술학부/공예학부 학과 분리 설치 　미술학부(동양화과, 서양화과, 조각과) 　공예학부(공예과, 도안과) ○ 서울대학교, 응용미술과 내 상업미술 / 　공예미술 분리 ○ 수도여자사범대학(現 세종대학교) 응용미술과 신설	
산업 및 기업, 조직 동향	○ 금성사, 공업의장과 신설 ○ 금성사, '체신1호' 전화기 개발 　(민철홍 디자인) ○ 모나미 설립 ○ 동화백화점, 신세계백화점으로 변경 ○ 에이스침대공업사 설립 　(現 에이스침대)	○ 삼화금속공업주식회사 설립(現 백조씽크) ○ 해태제과, 포장디자인실 신설 ○ 신안기계공업사, 　그라비아 인쇄기(3도) 개발 ○ 안성산업 드럼 캔(Drum Can) 생산 ○ 이완석, 한국민예품연구소 개소 ○ 최경자, 패션모델 양성기관 　국제차밍스쿨 설립 ○ 이리자, 이리자한복연구소 개점	
출판 및 대중문화 매체환경	○ 한국잡지협회 창립 ○ 동아방송(DBS) 개국 ○ KBS TV 광고 방송 시작	○ 이경성,『공예개론』출간 ○ 시사주간지『주간한국』창간 ○ 동양방송TV(TBS) 개국 ○ 영화〈빨간 마후라〉(감독: 신상옥) ○ 영화〈맨발의 청춘〉(감독: 김기덕) ○ 남산도서관 개관 ○ 장충체육관 개관	

이순석, 《회갑기념 개인전》

권명광,
한일은행 달력 디자인

제1회 상공미전

경복궁미술관
상업미술, 공예미술, 공업미술의
3부 체제, 대통령상: 강찬균,
〈서울역 안내시스템〉

한홍택,
《제6회 한홍택 그라픽 아트전》

중앙공보관

프리즘디자인 그룹 창립

양승춘, 이태영, 정시화, 배천범 등

제1회 프리즘디자인전

중앙공보관

제2회 상공미전

대통령상: 김길홍, 〈Auto-Liner〉

김교만,
한일은행 달력 디자인

민철홍,
대한민국 국장 디자인

박용귀,
히타치 의장연구소 연수

제3회 상공미전

대통령상: 권명광, 〈양송이 재배장려 및
해외광고물시안〉

제1회 한국무역박람회 개최

조영제, 민철홍 포스터디자인

한국공예디자인연구소 창설전

권명광,
해태제과 사브레 패키지 디자인

조성열,
한국무역박람회 삼성관 설계

제15회 대한산업미술가협회
회원전, 제1회 산업미술공모전

신문회관 화랑, 9.11.–9.17.

제16회 대한산업미술가협회 회원전

미도파 화랑, 5.7.–5.14.

제17회 대한산업미술가협회 회원전,
제2회 산업미술공모전

중앙공보관 화랑, 11.14.–11.19.

제18회 대한산업미술가협회
회원전 《창립 20주년 기념전》,
제3회 산업미술공모전

중앙공보관 화랑, 10.27.–11.1.

제19회 대한산업미술가협회
회원전, 제4회 산업미술공모전

중앙공보관 화랑, 10.21–10.30

○ 서울 구로동 경공업
  수출산업단지 지정
○ 한일협정 반대 운동
○ 반도조선아케이드 개점

○ 한국공예가회 창립
○ 한국포장기술협회 창립
○ 한국공예기술연구소 설치 결정

○ 최초로 두 자릿수 경제 성장률 기록
○ 불량지구개량사업 추진

○ 서라벌예술대학(現 중앙대학교)
  공예과 신설

○ 한국과학기술연구소 설립
○ 서울대학교 부설
  '한국공예디자인연구소' 설립(소장:
  이순석)

○ 제2차 경제개발 5개년계획 착수
○ 고가도로 건설계획 발표
○ 박정희 재선

○ 이화여자대학교 장식미술과 신설
○ 한양대학교 사범대학 응용미술과 신설

○ 국민교육헌장 제정
○ 문화공보부 신설
○ 국내 최초 고가도로 아현고가도로 개통

○ 서울대학교 응용미술과 내 공업미술
  전공 추가 개설
○ 덕성여자대학교 생활미술과를
  응용미술학과로 개칭
○ 홍익대학교 공업도안과 신설

○ 금성사, 최초 국산 냉장고
  (GR–120) 생산
○ S/K어소시에이츠(광고회사) 설립
○ 신진자동차, 새나라자동차 인수
○ 아시아자동차 설립
○ 내쇼날푸라스틱 설립

○ 장충섭, 엘리건스인티어리어스
  개업
○ 진태옥, 프랑소와즈 개업

○ 금성사, 최초 국산 흑백 TV
  (VD–191) 생산
○ 신진자동차, '코로나' 생산
○ 보루네오통상주식회사
  (現 보루네오가구) 설립
○ 한국가구공업주식회사 (現 한국가구) 설립

○ 한영수, 한영수사진연구소 설립
○ 조성렬, 큐빅디자인연구소 설립
○ 손석진, 대진실내의장연구소 개소

○ 신진자동차공업(이후 대우자동차),
  '코로나' '퍼블리카' '지프' 등 생산
  (도요타 기술 제휴)
○ 합동통신 광고기획실 설립

○ 한국생산성본부 국내 최초 컴퓨터 도입
○ 삼화인쇄, 국내 최초 롤랜드 4색 오프셋
  인쇄기 도입

○ 현대자동차, '코티나' 생산
○ 애드코리아 설립
○ 코카콜라 한국 판매

○ 한국상업사진가협회 창립

○ 『중앙일보』 창간, 중앙광고대상 제정
○ 서울FM방송 개국
○ 비틀즈 선풍

○ 월간 『공간』 창간
○ 간송미술관 설립
○ 『동아일보』에 이호철의
  〈서울은 만원이다〉 연재
○ 전혜린, 『그리고 아무 말도 하지 않았다』 인기

○ 이경성, 『공예통론』 출간
○ 영화 〈팔도강산〉(감독: 배석인)
○ 윤복희 미니스커트 화제

○ 최경자, 잡지 『의상』 창간
○ 주간지 『선데이서울』 창간
○ 주간지 『주간중앙』 창간
○ 주간지 『주간조선』 창간
○ 주간지 『주간경향』 창간
○ 음반법(음반에 관한 법률) 시행
○ 국제광고협회(IAA) 한국지부 설립

	1969	1970	
산업미술계 동향	**제4회 상공미전** 대통령상: 부수언, 〈택시 미터기〉 **한홍택, 《제7회 한홍택 시각언어전》** 신문회관 화랑 **한국인테리어 디자이너협회 창립** **권명광, 서울시 관광안내책자 표지 디자인**	**제5회 상공미전** 대통령상: 김철수, 〈기와디자인〉 **한국현대디자인실험작가협회전 제1, 2회 협회전** **한국디자인포장센터, '70 《KOREA PACK》**	**1970년대 산미협회 회원 현황** 기아산업 주식회사(이은규) 남영나이론 판촉과(박태부) 동광약품 선전과(김관중) 대한종합식품(하준섭) 대한중외제약 광고과(정신공) 롯데공업 선전과(전년일) 롯데공업 디자인실(최용천) 마산요업(이달용) 미도파백화점 가구부(김윤환) 벽산 그룹 기획실(김태희) 서울신문사 편집2국(박동일) 선경합금주식회사 홍보반(우수형) 신세계백화점(김창근) 신세계백화점 가구부(김윤환) 오리엔트시계(주)선전과(박태부, 황길환) 엘리자벳 기획실(김경화) 조흥은행 도안실(유재우) 주식회사 금성사 의장공업과(김광부) 제일약품 선전과(차연수) 충주비료 충주공장(최규창) 코오롱상사 광고과(김춘광, 박정후) 한국은행 조사제1부(김경중) 한국화이자 선전부(배영조) 합동통신 제작부 광고기획실(조성집) 현대 광고 선전 연구소(조능식) 현대백화점 도안실(박근지) 해태제과 광고과(주영원) 해태제과 도안과(신정필, 박준배, 김종호, 전후연) 해태제과 도안실(최광, 권정식, 이면회, 강민구, 윤성희)**
조선산업미술가협회 現 대한산업미술가협회 주요 활동	**제20회 대한산업미술가협회 회원전, 제5회 산업미술공모전** 국립공보관(덕수궁), 7.11.–7.17.	**제21회 대한산업미술가협회 회원전** 신문회관 화랑, 2.14.–2.20. **제22회 대한산업미술가협회 회원전, 제6회 산업미술공모전** 장소 미상, 12.21.–12.26.	
사회적 사건 및 제도	○ 전자공업진흥법 제정 ○ 경인고속도로 개통 ○ 제3한강교(現 한남대교) 개통 ○ 건국대학교 공예학과와 생활미술학과 신설 ○ 숙명여자대학교 산업미술대학 신설 ○ 한국수출품포장센터 설립 ○ 한국공예디자인연구소, 　2월 한국디자인센터로 개칭 후, 　3월 한국수출디자인센터로 재개칭	○ 지하철 건설본부 설립 ○ 통상진흥국 디자인·포장과 설치 ○ 경부고속도로 개통 ○ 새마을운동 제창 ○ 일본만국박람회(오사카 엑스포) ○ 이화여자대학교 도예과 신설 ○ 성균관대학교 가정대학 생활미술과 신설 ○ 건국대학교 가정대학 산업미술과 신설 ○ 한국디자인포장센터 설립 ○ 디자이너 등록제 실시	
산업 및 기업, 조직 동향	○ 삼성전자 설립 ○ 만보사, 광고대행사 발족 ○ 금성사, 최초 국산 세탁기(WP–181) 생산 ○ 펩시콜라 한국 판매 ○ 일본 모리사와, 최정호 활자로 국내 사진식자 　글자판 제작	○ 삼성전자, 트랜지스터 　라디오 생산 및 수출 ○ 한샘 설립 ○ 트랜지스터식 흑백 TV 생산 ○ 지순, 일양건축공방 개업	**자료 감수 김상규, 조옥님** **자료 조사 이솔, 채우리, 박성원, 박지민**
출판 및 대중문화 매체환경	○ 전문지,『계간 디자인』창간 (편집인: 이순석, 　편집지도: 유근준, 편집담당: 정시화) ○ 합동광고 광고기획실, 전문지『합동광고』창간 ○ 한국일보, 스포츠일간지『일간스포츠』창간 ○ 중앙일보, 잡지『소년중앙』창간 ○ 문화방송 TV 개국 ○ 국립현대미술관(경복궁미술관) 개관	○ 한국디자인포장센터, 전문지 　『디자인·포장』창간 ○ 김지하 시 〈오적〉 발표 ○ 한국신문협회, 광고협의회 발족 ○ 조선호텔 재개관	

한홍택(韓弘澤, 1916–1994) 연보

1916   부친 한갑현과 모친 박인서 사이에서 3남 2녀 중 2남으로 서울에서 출생

1934   협성실업학교 졸업

1935   일본으로 유학

       도쿄도안전문학원 입학

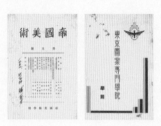

『제5호 제국미술』, 제국미술학교 안내서, 1936
도쿄도안전문학원 학칙, 1936

1937   도쿄도안전문학원 졸업

도쿄도안전문학원 졸업 작품 〈언덕〉이 실린 브로슈어, 1938
한홍택(앞 줄 왼쪽에서 네 번째)이 도쿄도안전문학원
교장선생님 외 15인과 찍은 사진, 1938

1939   제국미술학교(現 무사시노미술대학) 회화연구과 입학 및 수료

       광고현상공모 수상(유한양행 개최)

       제18회 조선미술전람회(경복궁 총독부미술관, 6.4.–6.24.)에 〈어부〉 출품

1940   한국 귀국

       유한양행 미술부장 근무

       제19회 조선미술전람회(경복궁 총독부미술관, 6.2.–6.23.) 서양화부에 〈머플러 소녀〉 출품

제19회 조선미술전람회 출품작 〈머플러 소녀〉, 1940

1941	제20회 조선미술전람회(경복궁 총독부미술관, 6.1.–6.22.) 서양화부에 〈무희〉 출품
1942	제21회 조선미술전람회(경복궁 총독부미술관, 5.31.–6.21.) 서양화부에 〈적(笛)〉 출품
1943	《서양화 녹과회 회원전》 출품
	제22회 조선미술전람회(경복궁 총독부미술관, 5.30.–6.21.) 서양화부에 〈몸빼 옷의 부인〉 출품
1944	제23회 조선미술전람회(경복궁 총독부미술관) 서양화부에 〈오후〉, 〈어느 여인의 상〉 출품
1945	조병덕, 김관현, 조능식, 홍남식, 이완석, 유윤상, 이병헌, 엄도만 등과 조선산업미술가협회 창립
	(1948년 대한산업미술가협회로 개칭), 조선미술건설본부, 조선미술동맹, 조선미술가협회 참여

그림 그리는 한홍택 인물 사진, 1945년경

1946	제1회 조선산업미술가협회 발표전(동화백화점 화랑, 5.21.–5.31.)
	제2회 조선산업미술가협회 회원전(동화백화점 화랑, 12.25.–1.5.)
	《양화 6인전》(동화화랑, 10.24.–10.30.) 〈화인도〉 출품
	조선조형예술동맹 참여
	국제보도연맹 창립위원으로 『국제보도』 표지화 및 제호 디자인

《양화 6인전》 출품작, 〈화인도〉 작품 사진, 1946
한홍택이 제작한 〈해방기념〉 포스터의 흑백사진, 1946

1947	제3회 조선산업미술가협회 회원전(동화백화점 화랑, 5.21.–5.29.)
	제4회 조선산업미술가협회 회원전(동화백화점 화랑, 9.16.–9.23.)
1948	조선산업미술가협회에서 대한산업미술가협회로 개칭
	제5회 조선산업미술가협회 회원전(동화백화점 화랑, 4.20.–4.30.)
	제6회 조선산업미술가협회 회원전(동화백화점 화랑, 10.1.–10.8.)
	제4회 재동경미술협회 출품

1950	제7회 산업미술가협회 회원전(동화백화점 화랑, 4.25.–4.30.)
	대한민국대통령 휘장 디자인
	대한민국국장 심사위원
	국제기능올림픽 한국심사위원
	KOTRA 디자인위원
	국제관광공사 디자인심사위원
	문교부 교사 자격심사위원
	전국산업도안 심사위원
	문공부 해외 관광포스터 제작

제7회 산업미술가협회 회원전 전시회장 전경 사진, 1950

1952	《한홍택 산미 개인전》(재경산업미술가협회 주최, 서울신문사 후원, 올림피아 다원, 7.15.–7.20.) 11점 출품
1953	제2회 국전(국립미술관, 11.25.–12.15.) 서양화부에 〈귀향〉 출품, 특선 수상
	《재경 미술가작품전》(국립도서관 화랑, 5.10.–5.17.)
1954	제8회 대한산업미술가협회 회원전(동화백화점 화랑, 4.10.–4.19.)
	제3회 국전(국립미술관, 11.1.–11.30.)
1955	제9회 대한산업미술가협회 회원전(동화백화점 화랑, 5.3.–5.12.)
	《한홍택 작품전》(동화백화점 화랑, 10.9.–10.16.) 38점 출품
1956	한홍택도안연구소 개소(1964년 서울도안전문연구소로 개칭)
	서울대학교 미술대학 응용미술과 강사 출강(1956–1959)
1958	《제2회 한홍택 모던 데자인전》(중앙공보관 화랑, 5.23.–5.30.) 30점 출품

《제2회 한홍택 모던 데자인전》 브로슈어, 1958
《제2회 한홍택 모던 데자인전》 출품작 〈DESIGN〉, 1958

1959   제11회 대한산업미술가협회 회원전(중앙공보관 화랑, 4.20.–4.30.)

홍익대학교 미술대학 공예과 전임 교수(1959–1969)

제11회 대한산업미술가협회 회원전 브로슈어, 1959

1960   제12회 대한산업미술가협회 회원전(중앙공보관 화랑, 10.17.–10.23.)

대한산업미술가협회 회원전을 마치고, 1960
제12회 대한산업미술가협회 회원전 브로슈어, 1960

1961   《제3회 한홍택 그라픽 디자인전》(중앙공보관 화랑, 10.5.–10.11.) 29점 출품

《제3회 한홍택 그라픽 디자인전》 브로슈어 내지, 1961
《제3회 한홍택 그라픽 디자인전》 브로슈어, 1961

《제3회 한홍택 그라픽 디자인전》 출품작 〈'99 annual of advertising art〉, 1961

1962   《제4회 한홍택 그라픽 디자인전》(중앙공보관 화랑)

신인예술상 심사위원

홍익대학교 미술대학 명예 석사학위 수여

전매청, 체신부 도안심사위원

1963   제13회 대한산업미술가협회 회원전(중앙공보관 화랑, 3.11.–3.17.)

제2회 신상전(경복궁미술관, 5.19.–5.31.)

제2회 신상전 브로슈어, 1963

제2회 신상전 브로슈어 내지, 한홍택 출품작 소개, 1963

1964   《제1회 한홍택문하생 그래픽 디자인전》(대한산업미술가협회 주최, 종로 YMCA 화랑, 4.6.–4.13.)

《제5회 한홍택 그래픽 아트전》(종로 YMCA 화랑, 5.1.–5.8.) 36점 출품

제14회 대한산업미술가협회 회원전(대한산업미술가협회 및 강원도청 공동 주최, 종로 YMCA 화랑,

    8.20.–8.27.; 춘천 강원도공보관, 9.2.–9.8.)

제3회 신상전(경복궁미술관, 6.28.–7.7.)

제3회 신상전 브로슈어, 1964

제3회 신상전 브로슈어 내지, 한홍택 출품작 소개, 1964

《제5회 한홍택 그래픽 아트전》 포스터, 1964

한홍택과 서울도안전문연구소 연구생들이 함께 찍은 사진, 1964

한홍택 작품 앞에서 유강열과 한홍택, 1960년대

1965   제15회 대한산업미술가협회 회원전(신문회관 화랑, 9.11.–9.17.)

세계공예회의(World Craft Council) 회원

제15회 대한산업미술가협회 회원전 참여작가 단체 사진, 1965

대한산업미술가협회 산업미술공모전 시상 사진(좌 한홍택, 우 문우식), 1960년대

1966   제16회 대한산업미술가협회 회원전(미도파 화랑, 5.7.–5.14.)

제1회 상공미전(경복궁미술관, 8.3.–8.20.) 상공부 주관, 이순석, 박대순, 민철홍, 권길중과 함께 집행위원 위촉

《제6회 한홍택 그라픽 아트전》(중앙공보관 화랑, 11.1.–11.7.)

제17회 대한산업미술가협회 회원전(중앙공보관 화랑, 11.14.–11.19.)

1967   제18회 대한산업미술가협회 회원전(중앙공보관 화랑, 10.27.–11.1.)

제6회 신상전(중앙공보관 화랑, 10.27.–11.1.)

1969   《제7회 한홍택 시각언어전》(신문회관 화랑, 5.7.–5.13.)

제20회 대한산업미술가협회 회원전(국립공보관[덕수궁], 7.11.–7.17.)

《제7회 한홍택 시각언어전》 포스터, 1969
제20회 대한산업미술가협회 회원전, 제5회 산업미술공모전, 1969

1970   제22회 대한산업미술가협회 회원전(장소 미상, 12.21.–12.26.)

제1회 실업고등학교 학생실기종합경진대회 출제위원

동교동 화실에서 찍은 사진, 1970

1971   제23회 대한산업미술가협회 회원전(한국디자인포장센터, 4.20.–4.27.)

1972   제24회 대한산업미술가협회 회원전(명동화랑, 5.26.–6.1.)

《한·일산미전(韓·日産美展)》(명동화랑, 5.26.–6.1.) 일본의 이과회(二科會) 회원 10명과 산미협회 회원 30명 참여

서울특별시 문화위원 및 대한체육회국제올림픽(KOC) 문화분과위원 역임

1973	제25회 대한산업미술가협회 회원전(신세계미술관, 4.24.–4.29.)
	대한민국산업디자인전 초대 작가
	조일광고상 심사위원(조선일보사 주최)
1974	제26회 대한산업미술가협회 회원전(신세계미술관, 4.30.–5.5.)
	《제8회 한홍택 작품전》(신세계미술관, 5.7.–5.12.) 40여 점 출품

《제8회 한홍택 작품전》 브로슈어, 1974
《제8회 한홍택 작품전》 출품작 〈대기오염인간환경회의〉 포스터, 1974

《제8회 한홍택 작품전》 포스터, 1974
한홍택, 『LETTERING 문자도안』(세기출판사, 1974)의 표지 사진, 1974

1975	제27회 대한산업미술가협회 회원전(신문회관 화랑, 10.1.–10.7.)
	덕성여대 응용미술학과 교수 및 미술학부장 역임
	국립현대미술관 자문위원
	대한산업미술가협회 고문
1976	《제9회 한홍택 유화전: 산, 구름, 마을》(문헌 화랑, 6.14.–6.20.)
	《회화초대전(繪畫招待展)》(희화랑, 6.28.–7.7.)
	《소묘20인전(素描20人展)》(희화랑, 9.4.–9.13.)
	제28회 대한산업미술가협회 회원전(문화화랑, 10.5.–10.10.)
	《진우회전(辰友会展)》(명동화랑, 11.1.–11.7.)
	《서양화100인전》(문화화랑)
	《회갑기념전》(문헌화랑)
1977	제29회 대한산업미술가협회 회원전(미도파백화점 장미홀, 6.22.–6.27.)
1978	제30회 대한산업미술가협회 회원전(한국디자인포장센터, 4.24.–4.30.)
	《동문화랑 개관기념 현대서양화초대전》
	(동문화랑, 7.21.–7.25.) 〈산〉 출품
1979	제15회 아세아현대미술전(도쿄도미술관, 6.20.–7.1.; 국립산업회관대수정관, 6.17.–6.23.) 유화 작품 〈산〉 출품

임응식이 촬영한 한홍택, 1979.

1980	《제10회 한홍택 작품전》(그로리치화랑, 12.8.–12.14.)
	《대만그래픽 교류전》
	《한미그래픽합동전》
	《한중미술문화교류전》
	문교부 예체능계 대학입시시험 공동관리위원회 평가위원
	서울시 도시건축지도심의위원
	전매청디자인 심의위원
	한국현대디자인학회 명예회원

《제10회 한홍택 작품전》 안내판과 화랑입구를 찍은 사진, 1980

1981	덕성여자대학교 정년 퇴임
	도미
1982	《한홍택 유화 그래픽 초대작품전》(남가주 한국미술가협회 초대, 한국일보 후원, LA 삼일당화랑, 9.17.–9.26.)
	유화 20여 점과 그래픽아트 10여 점 출품
1984	한국 귀국
	《한홍택 중남미 스케치 채화전》(그로리치 화랑, 8.28.–9.3.)
1985	단국대학교 대학원 강의
1988	『한홍택작품집』 발간
	한국미술협회 상임고문 및 대한산업미술가협회 고문
1993	제25회 대한민국문화예술상 수상
1994	78세 나이로 타계

단행본

가시와기 히로시.『일본 근대 디자인사』. 노유니아 옮김. 서울: 소명출판, 2020.

강성현·강진아·김성보·김진호·김학재·오제연·이유재·이하나·홍석률.『한국현대생활문화사 1950년대』. 파주: 창비, 2016.

기시 도시히코.『비주얼 미디어로 보는 만주국: 포스터·그림엽서·우표』. 전경선 옮김. 서울: 소명출판, 2019.

김경원·박영원 엮음.『대한산업미술가협회 70년 시각디자이너회 기록집』. 광주: 그레이에디션스, 2015.

김남일.『근현대 한의학 인물실록』. 파주: 들녘, 2011.

김달진미술자료박물관 편집부.『한국 미술단체 100년』. 서울: 김달진미술자료박물관, 2013.

김민환.『한국언론사』. 파주: 나남, 2005.

대한산업미술가협회.『산미오십년』. 서울: 대한산업미술가협회, 1998.

맥스, 필립 B.『그래픽 디자인의 역사』. 황인화 옮김. 서울: 미진사, 2011.

박영목.『한국 디자인의 새벽 서울대학교 미술대학 아카이브: 디자인 김정자』. 서울: 서울대학교 미술대학 조형연구소, 2013.

_____.『한국 디자인의 새벽 서울대학교 미술대학 아카이브: 디자인 민철홍』. 서울: 서울대학교 미술대학 조형연구소, 2013.

_____.『한국 디자인의 새벽 서울대학교 미술대학 아카이브: 디자인 부수언』. 서울: 서울대학교 미술대학 조형연구소, 2013.

박홍규.『윌리엄 모리스의 생애와 사상』. 서울: 개마고원, 1998.

서범석·신인섭.『한국광고사』. 파주: 나남, 2011.

서울대학교 미술대학 부설 조형연구소 엮음.『디자인의 새로운 지평: 민철홍과 한국 산업디자인 40년』. 서울: 미진사, 1994.

서울대학교 미술대학 응용미술학과 동문회.『賀羅 李順石』. 서울: 서울대학교 미술대학 응용미술학과 동문회, 1993.

서울대학교 한국디자인산업연구센터 엮음.『기억과 대화: 한국의 모던디자인과 부수언』. 서울: 서울대학교 한국디자인산업연구센터, 2004.

성공회대 동아시아연구소 엮음.『냉전 아시아의 문화풍경1: 1940–1950년대』. 서울: 현실문화연구, 2008.

_____.『냉전 아시아의 문화풍경2: 1960–1970년대』. 서울: 현실문화연구, 2009.

오성상.『인쇄 역사』. 서울: 커뮤니케이션북스, 2013.

오창섭.『제로에서 시작하라: 민철홍과 한국의 산업디자인』. 서울: 디자인플럭스, 2011.

원유홍.『커뮤니케이션 디자인사』, 윤디자인연구소 출판사업부 정글, 1998.

이구열.『근대 한국미술의 전개』. 서울: 열화당, 1979.

이대원.『혜화동 50년』. 서울: 열화당, 1988.

이영미.『서울의 대중가요』. 서울: 서울역사편찬원, 2022.

_____.『한국 대중가요사』. 서울: 시공사, 1999.

이호철.『서울은 만원이다』. 서울: 여원사, 1976.

정시화.『한국의 현대 디자인』. 서울: 열화당, 1976.

_____.『현대 디자인 연구』. 서울: 미진사, 1980.

정종현·천정환.『대한민국 독서사』. 파주: 서해문집, 2018.

최공호.『한국 근대 공예사론: 산업과 예술의 기로에서』. 서울: 미술문화, 2008.

최열.『한국 현대미술의 역사: 한국미술사사전 1945–1961』. 파주: 열화당, 2006.

한국근현대미술기록연구회 엮음.『제국미술학교와 조선인 유학생들: 1929–1945』. 서울: 눈빛, 2004.

한국디자인진흥원 엮음.『디자인 코리아: 50가지 키워드로 본 한국 디자인 진흥 50년』. 서울: 디자인하우스, 2020.

한국정신문화연구원 엮음.『1960년대의 정치사회변동』. 서울: 백산서당, 1999.

『한국미술사전』. 서울: 대한민국예술원, 1985.

『한홍택작품집』. 한홍택선생 작품집발간추진위원회, 1988.

전시 도록

『문우식: 그리움의 기억』전시 도록. 서울: 홍익대학교 현대미술관, 2018.

『오픈유어스토리지: 역사, 순환, 담론』. 서울: 서울시립미술관, 2019.

『잃어버린 도시, 서울 1950s–60s』. 서울: 갤러리룩스, 스페이스99, 2015.

『제1회 대한민국 상공미술전람회 도록 '66』. 서울: 상공부, 1967.

『창립 40주년 기념전 산미시각디자인부』전시 도록. 서울: 대한산업미술가협회, 1986.

『한국포스터디자인백년전』도록. 서울: 근현대디자인박물관, 2010.

학술 논문

강현주.「정시화의 디자인 저술에 나타난 서구 디자인사의 영향」,『디자인학연구』32권 3호(2019): 167–179.

_____.「한홍택 디자인의 특징과 의미: 한국 그래픽 디자인의 전사(前史)」.『디자인학연구』25권 3호(2012): 142–151.

_____.「해방 이후 1960년대 말까지 서울대학교 디자인교육에서 이순석의 역할」.『디자인학연구』34권 3호(2021): 243–257.

고바야시 슌스케.「1920년대 후반에서 1930년대 초반까지 일본의 추상미술」,『미술이론과 현장』, 3호(2005), 117–134.

김경연.「통속의 정치학: 1960년대 후반 김승옥 '주간지 소설' 재독(再讀)」.『어문론집』62권(2015): 373–420.

김민수.「서울대학교 미술대학의 디자인·공예 교육 50년사: 1946–1996년」.『한국 현대 미술교육과 서울대학교 미술대학 1946–1960』. 서울: 서울대학교 출판부, 1996, 30–57.

_____.「한국 현대디자인과 추상성의 발현, 1930–60년대」.『조형』18권(1995): 51–68.

김성환.「1960–1970년대 노동과 소비의 주체화 연구」.『코기토』81호(2017): 544–585.

김영희.「한국의 라디오시기의 라디오 수용현상」.『한국언론학보』47권 1호(2003): 140–165.

김예림.「1960년대 중후반 개발 내셔널리즘과 중산층 가정 판타지의 문화정치학」.『현대문학의 연구』32권(2007): 339–375.

김종덕.「한국의 시각디자인 교과과정 변화에 대한 분석: 서울대학교, 이화여자대학교, 홍익대학교 시각디자인 전공의 교과과정 변화를 중심으로」.『디자인학연구』20권 3호 (2007): 73–84.

김청강.「현대 한국의 영화 재건론리와 코미디 영화의 정치적 함의(1945–60): 명랑하고 유쾌한 '발전 대한민국' 만들기」.『진단학보』112호(2011): 27–59.

노유니아.「근대 전환기 한국 '工藝(공예)' 용어의 쓰임과 의미 변화에 대한 고찰」.『문화재』54권 3호(2021): 192–203.

_____.「초기 디자인교육으로서의 근대 일본 도안: 기법과 내용」.『Extra Archive: 디자인사연구』2권 2호(2021): 104–119.

_____.「한국 근대 디자인 개념과 양식의 수용: 동경미술학교 도안과 유학생 임숙재를 중심으로」.『미술이론과 현장』8호(2009): 7–31.

목수현.「관광 대상과 문화재 사이에서」.『동아시아문화연구』제59집(2014): 15–42.

박암종.「한국 근대포스터의 특징과 스타일에 대한 연구: 근현대디자인박물관 소장 포스터를 중심으로」.『디자인학연구』21권 5호(2008): 227–236.

_____.「한국 근현대디자인사의 전개와 정리」.『조형_아카이브』1권(2009): 117–149.

_____.「한국 시각디자인 역사와 비닫의 위상」.『비닫디자인저널』3호(2004).

박진영.「1960년대 후반의 대중소비사회 담론과 증상으로서의 글쓰기: 김승옥의『60년대식』을 대상으로」.『현대소설연구』80호(2020): 151–173.

사토 도신.「근대 일본미술의 미술용어」.『조형』21권(1998): 137–157.

서희정.「제국미술학교 조선인유학생의 재학 양상과 김재석의 도예디자인의 독자성: 1935이후 공예도안과에서 도안공예과로 개편된 학제를 중심으로」.『기초조형학연구』22권 4호(2021): 191–203.

송은영.「1960년대 여가 또는 레저 문화의 정치」.『한국학논집』51호(2013): 71–98.

안창모.「1960년대 한국건축의 반공·전통이데올로기와 모더니티」.『건축역사연구』12권 4호(2003): 137–156.

임종수.「1960–70년대 텔레비전 붐 현상과 텔레비전 도입의 맥락」.『한국언론학보』48권 2호(2004): 79–107.

장소현.「한국 그래픽 디자인의 역사와 디자이너 겸 화가 한홍택」,『디자인 이슈리포트』, 45호(2020): 2–15.

정시화.「서구 모더니즘 수용과 전개: 공예와 디자인(1)」.『조형』17권(1994): 83–89.

최공호.「공예(工藝), 모던의 선택과 문명적 성찰」.『한국근현대미술사학』22집(2011): 23–35.

_____.「이왕직미술품제작소 연구」.『고문화』34권(1989): 97–123.

허보윤.「미술로서의 디자인: 이순석의 1946–1959년 응용미술교육」.『조형_아카이브』2권(2010): 137–188.

학위 논문

구경화.「이순석의 생애와 작품 연구」. 석사 논문, 서울대학교, 1999.

김엘리아나.「한국과 아르헨티나의 디자인 식민성: 1950–70년대 국립디자인진흥과 교육의 역사적 배경과 전개」. 박사 논문, 서울대학교, 2020.

김지홍.「1960–70년대 국가건축사업과 전통의 재구축」. 박사 논문, 서울대학교, 2014.

노유니아.「근대 디자인 개념과 양식의 수용: 동경미술학교 도안과 유학생 임숙재를 중심으로」. 석사 논문, 서울대학교, 2009.

박삼규.「한국디자인포장센터에 관한 연구」. 석사 논문, 서울대학교, 1970.

박암종.「한국 근현대디자인의 시기별 디자인 특징에 관한 고찰」. 박사 논문, 홍익대학교, 2019.

신유미.「한일 근대 공예도안 연구」. 석사 논문, 이화여자대학교, 2011.

오윤빈.「근대기에 형성된 한국이미지: 사진엽서를 중심으로」. 석사 논문, 이화여자대학교, 2014.

전용근.「한국 근대 상표 디자인의 변천과 문화적 특성」. 석사 논문, 서울대학교, 2015.

최민현.「근· 현대 국가 주도 호텔의 건설과 자본주의 유입에 따른 변화」. 석사 논문, 서울대학교, 2016.

최옥수.「한국 근대 공예개념의 형성과 교육에 관한 연구」. 석사 논문, 서울대학교, 1999.

최정원.「냉전기 미국 디자인외교와 한국공예시범소」. 석사 논문, 서울대학교, 2015.

최호랑.「1960–70년대 한국 디자인 개념의 형성과 전개」. 석사 논문, 서울대학교, 2015.

林貝泇.「1970년대 초 한국 경제정책 변화가 대학교육에 미친 영향: 서울대학을 중심으로」. 석사 논문, 서울대학교, 2006.

정기 간행물

김교만·정시화. 「김교만 교수의 서정적 디자인 세계」. 『월간디자인』. 1977년 3월.
다까하시 하루또. 「이과전 디자인부 리포트」. 『월간디자인』. 1985년 11월.
박선의. 「한홍택 선생을 추모하며」, 『월간디자인』, 1994년 6월호.
박암종. 「한국 그래픽 디자인계의 산증인, 한홍택」. 『월간디자인』. 1988년 7월.
_____. 「한국디자인 100년」. 『월간디자인』. 1995년 2월.
_____. 「한국디자인 100년사(1)」. 『월간디자인』. 1995년 8월.
_____. 「한국디자인 100년사(2)」. 『월간디자인』. 1995년 9월.
요시미 슌야. 「[특집: 동북아시아와 민족 문제] 냉전체제와 '미국'의 '소비': 대중문화에서 '전후'의 지정학」. 『문화과학』 42호. 2005년 여름.
양난영. 「한국디자인계의 큰 발자취: 한홍택」. 『월간디자인』. 1994년 6월.
유한태, 양호일 외. 「한일 현대 포스터전」. 『월간디자인』. 1984년 4월호.
이경성. 「디자인의 국제화에 부응」, 『월간디자인』. 1985년 8월호.
이경성. 「산미 30년전」. 『월간디자인』. 1978년 6월.
이구열. 「한국의 근대 화랑사 7: 천일화랑과 이완석」. 『미술춘추』. 1981년 3월.
이상록. 「TV, 대중의 일상을 지배하다」. 『역사비평』. 2015년 11월.
이철우. 「시각 디자인계의 선구자, 한홍택」. 『시각디자인』. 1987년 3월.
이케다 쇼조. 「대한산업미술가협회 창립 40주년 기념전」, 『월간디자인』, 1986년 9월호.
정시화. 「외측 디자인과 내측 디자인」. 『공간』. 1970년 3월.
_____. 「한국 현대디자인의 발전적 성찰 (1)」. 『공간』. 1975년 7월.
정현웅. 「틀을 돌파하는 미술: 새로운 시대의 두 가지 양식」. 『주간 서울』, 1948년 12월 20일.
최범. 「한국 그래픽 디자인계의 산증인, 한홍택」. 『월간디자인』. 1988년 7월.
한홍택. 「바르고 창의적인 데자인」. 『장업계』. 1959년.
_____. 「산미 삼십주년에 붙인다」. 『월간디자인』. 1976년 12월.
_____. 「전통의 처리간제 전통의 처리문제」. 『공간』. 1969년 1월.
_____. 「현대산업과 그래픽」. 『공간』. 1969년 2월.
황부용. 「이미지를 만드는 사람들: 제6회 회화적 접근」. 『월간디자인』. 1986년 6월.
「반도의약계대관(半島醫藥界大觀)」, 『삼천리』, 1938년 1월.

신문 기사

권영국. 「문화인 카르테 – 산업미술가」, 『신아일보』, 1972년 7월 21일 자.
김병기. 「64년 레뷰 ② 미술」. 『조선일보』. 1964년 1월 28일 자.
김훈. 「인쇄문화와 장정미술」. 『동아일보』. 1959년 1월 30일 자.
백영수. 「좋은 풍경 만들자」. 『조선일보』. 1955년 5월 17일 자.
서광제. 「조선영화와 타이업 문제 (4)」. 『조선일보』. 1935년 5월 27일 자.
엄도만. 「산업미술특집: 산업미술과 회화」. 『경향신문』. 1947년 5월 22일 자.
이경성. 「의욕 못따른 조형작업 21회 산미전」. 『동아일보』. 1970년 2월 19일 자.
이구열. 「디자인시대」. 『경향신문』. 1967년 6월 26일 자.
조능식. 「대한산업미술가협회 제50회전과 50년사에 붙여서」. 『한국섬유신문』. 1998년 5월 27일 자.
_____. 「정열의 개화: 한홍택개인전평」. 『동아일보』. 1958년 5월 31일 자.
최만실. 「여성과 생활미술」. 『동아일보』. 1962년 1월 27일 자.
한홍택. 「데자인, 문화와 생활의 미화: 인쇄된 종이조각 한 장도 문화의 척도」. 『서울신문』, 1958년 4월 13일 자.
_____. 「산업미술과 신문광고」. 『서울신문』. 1957년 9월 5일 자.
_____. 「산업미술소고 생활미화에의 영향」. 『경향신문』. 1954년 5월 30일 자.
_____. 「산업미술특집: 산업미술과 산업건설」. 『경향신문』. 1947년 5월 22일 자.
「국전에 디자인부를 산업미협 건의」. 『경향신문』. 1965년 10월 11일 자.
「관광단 맞아들일 준비는?」. 『동아일보』. 1955년 4월 20일 자.
「노름으로 낭비하는 농촌여가」. 『조선일보』. 1960년 8월 18일 자.
「데자인: 능력에 따라선 최고의 수입」. 『경향신문』. 1958년 9월 19일 자.
「마–크예찬: 천일약방」. 『매일신보』. 1927년 1월 23일 자.
「문화정책과 그 산물」. 『동아일보』. 1955년 4월 18일 자.
「미술 해방 20년: 그 성장을 본다」. 『경향신문』. 1965년 5월 31일 자.
「바캉스와 크리스마스」. 『동아일보』. 1966년 9월 3일 자.
「사설: 정부와 문화정책」. 『동아일보』. 1954년 8월 4일 자.
「상표권침해소」. 『동아일보』. 1932년 1월 21일 자.

「여명의 개척자들 (6): 조근창 인섭 부자」.『경향신문』. 1984년 4월 14일 자.
「연선 일업삼대 새해 탐방: 조고약」.『동아일보』. 1957년 1월 5일 자.
「한국민예품연구소 발족, 유형문화재를 전승」,『조선일보』. 1964년 2월 21일 자.

인터넷 자료

강현주.「김교만 현대적인 조형감각과 한국적인 정서의 디자인」. 네이버 캐스트 디자이너 열전.
    https://terms.naver.com/entry.naver?cid=58790&docId=3577758&categoryId=58790
「인쇄 문화의 역사: 현대편」. 대한인쇄문화협회. http://www.print.or.kr/bbs/board.php?bo_table=B41&wr_id=57&sca=F
일본영화 데이터베이스. http://www.jmdb.ne.jp/1941/bq001630.htm. 2022년 9월 23일 접속.
홍익대학교 미술대학 연혁. http://cfa.hongik.ac.kr/front/detail.pdf

기타

노유니아.「미술을 둘러싼 이완석의 족적: 여명기 디자이너 / 해방 후 한국미술의 후원자」.『공주시립미술관 건립을 위한 청전 이상범 작고 50주년 기념 학술대회: 근·현대기 공주
화단과 미술가』발표집(2022).
동서울대학교 산업기술연구소(박암종).『한국 디자인 사료의 DB화에 관한 연구: 1880–1980년대를 중심으로』. 서울: 산업자원부, 1999.
박암종.「한국 시각디자인 역사와 비닥의 위상」.『비닥디자인저널』제3호(2004).
『청와대 건축물』. 대통령비서실. 2018.
협성실업학교학생회 발행.『협실 창간호』. 1929년 7월 12일.

해외 단행본

Meggs, Philip B. *A History of Graphic Design.* New York: Wiley & Sons, 1998.
小室信蔵.『一般図按法』. 丸善, 1909.
並木誠士·青木美保子·山田由希代·清水愛子.『京都 伝統工芸の近代』. 思文閣出版, 2012.
『東京美術学校一覧從大正十二年至大正十四年』. 東京美術学校, 1925.
芸術研究振興財団. 東京芸術大学百年史刊行委員会 編.『東京芸術大学百年史(東京美術学校篇 第3巻)』. ぎょうせい, 1997.
清水知久.『1960年代―ごとばが語る時代の氣分』. 有斐閣, 1987.

해외 학술 논문

Mackenzie, Michael. "From Athens to Berlin: The 1936 Olympics and Leni Riefenstahl's Olympia." *Critical Inquiry* 29, no. 2(2003): 302–336.
緒方康二.「明治とデザイン―小室信蔵の方法論」.『夙川学院短期大学研究紀要』4. 学校法人 夙川学院 夙川学院短期大学, 1979.
緒方康二.「明治とデザイン―小室信蔵(1)」.『デザイン理論』19(1980).

해외 신문 기사

「スポーツ美, "美の祭典"封切廿日より明治座へ」.『朝鮮新聞』. 1941년 1월 19일 자.

모던 데자인: 생활, 산업, 외교하는 미술로

2022.11.23.– 2023.3.26.
국립현대미술관 과천 3, 4 전시실

발행인
윤범모

편집인
송수정

제작총괄
임대근
조장은

기획 편집
이현주

공동 편집
장래주

편집 지원
김영인

도록 디자인
헤이조

타이틀 디자인
장수영(양장점)

교정·교열
강유미

사진
이미지줌

인쇄·제본
클로버리

제작 진행
국립현대미술관 문화재단

협찬
이 도록의 내지는 무림페이퍼 종이로 제작되었습니다.
네오스타S플러스(백색) 65g/m^2,
네오스타백상 100g/m^2,
네오스타스노우화이트 100g/m^2,
아티젠(고백색) 105g/m^2

MOORIM
무림페이퍼

후원

Korean Film Archive
한국영상자료원

글
강현주
김백영
노유니아
박암종
이현주
전용근
최호랑

초판 발행
2022년 11월 23일

본 도록은 《모던 데자인: 생활, 산업, 외교하는
미술로》(2022.11.23.– 2023.3.26.)와 관련하여
발행되었습니다. 이 책에 실린 글과 사진 및 도판의
저작권은 국립현대미술관, 작가 및 해당 저자에게
있습니다. 저작권법에 의해 보호를 받는
저작물이므로 무단 전재, 복제, 변형, 송신을 금합니다.

© 2022 국립현대미술관

MCA 국립현대미술관
National Museum of
Modern and Contemporary Art, Korea

ISBN 978-89-6303-339-6
값 35,000원

Modern Design: The Art of Life, Industry and Diplomacy

November 23, 2022. – March 26, 2023.
Gallery 3, 4
National Museum of Modern and Contemporary Art, Gwacheon

Publisher
Youn Bummo

Production Director
Song Sujong

Managed by
Lim Dae–geun
Cho Jangeun

Chief Editor
Lee Hyunju

Co–editor
Jang Raejoo

Editorial Coordination
Kim Youngin Arial

Design
Hey Joe

Title Design
Jang Sooyoung (yang–jang)

Revision
Kang Yumi

Photography
Image Joom

Printing & Binding
Clovery

Published in association with
National Museum of Modern and Contemporary
Art Foundation, Korea

Supported by
This catalog is printed on Moorim Paper.
NEOSTAR S PLUS (White) 65g/m^2,
NEOSTAR UNCOATED PAPER 100g/m^2,
NEOSTAR MATT 100g/m^2,
ARTIZEN (Extra White) 105g/m^2

Sponsored by
Korean Film Archive
한국영상자료원

Text
Kang Hyeon Joo
Kim Baek Yung
Roh Junia
Park Arm Jong
Lee Hyunju
Chun Yongkeun
Choi Horang

First publishing date
11. 23. 2022

This catalogue is published on the occasion
of *Modern Design: The Art of Life, Industry
and Diplomacy* (November 23, 2022 –
March 26, 2023).

국립현대미술관
National Museum of
Modern and Contemporary Art, Korea

ISBN 978-89-6303-339-6
Price 35,000 KRW

여기 여러분은, 여러분의 企業 이메에지를 創造하는 藝術이 있으며, 여러분의 生活周邊에 明朗하고 즐거운 무우드를 造成하는 美術을 볼 것입니다. 인더스트리알·아ー트 또는 캄마샬·아ー트가 바로 그것입니다. 生活하는 美術이라고 일컫는 까닭도 여기 있읍니다. 이 分野의 創作課程에는 實로 許多한 難點이 있으니, 純粹繪畵의 境遇와 같이 個人展을 隨時로 發表한다는 것은 거의 不可能에 가까운 일임을 생각할 때, 벌써 3回展을 거듭하게 되었다는 것은 또한번 驚嘆치 않을 수 없는 擧事라 하겠읍니다. 周知하시다시피, 그라픽·디자인은 主體性을 어떻게 다루느냐하는 問題에만 그치는 것이 아니며, 또하나의 心理學的인 要素인 프로닥트·이메에지의 表現이라든가, 企業 이메에지의 創造도 아울러 計算에 넣고 나가야 되는 것입니다. 그저 보고 아름다우면 되는 것이 아니며, 어디까지나企業 또는 生活과 結符됨이 있어야 되는 것입니다.

多幸히 韓弘澤畵伯은 産業美術이 갖추고 나가야할 이러한 一連의 理論的, 前提的要素를 함께 지니고 있는 唯一한 아ー티스트로서, 그 不屈의 精力과 學究的態度, 創作意慾에 對하여는 敬意를 表해 마지 않읍니다. 여기 새삼 紹介해드릴 必要도 없이 韓畵伯은 그라픽·디자이너界의 第一人者이며, 繪畵藝術의 짱루에서도 또한 一家를 이루고 있는 多才多能의 人物입니다. 作品 하나하나마다 풍기는 特異한 造型美와 繪畵性은 現代的PR要素와 새로운 感覺이 渾然一體가 되어 感嘆할만큼 完璧을 이루고 있읍니다. 孤軍奮鬪하는 韓畵伯의 이 血鬪와 努力이 이 나라 産業美術界와 企業界에, 가까운 將來 반드시 利益과 繁榮을 주게 될 것임을 믿어 마지 않읍니다.

1961年 10月

弘益大學美術學部 韓國PR研究所 産業美術家同人一同

디자인 이란 말이 內包하고 있는 意味가
近來에 와서 急速度로 그 幅을 넓히고 있읍
니다. 10有年前만해도 一部專門家들의 用語
로만 사용되었으며 그전에는 한마디로 말해
서 圖案이라던 것이 이제는 그라픽디자인·
인더스트리알 디자인·그라프트 디자인等의
專攻分野로서 社會生活의 모든 領域에 浸透
되어 그 機能을 發揮하기 시작한 것은 周知
의 事實입니다.
　따라서 視覺言語로서의 그라픽 아트그라
픽디자인이란 딴 藝術分野와 마찬가지로 獨
步的인 한 쟝르를 마련하게 되었음은 또한
不可避한 現代的要請이라 하겠읍니다.
　이번 저의 第5回展은 그의 一部로서 新作
을 한자리에 모아본 것입니다.
　　　1964. 5. 1.　　　　韓　弘　澤

AN EXHIBITION OF GRAPHIC DESIGN ART BY MR. HAN HONG TAIK'S STUDENTS.

6-13 APRIL, 1964　YMCA GALLERY.

서울圖案專門研究所

市內樂園洞139 (74) 1619

美術 印刷·各種포스─타製作
高麗印刷株式會社
TEL ② 3080 ② 5354

Tourist Hotel Keum Soo Chang

5.1~8日 鍾路 Y.M.C.A.2層画廊

1966
1—7, NOV.
KOREAN IMFORMATION CENTER
THE 6ᵀᴴ EXHIBITION OF GRAPHIC ART
BY **HAN HONG-TAIK**

韓弘澤 그라픽 아트 **展**
第6回 中央公報舘2層画廊
1966. 11월1일~7일

産業디자인에 對한 世界的인 要請은 工業세계의 人間化다. 또한 芸術과 技巧 그리고 經濟의 造型的인 組織化를 志向한다. 바로 여기에 프로덕트·디자인과 그라픽 아트의 本質的 使命이 있다. 要컨대 近代的 造型美術로서의 廣義의 인더스트리얼·디자인은 企業이미지의 보다 훌륭한 創造이며 積極的인 芸術活動으로서. 보다 나은 生活에의 合理化에 寄與하자는데 次元과 目的을 둔다.

KOREA
TOUR GUIDE

THE 7th EXHIBITION
OF
HAN HONG TAIK
GRAPHIC ART

새로운 感覺에의 招待

数千年의 歷史가 日常性속에
埋没 당하고 있다
잊혀진 素材에서
現代 그래픽 디자인의
尖鋭한 光彩를 投射하고
새로운 造形의 可能性을
찾아본 것이다.

現代化가
西欧化에 그치고 있는
이 마당에
過去의 伝統(Originality)을
追求하는 姿勢를 갖고……

版寫藝術의 殿堂
太陽堂印刷株式會社
서울特別市中區忠武路4街 70 −1
TEL. 54-8047−9